"DOMAINE FRANÇAIS"
sous la direction de Bertrand Py

LA CITÉ POTEMKINE

QUELQUES TITRES DU MÊME AUTEUR...

LES ANNÉES-LUMIÈRE, Flammarion ; Actes Sud, coll. Thesaurus.
LES ANNÉES LULA, Flammarion ; Actes Sud, coll. Thesaurus.
LE CANARD DU DOUTE, Stock ; coll. 10/18.
FEU, Stock ; Le Livre de Poche.
LE 8e FLÉAU, Julliard.
PHÉNIX, Gallimard, coll. Babel n° 115.
LA TRAVERSÉE DES MONTS NOIRS, Stock ; Le Livre de Poche.
L'ÉNIGME, Actes Sud.
FOUS D'ÉCHECS, Actes Sud.

ŒUVRES AUTOBIOGRAPHIQUES

LE PORTRAIT OVALE, Gallimard.
LE TESTAMENT AMOUREUX, Stock ; Actes Sud, coll. Thesaurus.
J'AVAIS UN AMI, Christian Bourgois ; Actes Sud, coll. Thesaurus.
LES REPENTIRS DU PEINTRE, Stock ; Actes Sud, coll. Thesaurus.

POÉSIE

DOUBLES STANCES DES AMANTS, Actes Sud.
ÉLÉGIES A LULA, Deyrolle.

THÉÂTRE

THÉÂTRE COMPLET (tome 1), Actes Sud.

ISBN 2-7427-1846-X

Illustration de couverture :
Giorgio De Chirico, *Hector et Andromaque*, 1946
Collection particulière

REZVANI

LA CITÉ POTEMKINE

OU LES GÉOMÉTRIES DE DIEU

roman

LIVRE I

La transformation des corps en lumière et de la lumière en corps n'est-elle pas conforme au cours de la nature, qui aime les transmutations ?

ISAAC NEWTON

PROLOGUE

Il était tard lorsque *nous* étions arrivés.

Un peu avant, alors que nous volions vers la Cité Potemkine, le convoyeur de la mission internationale avait dit :

— Vous serez logé non loin de la Centrale, vos fenêtres donneront sur les vergers ainsi que sur les prairies en fleurs. Les quelques vaches que vous apercevrez autour du complexe démoli seront de vraies vaches en apparente bonne santé. Evidemment, devez-vous penser, personne ne serait assez fou pour consommer leur lait, eh bien détrompez-vous, la nuit, d'anciens habitants des fermes aujourd'hui abandonnées – on les nomme les *smertniki* ou aussi les *revenants* –, contre toutes les consignes de sécurité, continueraient, dit-on, à les traire. On le prétend. Personnellement, je ne doute pas que cela soit vrai quand on sait ce que sont ces cochons retournés à la nature. Mais on fait comme si cela ne l'était pas. “Il s'agit d'une libéralité de circonstance”, a-t-on prétendu en haut lieu. Ce qui, bien sûr, est une ruse des brigades médicales de la Cité Potemkine – puisque nul n'ignore que cette “libéralité” leur fournit de la matière à investigation. Un des membres de ces brigades, nommé Meng, n'a-t-il pas été jusqu'à déclarer : “Nous sommes à la fois frustrés et consolés par ce que nous observons sans pouvoir nous l'expliquer. Rien n'est plus excitant que l'inexplicable auquel il est impératif de donner une explication." Méfiez-vous des membres de ces brigades médicales spéciales ! Il serait préférable pour vous de ne pas entrer en contact avec eux. Méfiez-vous d'ailleurs de tout le monde là-bas ! Méfiez-vous de vous-même, de ce que vous verrez, et surtout de ce que vous ne verrez pas ! N'attachez aucune valeur à ce qui pourra vous être dit par les uns et par les autres de ceux qui, comme vous, ont été sélectionnés pour résoudre l'insurmontable problème de divulgation concernant la catastrophe. Que ce soient les enquêteurs médicaux, les biologistes, les botanistes ou les géologues dépêchés sur les lieux, tous ont pour mission de travestir les faits. Leurs conclusions seront immanquablement faussées par les exigences de certains milieux qui n'ont rien à voir avec les faits médicaux, biologiques, entomologiques, géologiques ou botaniques. Ce qui expliquera la nostalgie que vous constaterez chez eux à propos du mot, qui à vrai dire n'est qu'un mot : "liberté". Mais qui a jamais su qu'en faire, de ce mot ? Bien sûr, la mission internationale n'a pas été constituée pour tirer des conclusions mais pour rendre acceptable l'inacceptable par, disons, une manière élégante de le communiquer. Un certain engourdissement est souhaitable, un relatif désintérêt par rapport aux exigences de qualité.

Voilà quelles ont été les paroles de cet homme pendant le vol qui *nous* conduisait vers la Centrale démolie, et la Cité Potemkine édifiée non loin.

Un peu plus tard, au moment de l'atterrissage, il avait ajouté :

— Vous rencontrerez là-bas, Eva Mada-Göttinger l'entomologiste, le géologue Yeshayahou Fridmann, le biologiste Zef Zimmerstein ainsi que Tania Slansk, la jeune pédiatre, l'Italien Nini son amant, la Française Ginette, et quelques autres parmi lesquels se trouvent des psychologues, des physiciens et surtout des spécialistes en pathologie radiologique. Dès votre arrivée dans le hall d'accueil, vous serez conduit au troisième étage du complexe où une collation obligatoire, comportant de l'iode, vous sera servie : bière, café, gâteaux au chocolat… Quelques hôtesses multilingues se trouveront devant une grande maquette du site et du sarcophage. Elles vous distribueront des calendriers vides montrant la Centrale sur fond de roses et d'œillets…

I

Le lendemain, dans le salon de réception de la Centrale, le directeur de la communication prévient les membres de la mission :

— Tout notre possible sera fait pour assurer à nos visiteurs un confort maximum sur le site.

— Avez-vous bien compris ce que vient de dire cet homme ? *nous* demande la célèbre entomologiste Eva Mada-Göttinger, s'approchant. Voilà l'exemple même du langage constamment utilisé ici par ceux qui nous circonscrivent et nous espionnent. Si nous avons accepté de faire partie de la mission scientifique, ce n'est sûrement pas pour trouver le confort dont cet homme semble faire tant de cas. Notre mobile principal serait justement de nous mettre en inconfort avec cet événement extraordinaire qui a frappé non seulement cette région du monde mais l'humanité entière. La liberté dans l'approche des relations clés avec ce site dévasté, voilà ce que nous ne cessons d'exiger de ceux qui ont été placés en quelque sorte *en face* de nous au cœur de la Cité Potemkine. Hier matin encore, nous avons survolé cette Cité dite du Bonheur, à quelques kilomètres d'ici. Construite au milieu des vergers en fleurs et des champs, elle donne une impression de “bonheur ensoleillé”

– comme il est dit dans le dossier qui nous a été distribué. En effet, poursuit Eva Mada-Göttinger, vus d'en haut, son lac, ses arbres fruitiers, ses prairies fleuries surtout, ainsi que sa rivière rendent les abords de ces lieux exemplaires extrêmement plaisants. "Penchez-vous par ce hublot, nous avait dit hier notre accompagnatrice, n'est-ce pas merveilleux, avait-elle insisté, passant avec aisance du russe à l'allemand et de l'allemand au français et à l'anglais. Ces petits enfants que vous voyez en train d'agiter furieusement les bras et de courir dans l'ombre de notre hélicoptère ne ressemblent-ils pas à tous les enfants du monde ?" Bien sûr, continue l'entomologiste Eva Mada-Göttinger, ni moi ni surtout le biologiste Zef Zimmerstein n'étions émerveillés ! Nous savons ! C'est ici, dans cette Cité Potemkine que se joue le dernier acte de la grande comédie humaine du mensonge et de la dislocation du réel. Et à mesure que notre hélicoptère descendait vers ces enfants qui couraient en tous sens sur le terrain balisé, je me disais : faut-il inévitablement participer à ce mensonge dont personne n'est dupe ?... et pas même ces enfants condamnés. Il faut croire, me disais-je encore, poursuit Eva Mada-Göttinger, il faut admettre que la vitalité de l'enfance exclut la mort comme faisant partie de l'essence même de la vitalité. Combien parmi eux vont mourir dans les mois qui viennent ? me disais-je, prenant un amer plaisir à insister à part moi ; tous ont été opérés et survivent grâce à des traitements d'une terrible rigueur. "Voyez avec quelle joie ils nous font des signes, avait remarqué la jeune pédiatre Tania Slansk assise près de moi, ils ont perdu leurs cheveux, leurs mouvements sont en dysfonction mais ils rient et sautillent sur place, heureux d'être survolés par des visiteurs étrangers."

Eva Mada-Göttinger se tait un moment, puis conclut :

— Malheureusement on nous empêche sévèrement d'approcher ces enfants, et l'hélicoptère n'a fait que survoler la Cité Potemkine. Pour le moment nous ne pouvons que retracer la chronique d'un choc progressif au sujet de ces enfants condamnés à la joie mortelle qui émane de cette abominable Cité. "Les processus de transformation se sont déclenchés en eux à l'instant de la catastrophe, m'avait encore dit Tania Slansk, leur évolution ne peut être que ralentie… – Au prix de quelles souffrances !" l'avait interrompue Zef Zimmerstein. Zimmerstein est un homme d'une "humanité" exceptionnellement compliquée. J'emploie bien sûr le terme d'"humanité" avec la lucidité qu'il mérite. Ce mot dévalué s'applique justement à cet homme qui non seulement est un de nos plus grands biologistes mais aussi un homme secrètement blessé. Il peut parfois paraître un peu amer mais à vrai dire sa lucidité trop aiguë lui apporte au contraire une sorte de satisfaction : "L'espèce humaine est une malade condamnée, prétend-il, elle le sait, elle se sent en agonie et nous demande, à nous autres ses médecins, le pieux mensonge, comme on dit. Et c'est bien pour cela que nous sommes ici ! Nous abordons l'état crépusculaire, nous voilà prêts à disparaître en masse." C'est ainsi que vous entendrez s'exprimer Zef Zimmerstein, *nous* dit l'entomologiste Eva Mada-Göttinger.

II

— J'ai remarqué qu'Eva vous parlait tout à l'heure, *nous* dit le géologue Yeshayahou Fridmann s'approchant de *nous* au moment où *nous* quittons la salle d'accueil de la Centrale. C'est une jeune femme tout à fait remarquable et vraiment unique en tant qu'entomologiste, mais ce qui est particulièrement rare chez les femmes occupées par les sciences, en tant que femme aussi. Un tact de cœur, disons même une politesse de l'intelligence, une courtoisie d'une éthique des plus solides et des plus raffinées. Je plaisante ! C'est ainsi que je l'espère mais à dire vrai elle souffre et ne cesse de se débattre avec une ombre terrible… et le double de cette ombre. Mais ne nous pressons pas, vous apprendrez tout ! Habituellement les femmes qui se vouent aux sciences sont des femmes qui n'ont pas peur d'entrer dans toutes les abjections, les impudences, les hypocrisies et les méchancetés propres aux milieux scientifiques – car il n'y a pas plus abjects, impudents, hypocrites et franchement méchants que les hommes de science, mais cependant permettez-moi d'ajouter que si vous sortez des milieux scientifiques et que vous pénétrez dans les milieux artistiques vous trouvez les mêmes abjections, les mêmes hypocrisies, les mêmes impudences abjectes et les mêmes impudentes hypocrisies que dans les milieux scientifiques. Seuls peut-être les milieux politiques, financiers et bureaucratiques sont pires qu'abjects, impudents, hypocrites et spécifiquement méchants. C'est dire que, mis à part quelques cas ridicules, l'humanité entière est impudente, hypocrite et abominablement méchante. Hommes, femmes, enfants compris, l'abjection et l'hypocrisie sont installées dans leur sang comme le plus solide des héritages… Eh bien, figurez-vous qu'Eva Mada-Göttinger est une de ces rares exceptions. Voilà pourquoi cette continuelle exaspération qui la tourmente ! Elle ne sait pas dissimuler. Cette femme, cette scientifique de premier ordre est un être d'une totale limpidité. Telle que vous la voyez, elle relève d'une affreuse maladie de deuil. Venez, sortons de cette salle d'accueil au modern style glacial, et passons, voulez-vous, à travers ces vergers fleuris.

Après avoir marché un moment parmi les arbres en fleurs, le géologue continue :

— Voilà bien l'enfer auquel pas un de nos grands penseurs n'aurait osé rêver. Ni aucun poète d'ailleurs ! Tous autant qu'ils sont, et si géniaux qu'ils aient été, se sont acharnés à construire à l'aide d'une syntaxe maladive et raffinée des mondes soit totalement infernaux, soit totalement idylliques. Mais aucun n'a rêvé ces prés ou ces vergers trop fleuris qui entourent la Centrale démolie. Même des fous tels Nietzsche ou Dostoïevski n'ont réussi qu'à imaginer un avenir naïvement idyllique comparé à l'invivable présent dans lequel nous voilà plongés. Et quand ils ont tenté de décrire l'Enfer, à vrai dire ils n'ont fait que grossir le trait de leur présent – qui après tout n'était qu'un présent psychologique porteur d'un futur psychologique où les hommes ne pouvaient que continuer à se dévorer entre eux avec la même abjection et la même hypocrisie de toujours. Car aucun des grands penseurs ou des grands poètes dont nous sommes les enfants inconsolés n'aurait eu en lui assez de démence calme pour projeter ce "réel".

Il brise un rameau de pommier en fleur :

— Ces poiriers, ces pommiers, ces cerisiers bruissants du vol des abeilles pollinisatrices, cette neige de pétales que la brise empoisonnée emporte, quel esprit malade aurait eu assez de douleur en lui pour proposer *cela* comme une idyllique image de l'Enfer ? Et pourtant, nous sommes au-delà de l'Enfer tel qu'il se présentait aux hommes, *avant*. Quand vous regardez la masse écœurante et amorphe de cette Centrale, quand vous découvrez de tous côtés sur son coffrage de plomb et de béton ces crevasses par lesquelles s'échappent les impalpables composantes de l'enfer non psychologique dont les plus géniaux de nos poètes n'auraient su que faire dans leurs chants, vous êtes saisi d'un répugnant orgueil et vous vous dites : *Nous avons réussi cela !* Le rire et les larmes ! s'exclame Yeshayahou Fridmann en agitant le rameau fleuri. L'abominable plaisir de participer de l'espèce humaine ! Frère de l'astucieux petit homme instable qui s'imagine faire œuvre musicale lorsqu'il touche aux rives extrêmes de ses capacités de compréhension…

Il fait quelques pas en silence et poursuit :

— Il faut en effet une très forte musicalité de la clairvoyance scientifique pour réorienter l'humanité vers… quelque chose qui ressemblerait au *rien* puisque toute réelle innovation scientifique ouvre sur l'impensé et que seuls le non-prévu et le non-prévisible peuvent consoler notre intelligence de l'immense ennui qu'elle éprouve d'exister. Moi-même j'ai été de ceux qui ont ressenti de l'orgueil quand, il y a pas mal d'années de cela, j'avais été nommé à la tête de la mission scientifique chargée de fixer l'emplacement du site où devait être édifiée la plus ambitieuse Centrale de tous les temps. N'était-ce pas grisant pour un géologue d'être quasiment celui qui décide ? D'être en quelque sorte à la pliure du temps. Sous vos pieds une épaisseur immémoriale pendant que votre esprit projette orgueilleusement la plus audacieuse construction que l'humanité pouvait rêver. Je me trouvais dans ce qui à l'époque n'était que de la steppe et je savais que selon ma décision ici même s'élèverait une des constructions les plus risquées et les plus ambitieuses lancées vers les lendemains comme un signal disant : Ici est l'étape sur la longue route de l'avenir… Bref, une de ces imbécillités propres à l'homme ! C'était une façon prétentieuse de faire croire que notre conscience d'hommes modernes serait capable d'élever un monument définitif à la pensée rationnelle. M'accompagnait dans cette expédition mon frère jumeau, ce second moi-même infiniment plus intelligent que moi et que j'admirais au-delà de toute explication. Je l'aimais au-delà de toute expression. Je l'aimais ! Tout homme, poursuit le géologue Yeshayahou Fridmann, s'aime lui-même avant tout. Eh bien, par l'étrange hasard de cette gémellité, je pouvais m'aimer sans m'aimer outrageusement puisque c'est ce frère qui absorbait la terrible charge d'amour que tout être humain se porte. Et depuis sa mort, je reste comme écrasé par cet amour que je me refuse à réabsorber en moi seul. Heureusement, la jeune entomologiste que vous venez de rencontrer maintient en elle cette présence, ce qui me permet de me supporter et surtout de ne pas m'engloutir en moi. Elle ne sait pas qu'elle m'aime, et moi je l'aime sans trop m'aimer… grâce à elle. Elle et moi nous nous tapons sur les nerfs et ne cessons de nous quereller. Elle me refuse, elle déteste en moi cette insupportable ressemblance physique, cette "réplique" infiniment moins intelligente, j'en conviens, infiniment banale, c'est vrai, de cet "autre"… bien qu'apparemment lui… et cependant moi !

III

— Ne prenez pas à la lettre tout ce que je viens de vous dire, poursuit Yeshayahou Fridmann, le géologue de la mission. Quand j'emploie gémellité ou jumeaux il faut comprendre qu'il n'y a là rien de métaphorique. C'est par le sang, la chair, et même la pensée que toute notre vie nous nous sommes sentis *un*, douloureusement partagés. Eva Mada-Göttinger vous affirmera que mon frère tout en me ressemblant ne me ressemblait pas. Elle vous dira aussi que pour elle "un monde" séparait mon frère de moi et moi de mon frère. Comme toutes les femmes elle ira jusqu'à souligner des détails quand ce sont les sens cachés qui signifient ; elle prétendra à une "vérité" quand tout nous démontre qu'il ne peut y avoir de "vérité", et que seule la présentation formelle ou si vous préférez *le comment c'est exprimé* nous permet d'avoir une lecture d'une prétendue réalité. Sachez que mon frère et moi étions inséparables, comme on dit, d'une rare proximité, comme on dit aussi. Même nos métiers étaient non seulement proches mais complémentaires. Moi géologue, lui sismologue ; moi attaché au détail de cette masse qui nous supporte, lui la considérant comme un corps mouvant et capricieux qu'il fallait ausculter à l'aide d'explosifs et d'appareils enregistreurs très sophistiqués. Nous formions une équipe, lui et moi, d'une extrême sensibilité. Sans cesse en disputes… et pour finir toujours d'accord. Sauf au sujet de l'implantation de cette Centrale. Lui était contre. Moi pour. "Nous sommes les derniers maillons d'une chaîne ininterrompue de «souvenirs», disait-il, chaque plissement de la Terre, chaque pic, chaque vallée de cette peau terrestre garde écrite une somme de souvenirs dont nous autres nous nous trouvons imprégnés bien au-delà de ce que notre conscience croit en savoir." Ainsi parlait mon frère, alors que nous faisions, dans ces contrées sauvages à l'époque, les tests géologiques devant conduire à l'implantation de la future Centrale. "Pense, me disait-il, que chaque parcelle de cette terre que nous parcourons a été, à un moment ou à un autre, du vivant." Et, en effet, à la faveur du dégel, d'étranges ossements apparaissaient sur les rives des fleuves traversant ces régions encore inconnues. Figurez-vous qu'ici, poursuit Yeshayahou Fridmann, alors que nous marchons toujours sous les arbres fruitiers en fleurs, aux confins des territoires explorés de nos républiques extérieures, à la fonte des neiges, au milieu d'un affaissement des berges gelées du fleuve en débâcle, s'était offert soudain à nos regards incrédules le corps immense, velu, intact, d'un mammouth congelé depuis cent mille ans peut-être. Notre guide n'en avait marqué aucun étonnement. Au contraire même, il s'en était réjoui et aussitôt il s'était mis à découper à la hache cette viande ayant traversé les millénaires. Il la dégela et… la fit cuire.

— Vous voulez dire…

— Exactement ! Notre guide dévora de grandes quantités de cet éléphant des neiges. Et croyez-moi, la chair en était presque délicieuse. Voilà quelles étaient ces régions avant que ne soit décidée l'implantation de la Centrale dont les eaux résiduelles devaient servir à réchauffer le climat et à la conception de ces vergers éternellement fleuris.

Après avoir fait quelques pas en silence, le géologue poursuit encore :

— Figurez-vous que cette tribu de chasseurs, dont notre guide faisait partie, avait trouvé une sublime explication quant à la présence de ces mammouths sur les rives des fleuves de cette région boréale. Comment une telle masse velue pouvait-elle s'être frayé un chemin sous la terre pour ressortir au bord du fleuve dont le dégel commençait à soulever et à briser les glaces ? Cette bête mystérieusement apparue n'était pas la première. Et comme l'espèce humaine doit tout expliquer, les chasseurs mis en présence de ces monstres velus et cornus sortis de terre les avaient nommés *chu-mou* – c'est-à-dire : roi des souris. Quelle idée cette sorte d'apparition leur donnait-elle du sous-sol ? Evidemment, pour eux le monde souterrain était peuplé de ces énormes taupes. Et, lorsque la terre tremblait, c'étaient les luttes souterraines de ces *chu-mou* qui ébranlaient le monde. Voilà qu'au contact de l'air ces monstres gelaient immédiatement, pensaient-ils, et leur chair durcie était excellente.

— Vous voulez dire que vous…

— Je veux dire en effet, poursuit le géologue Fridmann, que non seulement ces gens se nourrissaient volontiers de viande de mammouth ou de rhinocéros antédiluviens, lorsqu'ils en trouvaient, mais que mon frère et moi, nous y avons goûté, je l'avoue.

— Vous voulez dire que vous avez mangé une viande datant du Quaternaire ?

— Et avec la plus grande curiosité. C'était un jeune mammouth parfaitement conservé dans les glaces éternelles qui, avant que ne soit édifiée la Centrale, obstruaient les rives de ce fleuve des confins. Son goût valait bien la viande de rennes dont nous nous nourrissions quotidiennement. Et, me croirez-vous, ajoute Yeshayahou Fridmann, cette chair nous avait paru étonnamment familière.

Il se tait un moment et nous continuons à marcher sous les arbres fleuris du verger entourant la Centrale.

— Un glissement dans notre appréhension du temps, une superposition, tel ce monstre velu surgissant du sous-sol et dont la chair vous paraît *connue*, avouez que de telles reconnaissances rendent toutes les coordonnées terriblement flottantes ! Seul l'art poussé à ses extrêmes peut vous offrir d'aussi fortes sensations de familiarité. Ce que nous avions ressenti en consommant de la chair de mammouth, ne l'éprouvez-vous pas en vous arrêtant devant une œuvre particulièrement intemporelle ou en déchiffrant un chant d'amour en compagnie de l'être dont vous êtes épris ? Excusez ces termes un peu excessifs, dit le géologue Yeshayahou, mais ne sommes-nous pas le résultat d'un Tout dont les limites ne peuvent être cernées par notre cerveau ? Nos cellules *savent* ce que notre intelligence n'aura jamais le pouvoir de se figurer.

Il se tait encore quelques instants, puis reprend :

— Tout à l'heure, dans le hall d'accueil de la Centrale, vous vous trouviez près de cette jeune entomologiste, Eva, qui par hasard vous a parlé. Qu'elle vous ait parlé m'a donné envie de vous parler à mon tour. Troublantes sont les pulsions, les antennes qui font penser à une possible compréhension d'un inconnu à un autre. Je sais que vous êtes l'observateur français délégué par les instances internationales. Vous nous écouterez, vous nous suivrez partout, là se borne votre mission. Cependant, si cette jeune femme vous a parlé, c'est qu'une sorte de chimie de la parole s'est mise en mouvement. Et comme cette jeune femme et mon frère jumeau, dont je resterai à jamais amputé, sont indissociables dans mon esprit, c'est tout naturellement que je vous ai abordé… Voilà ce qui s'est passé : entre mon frère et cette femme s'est jouée une terrible *histoire d'amour*, comme on dit, une tragique histoire qui pourrait tenir en une toute petite chanson : ils se sont aimés, il est mort, elle a cru mourir de douleur… mais une infime surprise l'a sauvée. Ah ! la voilà justement qui vient vers nous à travers le verger fleuri. Permettez que je vous laisse, dit-il en s'enfuyant.

IV

— Je sais de quoi Yeshayahou vous parlait, dit Eva Mada-Göttinger. Rien qu'à la courbe de son dos, j'ai lu un excès d'autocompassion insupportable ! Cet homme souffre. Il vous dira qu'il est responsable de ce désastre. Mais ne croyez surtout pas un mot de ce qu'il voudra vous faire croire car tout est faux ici, rien de ce que nous voyons n'est tout à fait vrai et nous-mêmes sommes ici pour épaissir le mensonge. Que voyez-vous ? Des prairies, des haies d'aubépines en fleur, des arbres fruitiers en fleurs, et même des légumes géants retournés à la sauvagerie dans les anciens jardins concédés aux travailleurs de la Centrale du temps où la Centrale fonctionnait normalement. Etrange dissociation entre l'esthétique et l'éthique ! Ces cultures à l'abandon débordantes de repousses folles que l'on croirait recouvertes d'une véritable neige de fleurs et de papillons d'or aux vols mêlés sont des cultures empoisonnées. Evidemment tant de fraîcheur éveille en nous les traces d'une présence antérieure à la conscience et surtout à la rationalité telle que nous la maintenons en nous par la volonté de croire. C'est bien là l'obsession de Yeshayahou ! Il vous affirmera que des sédiments demeurent au fond de chacun de nous, des éclairs de ravissement devant le spectacle si limpide de toute éclosion. Pas un mot ne sera de lui vraiment, il imitera d'une façon exaspérante un frère qu'il a perdu... Cela se passe à un niveau de profondeur inaccessible. On pense : Est-ce lui qui trouve beaux ces vergers ou ce frère absent aux autres mais bizarrement présent en lui ? "Bien qu'utilitaire, cela est *beau*. Il y aurait là une vérité secrète... ou alors seul le *dressage* parle en vous, Eva, et suscite de redoutables émotions", m'avait dit Yeshayahou auquel j'avais fait part de mes impressions en arrivant dans ce verger en fleurs entourant la Centrale démolie. "Est-ce donc cela que nous ne voudrions pas voir à jamais détruit ? avait-il poursuivi, continue Eva Mada-Göttinger. L'arbre en fleur, le ridicule papillon ? Voyez la Centrale, cette masse fissurée d'où s'échappent des fumées jaunes, cette chose pustuleuse, amorphe, l'immobilité de ses superstructures tordues par les explosions, sa présence dont nous savons l'alchimie terrifiante d'un travail secret contre lequel l'homme ne peut dorénavant rien ! – Je suis tout aussi pessimiste que vous, lui avais-je dit, mais ne sommes-nous pas ici pour mentir ? Le rapport que nous devons remettre aux instances internationales, une fois notre prétendue enquête terminée, n'est-il pas déjà écrit ? – Allons, Eva, m'avait répondu Yeshayahou, n'oublions pas que des philosophes ont affirmé que l'imagination serait plus vraie et universelle que l'histoire ! Ce qui semble en effet pouvoir se détecter dans les constantes servant à la figuration ou dans les rythmes narratifs présents depuis l'origine au fond des consciences. – Alors cette masse de béton et de plomb au cœur de laquelle se poursuit l'horrible désenchaînement de matière, ce feu cosmique devenu impossible à maîtriser par nos physiciens, serait-ce ça la *fiction vraie* ?" lui avais-je dit, dit Eva Mada-Göttinger. Et il m'avait répondu par un "oui", se passant de tout autre commentaire. Voyez ces fleurs, poursuit-elle, abaissant un rameau fleuri jusqu'à son visage, leur véritable réalité nous ne la savons que trop, nous connaissons leur petit secret : elles irradient un flux empoisonné, elles sont chargées du plus horrible des poisons. Et ces papillons aux vols semblables aux hésitations de l'enfant qui ne sait que choisir parmi les merveilles qui l'entourent, ces chenilles aux ailes d'or portent elles aussi l'horrible poison ; chaque grain de pollen déposé d'une fleur à l'autre irradie ce poison plus *vrai* que l'illusion ensoleillée ; tout ce que nous voyons ici autour de nous n'est pas ce que nous voyons mais le réceptacle déguisé en *vérité* de cet inaltérable poison. Hier matin, poursuit Eva, alors que nous survolions les vergers et les champs entourant la Centrale ainsi que la Cité Potemkine, Tania Slansk, une jeune pédiatre formée par le professeur Leibovitz, nous avait dit : "Cette Cité dite du Bonheur a été édifiée contre la raison. Oui ! cette Cité est absolument déraisonnable… et de plus elle est devenue, sous l'aspect édénique qu'on a voulu lui donner, un lieu d'expériences et de réclusion d'enfants irradiés tout à fait ignoble et scandaleux !" Cette jeune pédiatre, vous devez la rencontrer, elle sait des choses qu'il serait préférable qu'elle ne sache pas. Au moment où l'hélicoptère virait au-dessus de la Cité Potemkine, et que nous apercevions les enfants en train de courir vers le terrain balisé où jusqu'à présent nous ne nous sommes jamais posés, une de nos accompagnatrices avait prié Tania Slansk de modérer ses appréciations : "Si vous vous trouvez ici, tous réunis en commission d'enquête, c'est pour donner, à ce qui pourrait paraître déraisonnable concernant la catastrophe, une sorte de normativité... ou si vous préférez un axe autour duquel tourneraient les enchaînements scientifiques de votre rapport." Voilà quelle sévère mise en garde s'était attirée Tania. Elle n'avait, bien sûr, plus ouvert la bouche, et nous-mêmes nous nous étions contentés de regarder, tout en évitant de prendre des notes, sans plus faire de commentaires... Avez-vous remarqué comme la Centrale s'inscrit d'une manière tout à fait désespérante dans ce site que nous qualifierons d'adamique ? Voyez ce vaste coffrage de béton et de plomb tout fissuré ! Des arbres et des buissons en fleurs partout... et là ce crapaud démesuré effondré parmi les fumées jaunes ! Hier, avant de survoler la Cité Potemkine, nous avons tourné un moment au-dessus de cet effroyable chaos calciné. L'accompagnatrice nous avait précisé qu'à chaque passage de notre hélicoptère nous nous trouvions tous soumis à des doses de radiations considérées comme acceptables. Ridicules affirmations ! "Vous recevez en ce moment, continuait l'accompagnatrice, la dose minime que nous nommons la dose de baptême. Rien à voir avec les 500 mSv dont les volontaires *liquidateurs* ont été transpercés à leur insu... – Vous ne pouvez nier que sur les six cent cinquante mille hommes envoyés au cœur de la catastrophe, deux cent mille ont été mortellement atteints !" avait lancé Nini, l'ami de Tania Slansk. Croyez-vous que l'accompagnatrice se serait troublée ? "Evidemment, avait-elle dit, nous ne pouvons nier qu'il y a eu des morts quasiment sur place. Quant aux autres on les soigne et on peut presque dire qu'ils se portent bien." Un peu plus tard, elle avait ajouté : "Ce qui doit être souligné, et ça vous pouvez en prendre note, c'est que parmi les *liquidateurs* et surtout parmi les employés de la Centrale restés plus de trois heures à l'intérieur du site dévasté, donc au pire moment de l'accident, à part les leucémies, très peu de cas de cancers !" Notre hélicoptère tournait au-dessus du coffrage délabré pendant que les membres de la mission se penchaient avec l'espoir de plonger leurs regards dans les failles fumantes de la chape de béton et de plomb qui recouvre la masse énorme de la Centrale. Bien sûr, poursuit l'entomologiste Eva Mada-Göttinger, il ne faut attacher aucun crédit à ce qui nous est dit par ceux qui nous guident. Que ce soient les accompagnatrices en uniforme ou les responsables chargés de nous fournir des dossiers, *a priori* il est convenu qu'ils mentent et que, même nous, nous sommes ici pour tirer des conclusions mensongères de ce que nous aurons vu et bien sûr pas vu. Si nous avons accepté de faire partie de la mission, ce n'est évidemment pas pour faire le décompte des morts ou des irradiés. Nous sommes ici pour qu'il soit dit qu'une mission scientifique pluridisciplinaire internationale a été formée et envoyée sur le site. Mais notre fonction est de rassurer à tout prix. Un de nos complices en interprétation, le biologiste Zef Zimmerstein, vous dira que le rayonnement ionisant à forte dose endommage l'ADN. Il altère ses bases et crée des mutations génétiques. Il peut rompre l'un des deux brins qui forment la double hélice. "Ces dégâts, m'a-t-il dit, ont été mesurés expérimentalement et l'on sait qu'un rayonnement de cent rems endommage mille bases, provoquant mille cassures dans un brin de la double hélice et quarante dans les deux brins à la fois. Il faut savoir, m'a-t-il dit encore, que ces doubles cassures sont la plupart du temps mortelles pour la cellule." Quand vous connaîtrez Zef Zimmerstein, vous serez étonné par son aspect délabré et par le délabrement aussi de ses idées. C'est un grand savant, un scientifique de haut niveau mais quelque chose chez lui est définitivement brisé. Il travaille avec Nini, l'anatomiste italien, Nini le malmène et Zef semble prendre plaisir à être malmené par lui. Son esprit balaie un champ très étendu de questions qu'il maîtrise avec souvent de la grâce mais hélas aussi pas mal d'amertume. Bien sûr, poursuit Eva Mada-Göttinger, nous sommes ici pour une prétendue enquête qui n'a rien à voir avec nos travaux habituels. Hier, au moment où nous survolions le lac proche de la Cité Potemkine, avec son cynisme habituel notre accompagnatrice en uniforme avait dit : "Cette Cité du Bonheur a été édifiée dans la zone infectée. Je ne dirais pas exprès... mais je dirais exprès quand même. Là ont été regroupées les familles des *liquidateurs* de la Centrale, tous d'anciens chasseurs de la steppe que la Centrale emploie et a toujours employés dans le souci de donner du travail prioritairement à ceux qui occupaient le site avant sa transfiguration. Au moment de la catastrophe, avait encore dit l'accompagnatrice, ces êtres primitifs se transformèrent en héros. A la fois par ignorance et par goût inné du risque, dès l'alerte ils s'étaient précipités au-devant de l'effroyable «bête de feu» dont les brûlures en avaient immédiatement tué une quantité non négligeable. Et c'est presque de force qu'il avait fallu les munir de combinaisons ignifuges et de masques. Ces sauvages pénétraient dans les jets de vapeur contaminés, persuadés que ce feu, ils étaient assez valeureux pour l'éteindre à mains nues. Et comme, dès les premiers moments du désastre, la hiérarchie dirigeant la Centrale s'était disloquée, et donc qu'aucun ordre ne tombait d'en haut, ils agissaient avec la même spontanéité et le même courage qu'ils avaient toujours montrés du temps où ils luttaient contre les éléments auxquels tout naturellement ils assimilaient ce feu cosmique." C'est ce que nous avait affirmé l'accompagnatrice en uniforme alors que nous survolions l'inapprochable Cité Potemkine, *nous* dit Eva Mada-Göttinger.

V

— Ah, justement, voilà Zef Zimmerstein ! Yeshayahou l'a rejoint. Venez ! *nous* propose Eva Mada-Göttinger.

— Nous vous cherchions, dit le biologiste Zef Zimmerstein. Nous avons réussi à échapper à la sollicitude des accompagnatrices. Je faisais justement part au professeur Fridmann de vos observations au sujet des différents hyménoptères qui pollinisent ces arbres en fleurs. Que m'aviez-vous dit de leurs yeux frontaux ?

— En effet, dit Eva Mada-Göttinger, en attrapant au vol une abeille, il se passe un étrange phénomène dont l'importance se trouve comme soulignée par ce que nous a dit la pédiatre Tania Slansk à propos de certains enfants séquestrés dans la Cité Potemkine. Si hier j'ai attiré votre attention sur les yeux frontaux des abeilles recueillies sur les lieux de la catastrophe, c'est en réponse à ce que Tania vous a dit sur le cas de ces enfants qui seraient nés atteints de cyclopie.

— Doucement, dit Zef Zimmerstein, bien que nous soyons à l'air libre, nous pouvons être écoutés. Marchons, ne restons pas sur place.

— Voyez, poursuit Eva, tenant entre ses doigts l'abeille qu'elle venait de saisir, outre leurs yeux à facettes, normalement ces insectes possèdent trois minuscules yeux simples nommés yeux frontaux ou ocelles. Ces trois yeux sont si petits que sans une loupe on ne peut les distinguer de la toison qui couvre leur front. Le rôle de ces trois yeux a été longtemps une énigme jusqu'à ce que l'on découvre qu'il s'agit là d'une sorte de photomètre. Mais voilà, il semblerait que ces abeilles butinant aux abords de la Centrale soient incapables de se servir de ce photomètre naturel. Elles volent bien de fleur en fleur mais au lieu de retourner à la ruche le soir et d'en sortir le matin, elles ne suivent plus le rythme des jours et restent désemparées là où la nuit les a surprises, accrochées à une fleur ou à un brin d'herbe.

— Vous prétendez qu'elles auraient perdu le sens de l'orientation ? dit Yeshayahou Fridmann.

— Pas du tout. Ces petits yeux simples dissimulés dans la toison frontale des abeilles ne leur servent pas de boussole mais à déterminer la lumière absolue. Ainsi peuvent-elles, le matin, fixer le moment de leur premier départ de la ruche ; et le soir, celui de leur dernière sortie. Si elles s'envolent trop tôt, elles n'arrivent pas à distinguer les unes des autres les fleurs, et si elles sortent trop tard le soir, elles risquent de s'égarer. Le sens de la lumière absolue est d'une immense importance pour elles au crépuscule surtout car si elles ratent la ruche elles risquent d'être à jamais perdues pour la communauté. Vous comprenez combien ce photomètre est essentiel chez les hyménoptères. Si l'intensité lumineuse descend au-dessous de dix pleines lunes, l'ouvrière reste dans la ruche. Ce calcul du soir demande une extrême précision car l'abeille évalue ainsi de combien diminuera la lumière au cours de son dernier vol.

— Et vous pensez, Eva, que ces minuscules yeux auraient perdu leur capacité de relever l'intensité de la lumière ?

— Oui. Il semblerait que les abeilles irradiées auraient perdu le sens de la lumière absolue. Cette désensibilisation mériterait d'être sérieusement étudiée en laboratoire. Depuis que je me trouve sur ce site dont l'aspect fleuri et le calme édénique m'effraient, je ne cesse de découvrir de bien étranges modifications chez les insectes que j'ai réussi à isoler.

— Je vous envie de pouvoir attraper en toute liberté les insectes qui vivent aux abords de la centrale, dit le biologiste Zef Zimmerstein. Pour ma part, je n'ai pas réussi jusqu'à présent à approcher un de ces enfants atteints de cyclopie relégués au secret dans les laboratoires de la Cité Potemkine. Cette déformation des gènes héréditaires chez l'homme est prodigieusement passionnante. Signifierait-elle, dans le cas présent, une régression du patrimoine génétique due à des formes d'irradiation que nous n'avons pu encore cerner ? Les brigades médicales secrètes étudieraient en ce moment des enfants maintenus dans certains sous-sols inaccessibles de la Cité. On parle de phénomènes nés avec un œil frontal parfaitement développé. Enfants Polyphème, tels ils sont désignés ! La cyclopie de ces enfants irradiés n'est pas une simple aberration mais au contraire un "souvenir", ou si vous préférez un échantillon d'une construction de la nature qui, à une certaine époque que nous pouvons compter en millions d'ans, aurait rempli une importante fonction. D'ailleurs l'œil frontal n'est pas tout à fait périmé aujourd'hui. Il existe des reptiles fossiles, dans certaines îles de l'océan austral. Ils vivent comme il y a cent soixante-dix millions d'années. Sur le front, ils conservent un reste d'œil cyclopéen. C'est par une chance tout à fait extraordinaire que Tania Slansk a découvert l'existence de ces enfants Polyphème. "Je les ai vus, m'a-t-elle dit, c'est un spectacle horrible ! Leurs vrais yeux sont aveugles et on ne sait ce qu'ils peuvent voir avec leur œil frontal. – Ce que vous me racontez là est merveilleux, avais-je dit à Tania. Que des enfants aient régressé si brutalement sur l'échelle génétique est une nouvelle proprement bouleversante. Comprenez que cet œil que l'on trouve plus ou moins visible chez la plupart des lézards de l'hémisphère austral est étonnant." Selon la couleur de la lumière qui à travers cet "œil" frappe l'hypophyse, cette glande sécrète plus ou moins d'hormones : de là les prodigieuses possibilités mimétiques de ces lézards antédiluviens. Ce qui, d'après Tania, serait l'une des particularités de ces enfants Polyphème nés à la suite du désastre de la Centrale. "Ils ne cessent de changer de couleur selon l'intensité de la lumière, m'a-t-elle dit. Et, ce qui est affreux, c'est que les chercheurs des brigades médicales spéciales ont été jusqu'à coller leurs yeux avec une pâte à prise rapide de manière à ne laisser passer aucune lumière, au cas où leurs «vrais» yeux auraient pu en saisir quelques parcelles. Ainsi, plongés dans une ambiance de nuit absolue, ils sont nourris à des heures irrégulières. Seule une lampe s'allume au moment des repas. Eh bien, m'a encore dit Tania Slansk, ces sortes de lézards humains ont très vite pris conscience que cette lumière signifie : nourriture. Ils rampent et se battent dans le coin où ils savent qu'ils vont trouver à manger… – Mais c'est tout à fait extraordinaire, m'étais-je exclamé, faisant passer la fascination de cette expérience sur toute autre considération. Donc leur œil frontal *voit* ! Donc le sablier génétique s'est retourné ! Une fantastique mémoire se serait donc réveillée !"

— Si les troublantes modifications que j'ai pu constater chez les insectes se sont produites, dit Eva Mada-Göttinger, pourquoi s'étonner d'en trouver sur les enfants de la Cité Potemkine ?

— Mais ce sont des enfants d'homme !

— Vous avez raison, c'est terrible... Mais que ce soient des enfants laisse penser...

— Ne restons pas sur place, dit Yeshayahou, je suis sûr que nous sommes écoutés...

— Nous ne sommes pas "écoutés" mais assistés. Seuls nos rapports seront, le moment venu, sérieusement relus et bien sûr modifiés selon les besoins.

— Savez-vous, dit Yeshayahou le géologue, que des mines d'approche sont creusées nuit et jour sous la Centrale ? A plusieurs reprises je suis descendu dans ces puits que sans cesse des hommes munis de combinaisons spéciales inondent. Ce que j'ai vu et mesuré me laisse épouvanté. Cet effroi, croyez-vous qu'il serait prudent d'en faire part à qui que ce soit ? Il est évidemment trop tard pour commenter la progression des lentes catastrophes souterraines qui se préparent et dont j'ai pu observer les premiers effets sous le socle géologique de la Centrale. La "bête" de feu s'enfonce lentement, et aucune force ne pourra l'en empêcher. Je resterai muet devant les abominables conséquences... disons que par courtoisie envers l'humanité je préfère garder le silence...

— C'est justement cette sorte de silence que l'on attend de nous, dit Eva Mada-Göttinger, ce silence courtois, comme vous dites. La courtoisie scientifique ! Et pourtant nous devrions refuser cette courtoisie et au contraire, par tous les moyens, avoir le courage d'être discourtois. Assez de ce jargon du dire qui ne dit pas ! Assez de cette rhétorique qui se développe autour du problème ! Voilà ce que je pense intimement... et cependant, poursuit Eva en baissant la voix, je sais que le jour venu j'écrirai le rapport de courtoisie où rien de ce que j'aurai réellement observé ne sera mentionné. Comme ce Persan qui disait : "Tous les Persans sont menteurs", je dirai : "Toute commission d'enquête internationale nommée pour travailler sur le site de la Centrale *doit* forcément mentir." C'est odieux mais c'est ainsi ! Et vous-mêmes, que ce soit à propos de l'enfoncement catastrophique de la "bête" de feu ou de la destruction des gènes ou de l'œil cyclopéen trouant le front des enfants de la Cité Potemkine, vous ne pouvez qu'être courtois envers l'humanité puisqu'elle vous a nommés pour lui mentir. Et comme nous nous haïssons de mentir...

— Eva, Eva, je vous en prie...

— Laissez-moi finir, Yeshayahou ! Et même si nous nous haïssons de mentir, il faudra mentir quand même ! Cela est répugnant à vomir mais nous sommes prêts à nous répugner et à nous vomir par courtoisie envers nos contemporains. Que cette abeille ait perdu le sens de la lumière absolue ou que des enfants cyclopéens plus près du lézard fossile que de l'homme soient nés dans la Cité Potemkine, ne doit en rien déranger le piège courtois que sera forcément notre rapport final. Cela fait des siècles que la science s'est mariée avec le mensonge. La science est le trou noir où s'abolissent nos projections...

— Je vous en prie, Eva, calmez-vous ! dit Yeshayahou, tentant de lui prendre les mains.

— Ah, laissez-moi ! Nous sommes blessés jusqu'au plus profond de nos rêves. Pourquoi certaines années voit-on passer sur le lac de Neuchâtel des vols de vanesses tellement serrées que l'on croirait un immense tourbillon de neige qui s'étire pendant des heures en plein été ? Aucun entomologiste, jusqu'à présent, n'a pu répondre scientifiquement à cette question. "Répondre scientifiquement à la question serait un crime contre la poésie", avait dit le seul homme resté assez enfant pour s'arrêter ébloui par cette neige d'été formée d'un nombre incalculable de lépidoptères.

— En effet, grâce à vous, mon frère avait découvert "cet autre univers", comme il le nommait, qu'est l'univers des insectes. "Avec Eva, me disait-il, je voyage dans une dimension insoupçonnée de l'Univers. Nous sommes comme deux enfants devant l'univers inexplicable des insectes. Grâce à Eva, me disait-il encore, j'ai appris à admirer sans comprendre." Oui, voilà ce que mon frère me disait ! dit Yeshayahou.

— C'est vrai, il s'était passionné pour l'entomologie…

— Il s'était passionné pour ce qui vous passionne, Eva, c'est vous qu'il cherchait à mieux comprendre à travers la recherche entomologique. "Si la sismologie, par de multiples échos, explique comment se sont formées les différentes couches supérieures de la Terre, l'entomologie, elle, est une science qui ne cherche pas et ne pourra jamais chercher à expliquer quoi que ce soit concernant l'univers sublime et terrifiant des insectes." Il me disait aussi : "Promets-moi de ne jamais lâcher Eva, *après moi* sois toujours auprès d'elle, Yeshayahou, aide-la à m'oublier."

— Ah, taisez-vous ! dit Eva Mada-Göttinger, taisez-vous, rien ne peut me faire plus mal que ces paroles ! Et pourtant je sais qu'il le pensait sincèrement. "Tu es jeune, me disait-il, *après moi* bien des années te resteront à vivre, bien des années que tu consacreras non seulement à l'entomologie mais à vivre, comprends-moi, je te demande d'avoir la force de vivre *après moi*, insistait-il sans relâche sur le lit où lentement il mourait, dit Eva Mada-Göttinger, *après moi* tu dois continuer comme si j'étais là sans que ma présence ne t'empêche cependant d'accueillir dans ta vie ce que ni moi ni toi aujourd'hui ne pouvons admettre de sang-froid. Je ne te quitterai pas, me disait-il encore, poursuit Eva Mada-Göttinger, je ne disparaîtrai pas, je serai tout simplement mort et aucun euphémisme ne doit se substituer dans notre esprit à ce simple constat avec lequel nous devons nous familiariser." Voilà ce qu'il me disait alors que nous étions rentrés précipitamment de la Baltique et qu'il sortait peu à peu d'une longue anesthésie "pareille à une répétition de l'après", avait-il chuchoté contre ma joue dans cet hôpital finlandais où on l'avait transporté d'urgence. Nous venions de suivre la migration en masse du sphinx, passionnés par ce grand nuage de papillons nocturnes survolant la mer du Nord pour gagner l'Angleterre, pareil à une prodigieuse tempête mordorée. "Avec toi, Eva, la réalité me semble un appui suffisant pour que je fasse le saut intellectuel dans les ténèbres de l'indémontrable."

— Voilà bien le genre de phrase obscure qu'aimait mon frère, dit Yeshayahou d'une voix devenue rauque.

— Je n'y trouve rien d'obscur, reprend Eva. Ce papillon que nous poursuivions se nomme communément : *tête-de-mort*. "La vie joue comiquement avec les plus stupides symboles !" s'était-il amusé, en considérant à la loupe le dos, marqué en effet d'une sorte de tête de mort, de ce banal lépidoptère. Cette année-là, un nuage d'une extraordinaire densité s'était envolé d'Afrique tropicale. Aussitôt avertis, nous nous étions mis à sa poursuite, à travers l'Afrique, puis la Méditerranée, la France, l'Allemagne, la Suède, la Finlande... Là, nous avions dû abandonner mais nous avions appris qu'il était remonté jusqu'en Islande et que par la suite un bateau météorologique anglais l'avait croisé en mer, à l'ouest d'une ligne Islande-Irlande. Cette nuée de papillons de nuit marqués au dos du sceau de la mort avait, par un fort vent d'est, franchi inexplicablement une distance de près de quinze cents kilomètres pour finir par atteindre l'Amérique... Bien sûr, tout cela est absurde et je n'aimais pas cette étrange délectation que prenait votre frère à évoquer la mort et d'en souligner les symboles.

— Avouez que de poursuivre un nuage de sphinx est un sport peu banal, surtout lorsqu'on se sait marqué, comme vous dites, par le sceau de la mort.

— Oh, je trouvais ce *hasard* à la limite de l'acceptable, dit Eva. Mais lui s'y complaisait... S'appuyant sur le mystérieux trajet de cette nuée de papillons marqués d'une prétendue tête de mort, il espérait, disait-il, "décrypter, par une lecture plus poétique que scientifique de ces déplacements, les constantes mystérieuses que renferment les manifestations du vivant". Il disait aussi : "Je veux pénétrer dans les zones secrètes, je veux dépasser la formule lapidaire de ce philosophe allemand qui avait lancé à la face du monde scientifique son célèbre : «La science ne pense pas !»"

— En effet, dit Yeshayahou, il aimait sauter d'un paradoxe à un autre en prétendant qu'il y a et qu'il y aura toujours un sens que nous ne comprendrons jamais par notre expérience vécue. Enfant, il raisonnait déjà d'une façon étrange et incompréhensible, même pour moi son double physiologique il restait indéchiffrable. Mais sachez, Eva, que de vous avoir rencontrée l'avait dégagé de toute question. Il se savait très avancé dans sa maladie, ce qu'il ne vous a jamais caché, condamné à relative courte échéance. "La maladie mortelle dont je sais le poids, et dont je ne suis à aucun moment distrait… et que je prends dans une certaine mesure un plaisir d'effroi à évoquer, me rend entièrement disponible envers cet amour, d'autant plus obsédant que je ressens à chaque instant la certitude d'abolition." Renforçant cette tournure précieuse, il avait même ajouté : "*La désespérante* certitude d'abolition." "Le jour venu, avait-il insisté, sois auprès d'Eva… et souviens-toi que parmi les papiers que je te remettrai, j'ai dissimulé un ridicule mais significatif cadeau que tu ne dois lui remettre qu'après ma mort." Oui, voilà ce qu'il m'avait dit et m'avait confié !

VI

— Pourquoi partez-vous, Eva ? Attendez-moi ! Je suis désolé de la voir si vulnérable. Excusez-moi, je ne peux la laisser s'en aller seule dans cet état.

— Vous avez vu ? dit en souriant Zef Zimmerstein. Et c'est ainsi entre eux depuis la mort du jumeau de Yeshayahou Fridmann. Il se trouve que je l'ai assez bien connu. Il s'était passionné pour la sismologie pendant que Yeshayahou, lui, se passionnait pour la géologie. L'un sismologue, l'autre géologue, l'un ne s'attachant qu'à l'écho, à ce qu'il appelait "la musique des roches", pendant que l'autre ramassait des cailloux et observait les plissements monstrueux de cet absurde objet qui nous supporte ; l'un des deux frères disant : "Toute forme est chargée de l'intérieur, rien n'est muet, tout est réincarnation, énergie, signification", l'autre prétendant qu'au contraire il suffit de réinventer la solitude absurde de chaque éclat de pierre gisant en ce monde pour appréhender le temps immobile dans son inutile perpétuation. Les deux frères se contredisant en toute chose bien que produisant chacun à sa manière un discours identique. Et je pensais, continue Zef Zimmerstein : Combien le pourquoi sur le moi et sur le monde où ce moi a été jeté est à la fois démesuré et ridicule.

Et pourtant nous sommes… ou croyons être ! Nous existons par l'immensité de l'interrogation dont nous nous chargeons. Voilà deux frères, chacun vous dira qu'il se sait être par la conscience du n'être pas… ou plutôt que si l'un est, l'autre n'est pas sûr d'être comme nous-mêmes ne sommes pas sûrs d'être devant la densité de signification des incompréhensibles objets qui nous entourent. Et je pensais encore en les observant : Ils se ressemblent, à les voir on s'y méprend… et l'instant d'après on s'étonnerait presque de leur dissemblance. "Imaginez, m'avait dit un jour le sismologue, qu'au fond des mines les plus profondes creusées par les hommes des âges antiques, aujourd'hui nos physiciens ont installé des pièges à particules. Ainsi des spectres d'antimatière ont-ils été détectés. Leur «durée» de vie, si l'on peut dire, est de l'ordre du millionième de seconde. Si le millionième de seconde peut être nommé temps, alors notre vie, pareillement à celle de ces spectres, s'inscrit dans le temps, et, comme ces particules d'antimatière déposent une trace au fond des mines, nous laissons une légère traînée de poésie derrière nous : quelque chose que nous pouvons peut-être nommer transcendance… ou quelque chose qui l'avoisinerait." Voilà ce que disait le sismologue. Il se savait condamné et se tourmentait à l'idée qu'un jour très proche Eva devrait *refaire sa vie*, comme on dit. Et avec qui ? Mais avec son autre lui-même… bien que cet autre lui-même fût son exact contraire. "Nous nous ressemblons et pourtant nous sommes évidemment divergents." Il disait aussi : "Mon frère n'a foi qu'en la science brute, qu'en l'expérimentation brute. L'Univers est rempli d'objets à peser et à scinder. Oui, depuis notre enfance nous divergeons. Depuis notre enfance nous nous sommes posé différemment la même question : A quel moment l'inanimé devient-il de l'animé ? A quel moment le cristal produisant ses facettes a-t-il transcendé cette prolifération en mouvement ? Mon frère a choisi la géologie, moi la sismologie. Il s'est réfugié dans l'étude des phénomènes tectoniques et orogéniques pendant que moi je me passionnais pour l'impalpable musique du monde, ou si vous préférez la poésie des ondes. En plus de la géologie et de la sismologie, mon frère et moi nous sommes passionnément musiciens. Nous sommes de mauvais exécutants mais de bons déchiffreurs, nous avons toujours aimé déchiffrer la musique. Notre regard sur le monde, disait encore le sismologue, poursuit Zef Zimmerstein, ne peut être que métaphysique et donc théologique. Nous sommes plus profondément concernés là où les mots nous font défaut..." Etrange esprit qui tendait à l'universalité. Je l'avais rencontré à l'occasion d'un colloque traitant de la radioactivité et ses conséquences sur l'animé et l'inanimé. J'avais fait une communication à propos des campagnols qui, bizarrement, prospèrent dans les "zones interdites" des centrales nucléaires. Ces petits rongeurs montrent des modifications très curieuses dans leur programme génétique. Il semblerait qu'une sorte de retournement dans le processus de l'évolution se serait déclenché et que ces campagnols, d'une génération à l'autre, soient en train de perdre les acquis génétiques dont ils s'étaient dotés. Ou en d'autres termes : ils "évolueraient" à reculons... ils *dé-volueraient*, un peu comme si le film de leur évolution se réenroulait tout à coup à une vitesse effrayante, poursuit Zimmerstein tout en marchant avec *nous* parmi les arbres trop fleuris qui entourent la Centrale. Et c'est à la suite de cette communication que le sismologue amant d'Eva Mada-Göttinger m'avait abordé. "Ce que vous avez révélé des campagnols en train de *dé-voluer* dans les zones interdites des centrales m'a vivement frappé, m'avait-il dit. Je suis sismologue de formation mais à vrai dire ce qui motive ma présence dans ce colloque c'est la part du religieux dans les dévoilements des vérités scientifiques." Cet homme, tout en poursuivant ses recherches sismologiques s'était pris de passion pour la musique moderne. "Là est la réalité invisible", disait-il. "Là sont les vibrations matérialisant cet *invisible* à la poursuite duquel j'ai consacré ma vie", assurait-il. Et en effet, jusqu'à sa mort ses facultés intellectuelles sont restées tendues constamment vers cet "invisible" qu'il tentait de matérialiser. Vous ne trouvez pas désagréable cet excès de fleurs, ces buissons d'aubépine, et là-bas ces champs trop fleuris eux aussi ? Venez, voulez-vous, contournons la Centrale dont la masse grise et délabrée domine ce paysage d'une répugnante beauté. Comme il n'existe pas d'Eden réellement édénique, sachez que ce qui est n'est pas ce qui est. Jamais ! Le biologiste ne voit ni ces fleurs trop abondantes, et pour dire vrai, affreusement malades, ni ces herbes trop vertes chargées d'un rayonnement excessif, le biologiste *sait* ! Vous qui venez d'arriver ici, sachez que ces bois, ces champs, ces vergers en fleurs, tout ce que vous voyez autour de nous est horriblement empoisonné… et non seulement empoisonné mais d'une activité de rayonnements terrifiante. Un cycle infernal a été mis en mouvement et, comme pour les campagnols, une abominable régression semble s'être emparée des cellules de tout le vivant que vous voyez si abondamment épanoui autour de cette énorme machine aux parois fêlées. Mais ce qui est plus grave encore, poursuit Zef Zimmerstein, c'est que les habitants de la Cité Potemkine sont heureux ! On le prétend ! Heureux ! Ils croient vivre dans un monde enchanté. Ils cueillent les champignons des bois entourant la Centrale, ils cueillent les fruits empoisonnés de ces vergers, ils se baignent paraît-il dans le lac irradiant, ils mangent les poissons malades, ils sont rongés par ces radiations mais on leur dit qu'ils se portent aussi bien qu'il est possible pour des gens ayant subi un tel cataclysme. Et la singularité de leur cas les remplit d'une telle fierté qu'ils finissent par se croire au-dessus des lois de la vie et de la mort.

Zef Zimmerstein s'arrête de marcher :

— Voyez, dit-il, ces vaches qui semblent paître avec cet air paisible qu'ont toutes les vaches du monde en train de paître, eh bien elles ne sont ni paisibles ni des vaches classiques. Leur lait est un breuvage radioactif à haute teneur. C'est pour cela qu'elles n'ont pas été abattues. On vous l'a peut-être dit, la nuit, les "revenants" – ainsi nomme-t-on leurs anciens propriétaires – se glissent jusqu'à elles pour les traire. Ces "revenants"... on les nomme aussi *smertniki* – ce qui veut dire condamnés à mort –, ces anciens occupants des fermes misérables qu'en vous promenant vous pouvez découvrir à la lisière des vergers, sont tolérés, bien qu'un décret interdise aux paysans chassés des terres contaminées de revenir chez eux. Evidemment ils sont revenus mais on fait comme s'ils n'étaient pas revenus. Ils ont creusé des terriers sous les anciennes granges dont les portes ont été clouées.

Ils se glissent dans ces trous sous la terre et vivent là avec femmes et enfants sans qu'on ait l'air de remarquer leur présence. De temps en temps les brigades médicales spéciales en capturent quelques-uns. On les examine, on pratique des tests extrêmement poussés puis on les relâche munis de bracelets électroniques, de telle sorte qu'on puisse suivre leurs mouvements... ou leur immobilité lorsqu'elle se prolonge – ce qui est signe de mort. Ces mêmes brigades médicales spéciales effectuent des rafles d'enfants nés au fond des terriers contaminés. On dit qu'ils les séquestreraient dans de vastes sous-sols laboratoires où personne ne peut pénétrer excepté les chercheurs faisant partie de ces brigades hospitalières. Ce que moi-même et mes assistantes nous pratiquons sur les campagnols irradiés, les biologistes de la Cité interdite ont la chance de pouvoir impunément l'exercer sur des cobayes humains... Je plaisante, évidemment, mais, vu les circonstances, je ne peux m'empêcher de ressentir comme de la jalousie envers ceux de la Cité... où toute interrogation sur l'éthique a été, dit-on, définitivement abandonnée. Si encore les membres de la mission internationale avaient accès aux dossiers médicaux de ces *smertniki* ! Mais les médecins-chefs des brigades spéciales gardent pour eux les résultats des recherches pratiquées dans les sous-sols de la Cité dite du Soleil. Et sous aucun prétexte nous n'avons la possibilité d'approcher ces mystérieux chercheurs, nous ne connaissons pas leurs *véritables noms* ni quelles sont leurs réelles spécialités. On dit qu'ils font partie de la police secrète médicalisée... Tout ce que nous savons c'est qu'ils savent des choses que nous ne saurons jamais. La jeune pédiatre

Tania Slansk aurait vu… grâce à la complicité d'une doctoresse elle se serait introduite dans ces sous-sols interdits… Elle nous a confirmé qu'un taux de mutation extrêmement élevé affecte les anciennes populations de ce site prétendument déserté. De telles mutations n'empêchent nullement – et même au contraire – les hommes, les vaches ou les rongeurs radioactifs de prospérer et de se multiplier à une cadence infernale. Je sais que les brigades spéciales vétérinaires ont recueilli des vaches et surtout un taureau gravement contaminés. Ces bêtes ont vécu un certain temps autour de la Centrale détruite sans qu'on ait pu leur mettre la main dessus, donc dans un milieu effroyablement radioactif. Quatre générations de veaux ont été mises au monde par ces vaches malades. Ces générations de veaux ont été classées en Alpha, Bêta, Gamma et Urania. "On a constaté des changements très étranges dans leur génotype, m'a avoué une laborantine travaillant pour les brigades médicales secrètes, mais ces mutations n'ont provoqué aucune malformation visible." Evidemment elle mentait ! "Des enfants naissent avec une cyclopie monstrueuse mais les veaux de ces vaches irradiées sont miraculeusement normaux, des campagnols régressent de génération en génération mais ces veaux ne présentent aucun signe de dégénérescence ! Permettez-moi de douter !" lui avais-je dit, poursuit Zef Zimmerstein. J'ai réussi à enivrer cette stupide laborantine, et contre une somme assez importante, j'avais pu me glisser dans l'étable où les brigades vétérinaires gardent très sévèrement ces veaux. "Vous appelez ça des veaux ? avais-je dit à cette ivrognesse. Mais ce sont d'effroyables monstres ! Vous ne pouvez cacher ça, vous devez permettre à notre commission de les disséquer !" Elle m'avait supplié de garder le secret et, finalement, après en avoir parlé avec Eva Mada-Göttinger ainsi qu'avec Yeshayahou Fridmann et Nini, nous étions convenus de nous taire car le moindre soupçon peut à l'instant nous faire remplacer par d'autres enquêteurs plus souples et prêts à signer n'importe quel compte rendu. Ce n'est pas que nous ne signerons pas de déclarations falsifiées mais au moins notre curiosité scientifique sera satisfaite. Notre probité sera insatisfaite mais notre curiosité de chercheurs, elle, sera en partie satisfaite. Que ce soit nous ou d'autres...

Il se tait quelques instants et continue :

— Quand j'avais rencontré pour la première fois le sismologue amant d'Eva, il s'était amusé... avec une certaine amertume cependant, du manque absolu d'éthique des commissions scientifiques. "Jusqu'à présent, m'avait-il dit, je pensais que seuls les scientifiques bornés admiraient la probité... Seuls les scientifiques bornés admirent la rectitude, pensais-je jusqu'à présent, et voilà que maintenant je pense le contraire. Et pourquoi cela ?" m'avait-il encore dit dès la première minute de notre rencontre, "parce que je vis en ce moment l'aventure la plus grisante qu'un homme puisse vivre. Cette jeune femme dont vous avez entendu la communication au sujet des vols en masse de certains lépidoptères, eh bien, il se trouve qu'elle est mon amante effectivement. Ne croyez pas, avait-il poursuivi avec une certaine exaltation, qu'elle soit venue chercher une quelconque protection auprès de moi, au contraire, c'est moi qu'elle protège", avait insisté le sismologue, poursuit Zef Zimmerstein tout en marchant parmi les arbres en fleurs, “c’est moi qu’elle plonge dans un bonheur d’exister que je n’avais pas connu jusqu’à présent, c’est à travers elle que je vis, comprenez-moi… et ce bonheur inespéré me fait regarder la probité et la droiture scientifique comme des valeurs suprêmes”. Ainsi m’avait parlé le sismologue, frère de Yeshayahou, dès la première minute de notre rencontre, *nous* dit Zef Zimmerstein, et cette façon de s’exprimer, par sa franchise et son manque de retenue, me l’avait rendu très sympathique. “Je vis cet amour en quelque sorte à contre-science, m’avait dit encore le sismologue. La science est le contraire de l’art, quoi que prétendent les scientifiques, la science, tout en prenant appui sur l’imagination, ne nous propose rien de ce que nous offrent la musique, la peinture, la poésie, car les buts de la science ne sont évidemment pas gratuits. Leur projet tend à la maîtrise du monde et d’en utiliser à de prétendues fins les prétendus biens. Les sciences modernes sont stériles et sont ennemies de l’amour, évidemment. Elles ne résistent pas aux exigences de l’épistémologie car leur langage n’est qu’une accumulation de formules et de signes, au contraire de la poésie ou de la musique qui, elles, expriment une sorte de «silence» qui se passe merveilleusement du poids exsangue des mots.” Voilà comment s’exprimait le frère jumeau de Yeshayahou et l’heureux amant d’Eva Mada-Göttinger ! Toutes ces questions théologiques, il les vivait avec un désespoir mortel. “Je suis mortellement désespéré, m’avait-il dit plus tard alors que nous nous connaissions un peu mieux. Sans Eva, il y a longtemps que je me serais suicidé pour ne pas me voir mourir. Mourir ne me fait pas peur mais de penser qu’Eva assistera à ma mort m’est intolérable.

L'après ma mort me fait peur pour elle. Parmi mes papiers, j'ai laissé un signe, un amusant encouragement à la vie… et à l'amour pour mon Eva. Yeshayahou doit le trouver et le lui remettre. Oui, Yeshayahou sera là pour dire à Eva qu'elle est jeune et qu'elle doit vivre." La maladie était déjà profondément installée en lui et plusieurs opérations l'avaient considérablement diminué. "Je suis terriblement humilié, disait-il, d'être dans un corps détruit par la chirurgie. Je suis un cas chirurgical psychologiquement détruit. Sans Eva, insistait-il, *nous* dit Zef Zimmerstein continuant sa marche sous les arbres fleuris du verger, sans Eva disait le sismologue, je me serais physiquement détruit pour ne pas être détruit psychologiquement par la chirurgie."

VII

— Revenons vers le hall d'accueil de la Centrale, *nous* dit Zef Zimmerstein en obliquant à travers les vergers. Remarquez ces primevères dont la pousse serrée fait comme un tapis velouté sous les arbres. Rien ne m'amuse plus que ces lieux communs qui nous viennent dès que la nature s'offre dans son aspect je dirais le plus indécent. C'est pourtant en déployant cette profusion de fleurs – qui après tout n'est qu'un excessif débordement de cellules, une abondance répugnante de matière vivante, une prolifération vraiment maladive – que cette nature ivre de son désir effréné de se prolonger réussit à nous séduire. Toutes ces couleurs, ces parfums, ces liqueurs sucrées dont le miel poisse jusqu'à l'écœurement, est-ce réellement ça le *la* du "beau" ? Et ces chants d'oiseaux ? Serait-ce par eux que l'obsession de la mélodie se serait imposée à l'homme ? Ces trilles des mésanges que nous entendons ne sont que de belliqueux avertissements. Quant au monstrueux rossignol dont le "chant" a pris place dans notre sac à métaphores au même titre que ces fleurs, l'air bleu, les couchers de soleil... ça le "beau" ? Est-ce vraiment cela qui nous ouvre à la poésie, au religieux, au métaphysique ? En serait-ce la garantie ? Les questions théologiques prendraient-elles appui sur ce prétendu sens du "beau" dont *nous*, les humains, aurions été enrichis par quelque puissance immanente ? Faut-il vraiment faire confiance aux poètes, aux artistes pour qu'ils transforment l'horreur d'un monde de pièges et de dévoration en métaphores de "beauté" ?... Voilà quels étaient les sujets de nos passionnés bavardages, quand il nous arrivait de nous rencontrer, en marge d'un colloque ou d'un symposium, le sismologue et moi. "Vous n'êtes non seulement pas un artiste, Zef, me disait-il, mais un équarrisseur du réel. Comment puis-je accepter votre discours dévié par les pesanteurs de la logique qui récuse tout a priori métaphysique et dont le scepticisme libéral m'est proprement odieux ? Que le battement de notre sang dans nos artères rythmé par le muscle cœur soustendant toute la musique de Beethoven soit un plus de génialité pour moi semble vous déplaire ? Pour vous ce serait donc un moins expliquant par la biologie et l'histoire de l'évolution biologique une sorte de *reconnaissance* de cette pulsation : bam bam bam, qui ne serait donc musicale qu'accessoirement ?" Je riais, poursuit Zef Zimmerstein parlant du sismologue amant d'Eva Mada-Göttinger. Je riais, amusé par ses sophismes. "Vous ne pouvez, insistait-il, prétendre qu'un tableau du Tintoret ou de Rembrandt agisse non sur notre sens du «beau» mais sur le désir refoulé dans quelques cellules amnésiques de notre cerveau qui s'exciteraient des couleurs avec le même appétit que mettait notre ancêtre arboricole à s'emparer d'un fruit ! Et toutes les prétentions de la psychanalyse à vouloir rabaisser le religieux à nos peurs infantiles ou à nos névroses, permettez-moi de les réfuter par les œuvres des grands artistes, qui, elles, sont la preuve évidente et *palpable* de l'immortalité de l'âme." Oui, je riais, continue Zimmerstein. Mon ami le sismologue se détournait... mais presque aussitôt il revenait à l'attaque, comme on dit, cherchant anxieusement à me provoquer. Bien sûr, il n'acceptait pas la maladie qui le condamnait, bien sûr, il refusait de mourir *complètement*. "Vous êtes d'une myopie métaphysique insupportable !" me disait-il. Oui, cette réflexion était pathétique, sachant qu'elle venait d'un homme condamné par la médecine, et que la chirurgie prétendait prolonger, si bien qu'un de ceux qui conseillaient une opération "de la dernière chance" avait fait ce malheureux bien que savoureux lapsus : d'"encore billard" que le sismologue n'avait pas pu ne pas relever comme *un signe du Ciel*. "Sans la musique, sans la poésie, me disait-il, poursuit le biologiste Zef Zimmerstein, l'existence de l'homme serait d'un vide atroce. Si vous nous avez débarrassé de Dieu, au moins n'égorgez pas la poésie !" Voilà ce qu'il m'avait crié au moment où nous nous étions quittés la dernière fois, peu de temps avant qu'il ne soit "endormi" dans la mort dont il n'acceptait pas le mécanisme bêtement biologique. Egorger la poésie ! On n'égorge pas la poésie, me disais-je, on égorge du vivant. Qui n'a jamais égorgé, je dis bien vé-ri-ta-ble-ment égorgé, ne pourra jamais savoir !

Nous arrivons enfin devant le hall d'accueil de la Centrale où la mission scientifique internationale se réunit plusieurs fois par jour pour recevoir la dose obligatoire d'iode compensatoire.

— Voyez, nous dit encore Zef Zimmerstein, la mission scientifique se retrouve quasiment au complet chaque jour dans ce hall d'accueil.

Qu'allons-nous faire ? Parler, échanger nos points de vue, tout en avalant de l'iode sous forme de dragées chocolatées… en vérité nous prendrons un plaisir malsain à confirmer notre absence aux phénomènes qui ont lieu sur ce site dévasté… dont nous devons certifier non la teneur en radioactivité mais en espoir. Notre mission scientifique internationale a été créée non pour enquêter sur la situation désespérée du processus de lente destruction et surtout de régression mis en mouvement, mais, au contraire, pour inventer les mots qui s'interposeront et rendront acceptable la souffrance d'une humanité destinée à ne plus se reconnaître. Inventer, si vous voulez, une machine sémantique refusant de prononcer : “assassinat de tout amour”, pour m'exprimer comme le sismologue amant d'Eva Mada-Göttinger… Attendez, ne bougeons plus ! dit Zef Zimmerstein. Voyez cette jeune fille, c'est la pédiatre dont je vous parlais tout à l'heure, Tania Slansk. Elle nous accompagnait alors que nous survolions la Cité Potemkine. Avec quelle intensité elle observait les enfants irradiés que nous ne pouvions voir que d'en haut pendant qu'ils couraient sur le terrain balisé où ne se posent que les hélicoptères des brigades médicales spéciales ! “Rien qu'à leur façon de se mouvoir, je pense qu'aucun d'eux ne vivra bien longtemps”, avait-elle murmuré comme pour elle, penchée sur ces enfants que nous apercevions, en raccourci, dans le vent soulevé par les pales de notre hélicoptère. Un peu plus tard, j'avais abordé cette intéressante jeune femme, poursuit Zef Zimmerstein, et je lui avais demandé comment elle pouvait tirer des conclusions d'un tel pessimisme : “J'ai entendu ce que vous vous étiez dit en observant de haut les enfants de la

Cité Potemkine. Les condamner d'un simple coup d'œil jeté depuis un hélicoptère, prétendre être assurée de leur mort à brève échéance sans pour cela les avoir approchés… – Détrompez-vous, m'avait-elle répondu, non seulement je les ai approchés mais, grâce à la complicité d'une doctoresse faisant partie de l'équipe médicale secrète, j'ai pu pénétrer jusqu'aux sous-sols de la Cité. Cette doctoresse sait qu'elle risque de terribles sanctions pour m'avoir seulement parlé. Qu'elle m'ait de plus permis d'observer les enfants séquestrés dans les sous-sols, ne serait-ce que quelques minutes par la fente d'une porte, suffirait pour la faire disparaître à jamais. Mais elle a tenu à prendre ce risque… *même si c'est pour rien*. – Et cette histoire d'enfants-lézards, lui avais-je demandé, y croyez-vous, les avez-vous vus ? – Je ne peux en parler pour le moment. – Sont-ils vraiment Polyphème ? avais-je insisté. – Dans ces affreux sous-sols, tous le sont, sans exception", m'avait-elle répondu… De toute façon quelle importance que tout cela, conclut Zef Zimmerstein, puisque la vérité n'est plus la vérité dès qu'elle franchit les limites tracées par la contamination, et que notre mission est d'en proposer une qui soit autant que possible acceptable pour notre pensée dépourvue de fantaisie imaginative. Excusez-moi, on me fait signe, s'exclame Zimmerstein *nous* quittant brusquement.

— Ah, enfin vous voilà ! dit Yeshayahou Fridmann. De quoi a bien pu vous parler notre ami le biologiste ? J'ai regretté de vous avoir abandonné tout à l'heure mais je ne pouvais laisser Eva partir seule dans l'état d'exaspération où elle s'était mise… et où elle se trouve en permanence depuis que mon frère jumeau s'est “retiré dans la mort”, comme il disait. “J’ai connu de manière inéluctable la douleur de l’échec, la solitude face à la mort”, m’avait-elle dit un jour, quand le temps avait non seulement atténué son chagrin mais permis aux mots d’exprimer enfin ce qui jusqu’à ce moment n’avait pu prendre forme. Oui, pendant plus d’un an, Eva s’était comportée comme une infirme. Aucune cohérence intérieure, en objection devant tout ce qui se présentait, refusant de vivre *à partir de celui qui n’était plus là*, comme si, avec la dernière parcelle de souffle échappée à mon frère qu’elle aimait, un effondrement général avait frappé l’Univers. Je dois reconnaître que moi-même, la mort de cet autre moi m’avait terriblement blessé. Je n’avancerais pas le lieu commun “d’amputation”… et pourtant c’est bien ce que ressent ce double misérable qu’est le frère en mineur, le second, le frère admiratif et muet devant cet autre soi-même plus intelligent, disparu ! Sa présence vitale manque, sa plénitude de présence s’impose à moi obsessionnellement à partir du fait qu’il n’est plus là pour me circonscrire dans ma nullité. La part essentielle qui me constitue s’en est allée, poursuit Yeshayahou, je ne suis plus que le masque de moi-même. Mais vous le savez bien, de tout temps il a été dit : Derrière le masque un visage s’annule. Quelle douloureuse banalité ! Si vous saviez quel vrai visage est le mien ! Que de pensées basses ont modelé ce visage que vous voyez là ! Il suffisait que mon frère apparaisse pour qu’aussitôt je me sente comme effacé, comme *remplacé* par lui. J’étais lui, comprenez-vous… mais lui n’était pas moi.

Il s’arrête de parler, semble chercher quelqu’un dans la foule des scientifiques.

— Je n'aime pas la perdre de vue. Me voilà rassuré, elle ne peut qu'être entourée ; voyez comme elle s'anime dès qu'il est question de ne pas accepter. Rebelle par nature… et, cependant, devant l'ampleur du désastre auquel nous voilà tous confrontés, elle aussi obligée de mentir, de participer à la falsification, de produire un rapport vidé de la réalité vraie. Car telles seront fatalement les conclusions des autres rapports produits par les membres des différentes disciplines invités à enquêter sur le site de la Centrale accidentée !… Hier soir, elle est entrée dans ma chambre et m'a dit sans détour : "Yeshayahou, vous souvenez-vous ? *il* nous avait cité cette parole de Karl Kraus qui prédisait qu'*au cœur de la haute culture occidentale, des hommes feraient des gants avec de la peau humaine…*" Un instant, permettez une petite précision : nous ne le nommons jamais, il est *il* entre Eva et moi, et ce *il* suffit pour nous mettre en sa présence. Donc elle m'avait cité cette phrase d'une force de prémonition presque impardonnable. "Si un homme avait pu se permettre une telle insulte sans que nul ne s'en révolte, c'était donc que les humains, imbus de leur prétendue «humanité», s'étaient aveuglés sur eux-mêmes ! Mais par-dessus notre propre peau, ne voyez-vous pas que nous portons tous des gants en peau humaine ? ai-je répondu à Eva, n'était-ce pas de cela que mon frère souffrait jusqu'à ne plus pouvoir vivre ? – Vous avez raison Yeshayahou, m'a-t-elle dit, j'en ai perdu le sommeil, et depuis que nous nous trouvons tous sur le site de la Centrale, cette phrase remplit mes nuits. Ne sommes-nous pas, plus que jamais, en train de faire des gants avec de la peau humaine ? Et de plus avec la peau d'enfants humains que nous traitons comme des lézards." Voilà ce que m'a dit Eva cette nuit ! Ces paroles étaient difficilement admissibles quand on sait pourquoi nous sommes ici… et pourquoi nous allons falsifier les résultats de nos observations. Le sort des enfants de la Cité Potemkine nous obsède et à la fois nous savons que la vérité doit rester cachée si nous voulons disparaître en gardant la foi envers cette parodie de sens que les hommes ont construite. Oui, ces paroles étaient difficilement admissibles ! Et en même temps elles signifiaient : comment osons-nous utiliser le langage si nous ne donnons forme qu'à des lieux communs odieux et menteurs ? Entre les mots et la réalité notre mission est-elle vraiment d'effacer, d'abolir tous les malentendus, toutes les ambiguïtés ? Mais alors nous devrions terrifier l'humanité avec les mots de son terrifiant destin ! Car nous autres nous savons, nous avons vu, nous n'avons même pas à prédire. Les peaux humaines seront arrachées, les peaux humaines seront tannées comme des peaux de lézards, les gants en peau d'enfants humains étaient en quelque sorte acceptés d'avance dans nos grands projets. Autant que nous sommes ici réunis sur les lieux de la catastrophe, nous avons été désignés pour trouver les mots acceptables par lesquels dire ce qui ne peut être dit. Nous savons combien les sciences modernes échappent à la force du verbe. Notre syntaxe ne peut offrir de mots à la chimie moderne, à la physique moderne, à la biologie expérimentale, pas plus qu'à l'astrophysique pour dire notre horreur devant les espaces sans cesse repoussés et où nous apparaissent par centaines de millions de nouvelles galaxies. Pour réfléchir nous ne pouvons nous servir du langage chiffré imposé par nos sciences modernes tout juste bonnes à faire des gants avec de la peau d'enfants humains. Quels codes chiffrés reconnaîtraient que l'éthique et l'esthétique sont la véritable peau de l'être qui s'est nommé : homme ? Voilà de quoi Eva et moi nous avons parlé une partie de la nuit, tout en pensant à *lui*, sans prononcer son nom.

VIII

— Mais venez par ici, poursuit Yeshayahou le géologue, montons au troisième étage, voulez-vous, prendre une "collation" ? Admettez que ce buffet, toujours abondant, vous réchauffe le cœur, comme on dit… ou si vous préférez : vous met du cœur au ventre, selon cette expression française inimitable. A propos de la pensée occidentale, n'avez-vous pas remarqué qu'elle s'exprime presque toujours la bouche pleine ? Et pourtant combien il serait plus authentique de nous taire car seul le silence peut dire de quel poids est l'absence d'espoir ! Remarquez, nous ne sommes pas les seuls à nous pousser vers le buffet. Tous ces gens sont aussi profondément ébranlés. Eux aussi ont vu et savent ! Eux aussi doivent produire un rapport conforme qui ne dira pas tout à fait le contraire de ce qu'ils savent et auront vu mais en atténuera la portée, ramenant les effets de l'accident à ces fameuses "normes acceptables" dont on nous a distribué par avance les paramètres. Comment vais-je pouvoir témoigner de ce que j'ai vu et calculé, après avoir pénétré dans ces fosses et ces souterrains que des équipes de foreurs creusent incessamment sous le socle de la Centrale ? Le géologue est anéanti ! "Aucun mot ne peut assassiner la mort", pour parler comme mon frère, mort aujourd'hui. Le feu nucléaire est devenu l'ultime expression des hommes puisque notre parole ment, me disais-je en pénétrant plus avant dans les souterrains et les puits creusés à la hâte sous la Centrale. La masse irradiante s'enfonce, produisant dans les couches souterraines d'horribles variations thermiques. Hier, le biologiste Zimmerstein me taquinait : "Que rapportez-vous de vos excursions sous le socle en feu de la Centrale ? Quelques chiffres qui, après tout, sont faciles à rendre présentables dans un rapport tel que celui que nous sommes invités à produire. Quant au travail d'enquête d'un biologiste, si nous nous en tenons à ce qu'on nous a permis de voir, rien de plus aisé que d'en rendre les conclusions dignes de ce qui est attendu de nous. Mis à part les effets monstrueux que l'on nous cache soigneusement, le bestiaire des lieux est on ne peut plus idéal et prospère. Campagnols, musaraignes, belettes, martres par milliers, loutres, ours, renards, sangliers et même, dit-on, meutes de loups, depuis que les vastes zones contaminées ont été laissées en l'état, absolument rien ne manque pour que cette nature débarrassée de la présence obscène de l'homme, offre l'aspect idyllique signalé sur les prospectus que les coordinateurs chargés de guider la mission internationale remettent aux nouveaux arrivants. Autour du lac proche de la Cité Potemkine, les bois, les prairies et les vergers sont envahis de petits animaux à tel point que l'on se croirait revenu au début du siècle, quand cette région avait été nommée l'Eden du Nord par les chasseurs. En arrivant sur le site, m'avait encore dit Zef Zimmerstein, je m'attendais à un désert nucléaire, j'espérais presque découvrir des monstres mais au contraire, à part les hordes de chiens de ferme redevenus sauvages, j'ai trouvé un écosystème apparemment en parfait état. Comment évaluer les conséquences de l'accident sur l'environnement ? Mesurer le degré de radioactivité de l'eau, de la terre ou des champignons n'avance à rien. Ce qui intéresse le biologiste passionné que je suis, c'est comment fonctionnent les relations entre les animaux, les plantes, l'air, la terre et l'eau. Mes assistantes et moi, m'avait encore dit Zef Zimmerstein, poursuit Yeshayahou Fridmann, nous avons capturé des centaines de petits animaux... on m'a livré des chevreuils, des sangliers, et même, figurez-vous, des ours. Apparemment aucune malformation ou anomalie visible. Sauf qu'à la dissection : des rates, des foies, des reins d'une grosseur monstrueuse ! Signe évident de leucémie. Nous avons dressé une carte des chromosomes, m'avait encore dit Zef Zimmerstein, poursuit Yeshayahou Fridmann. Tous les animaux que nous avons examinés ont subi un taux de mutations très élevé au plus profond de leurs gènes..." Son discours est évidemment mensonger. Même avec moi il ment car s'il ne mentait pas avec moi ainsi qu'avec lui-même comment pourrait-il produire un rapport acceptable par la communauté internationale ? Ces animaux que notre ami le biologiste a étudiés lui ont été fournis par les biologistes *d'en face*, je veux dire ceux des brigades médicales spéciales de la Cité. Evidemment, les monstres atteints de cyclopie sont capturés à mesure qu'ils apparaissent, et rassemblés dans des lieux secrets. Que ce soient les enfants difformes ou les animaux, aucun des membres de la mission internationale ne risque de les approcher.

Yeshayahou *nous* entraîne maintenant vers une baie vitrée qui donne sur les prairies fleuries et les vergers en fleurs.

— Derrière ces collines se trouve la Cité Potemkine. Aucun étranger n'a pu jusqu'à présent y pénétrer… à part Tania Slansk, la jeune pédiatre de notre mission. Grâce à la complicité d'une doctoresse spécialiste des pathologies radiologiques, elle a réussi de nuit l'extraordinaire exploit d'approcher les enfants atteints de malformations. Par la fente d'une porte, elle aurait constaté d'effroyables monstruosités, a-t-elle confié à mon ami Zef Zimmerstein le biologiste… qui l'a engagée à garder pour elle ce qu'une dangereuse malchance lui a fait découvrir. Un seul mot et elle disparaît ainsi que la doctoresse sa complice… et pourquoi pas nous ? La moindre allusion aux enfants atteints de cyclopie et nul ne saura jamais ce qu'elles seront devenues… Quant à nous ? On pensera que l'une comme l'autre ont été renvoyées chez elles, et chez elles on pensera, bien sûr, qu'elles ont choisi de rester jusqu'à la "fin" sur le site de la catastrophe. Etrange pays ! Ne ressemble-t-il pas à un théâtre disproportionné ? Imaginez une vaste toile peinte représentant des forêts, des collines, des lacs, d'anciennes steppes transformées en verger, des chaînes montagneuses, des nuages, un ciel sous lequel on découvre des villages, de merveilleux villages et aussi des cités offrant le spectacle du "bonheur terrestre" ; voilà de quelle mémoire on aimerait encore une fois marquer l'histoire des hommes ! Comme Potemkine, le complice de la Grande Catherine, on repeint la réalité, on la recouvre d'un trompe-l'œil. Merveille d'ambiguïté, poursuit Yeshayahou, on croit baptiser une Cité du nom d'un cuirassier, lui-même baptisé du nom d'un faussaire, quand, à vrai dire, c'est encore une fois une toile peinte que l'on hisse jusqu'au ciel. Nous ne savons que trop ces vérités ! Nous sommes las de ces vérités ! Croyez-moi, le monde n'est qu'une construction verbale ! Et c'est devant la toile peinte de nos mots et de nos phrases que nous nous efforçons de vivre. Ce qui se passe derrière cet écran ne peut être regardé de face. Aucun mot, aucune phrase ne peuvent nommer l'envers de ce décor que nous savons sans vouloir le savoir. Là se cache ce qui ne peut être dit car les mots pour le dire n'ont pas été inventés… et ne le seront jamais ! Et quand le poète croit en saisir l'image, par ce qu'on nomme la "beauté", il ne fait que repousser "l'indicible" vers des ténèbres encore plus obscures et terrifiantes.

Le géologue reste un moment silencieux et ajoute :

— Combien je regrette la mort de mon frère ! Pourquoi n'est-il pas ici, avec nous, pour jouir de cette catastrophe ? Lui n'avait pas besoin de preuves pour appuyer ses intuitions. Quand nous étions venus prospecter pour décider du futur site de la Centrale et que nous parcourions ces contrées quasiment inexistantes sur les cartes, il m'avait prévenu : "Ce serait un véritable crime que de donner notre accord. Pas ici ! Je t'assure, Yeshayahou, pas ici ! – Mais un lieu doit être désigné, lui répondais-je, et reconnais que cette steppe peuplée de chasseurs vêtus de peaux de bêtes est idéale pour bâtir ce qui doit rester autant que possible loin des regards. Ces steppes échappent à toute poésie, elles sont indescriptibles, ces espaces ne sont pas *humains*… pour employer ce mot imbécile… aucune syntaxe aussi suggestive soit-elle dans ses métaphores ne réussirait à rendre compte de leur atmosphère qui ferait penser à ces contrées *d'après-mort* où seules des âmes errantes se croisent dans l'éternel." Je vous rapporte fidèlement les mots un peu outrés que j'avais employés avec mon frère le sismologue. Mais pour les comprendre, il faudrait vous replacer dans l'ambiance d'étrangeté qui se dégageait de ces lieux restés jusqu'alors hors de toute imagination humaine telle que nous l'entendons. "Seuls des chasseurs d'ours et des mangeurs de mammouths sont dotés d'assez peu de mots pour «dire» la légende de ces contrées inconnues, comprends-tu, avais-je insisté auprès de mon frère. Quoi qu'il puisse arriver ici, nul n'ira nous en faire le reproche." Voilà comment, ai-je le regret de vous dire, j'avais parlé à mon frère jumeau qui secouait la tête et n'était pas d'accord. Mais comme nous n'étions jamais d'accord sur rien, et que nos désaccords n'en rendaient que plus forte et confiante notre gémellité, le contraire aurait pu nous inquiéter et nous faire réfléchir, alors que de nous contredire nous mettait pour tout dire d'accord. Le langage nous servait à véhiculer entre nous la preuve sensorielle d'une gémellité qui, depuis la prise de conscience de cette étouffante gémellité, s'était en quelque sorte rigidifiée sur les "bonheurs" que peuvent apporter à deux étudiants en science, l'un géologue, l'autre sismologue, les paradoxes les plus agaçants. Entendu que le langage falsifie et corrompt… mais ça, nous ne l'avons compris, l'un et l'autre, que plus tard et seulement à partir du moment où mon frère, en s'éprenant d'Eva, s'était brusquement transformé, abandonnant l'ironie pour une sincérité inquiétante.

Il se tait un instant, et conclut :

— C'est vous dire avec quelle légèreté fut rédigé, à l'époque, notre rapport conseillant, pour finir, l'édification, sur ce site même, de la Centrale. Oui, notre rapport donnait *le feu vert*, comme on dit ! Car c'est en blaguant presque que nous rédigeâmes ces pages fatales. Géologiquement, disions-nous, sismiquement, insistions-nous, pas de danger, avions-nous affirmé. La circulation des eaux souterraines paraissait suffisamment profonde pour ne pas risquer d'être contaminée, à condition… je dois vous avouer que nous n'avions pas émis de conditions… A notre enquête préalable s'ajoutèrent les enquêtes des différents scientifiques de disciplines complémentaires, ce qui nous déchargea de toute responsabilité.

IX

— C'est avec une grande tristesse que je vous parle de mon jumeau… et en même temps, je vous avoue éprouver un plaisir trouble à évoquer ces temps déjà lointains où nous nous étions engagés dans ces steppes pour ainsi dire encore inexplorées. Mon frère avait accepté cette mission sans y attacher le sérieux qu'elle méritait. Il lui plaisait de parcourir cette région, peu importait le prétexte. Il avait réussi à me faire nommer auprès de lui. Il s'était même arrangé, poursuit Yeshayahou, pour que ce soit moi que l'on désigne comme responsable de cette expédition principalement géologique. Pendant de nombreuses semaines nous avions sondé ces steppes. Nous nous étions fait accompagner d'une équipe de foreurs munis d'un matériel sophistiqué. Mon frère le sismologue et ses assistants faisaient sauter des charges de dynamite, relevant les mesures et me les communiquant avec les commentaires d'usage. Nous couchions là où la nuit nous surprenait – pour parler comme les coureurs de steppe. Parfois nous trouvions refuge dans une yourte où il nous arrivait même de partager le plaisir brut, trop primitif à notre goût, que pouvait nous offrir l'une ou l'autre des compagnes impudiques et d'une parfaite simplicité de ces chasseurs que le progrès apporté par la construction de la Centrale transformera par la suite en anonyme "main-d'œuvre à risque". Sur le moment nous ne nous rendions pas compte à quel point la recherche du site pour une future Centrale pouvait ressembler à une avancée *à l'extrême du gouffre*. Nous étions les éclaireurs du futur jetés dans l'immuable passé. Là où l'ours sauvage venait d'être égorgé par nos guides, un monstre de béton, d'acier, de plomb sera érigé. Un feu que nul ne pourra éteindre prendra naissance au cœur de ce temple, et les hommes serviront ce feu jusqu'à ce qu'il se retourne et les anéantisse. Ainsi aurions-nous pu en conter la légende aux chasseurs de la steppe et leur prédire de quel terrifiant avenir nous étions, mon jumeau et moi, les avant-coureurs. Ici allait s'effectuer la rupture, une cassure qui engloutirait toutes les périodes intermédiaires dont l'histoire avait provisoirement retenu les faits. Oui, ici, sur ce site choisi par nous, se sera arrêté le mouvement ascendant du vivant. L'immense vague des espèces, après avoir culminé et risqué les plus étonnantes fantaisies, se sera écroulée puis retirée, inversant son mouvement, emportant à rebours les acquis génétiques, les retournant un à un jusqu'à la cellule primitive… jusqu'au plus rien. Rupture fondamentale, telle la Création ou la Destruction des mondes, jusqu'à présent sans témoins. L'expansion et la contraction universelles se sont répétées sans nous et, bien que toute conscience en ait été exclue, nous *savons* que cela *a été*, *est* ainsi, *sera* ainsi. Et voilà que pour une fois, poursuit Yeshayahou Fridmann, à en croire notre ami Zef le biologiste, *nous*, une conscience, quelqu'un, *de la matière debout réfléchissante* risque d'assister à une rapide régression générale des processus... Dommage que mon frère jumeau n'en soit pas témoin avec nous, qu'il ne puisse être présent à cet enfoncement terrifiant du cœur de la Centrale... et surtout qu'il n'ait pas la perverse satisfaction d'être de ceux qui savent mais se taisent par "charité" envers l'humanité vouée à une proche agonie. N'est-ce pas une réponse au fameux "pourquoi n'y a-t-il pas rien ?" de Leibniz, que cette amorce de retour au néant d'où nous sommes sortis et auquel nous revenons ?... Voyez tous ces gens autour du buffet, pour la plupart des sommités scientifiques, tous porteurs d'un savoir, tous bénéficiant d'une chaire de haut niveau, aussi bien honorifique qu'intensément convoitée par la jeune génération impatiente de les voir disparaître ! Oui, ces vieillards aux longs cheveux blancs, tous grands falsificateurs ! Leurs travaux, leurs communications, leurs prises de position ne se font qu'en fonction des attributions de budgets pour les sections qu'ils dirigent dans la recherche, ou alors selon les signes de distinction qu'ils espèrent en tirer. Pour eux le "pourquoi n'y a-t-il pas rien ?" n'est pas la bonne question. L'énigme du néant ne hante pas leurs travaux ; le vide et la tentation du religieux qu'imposeraient presque ce vide, ces espaces sans commencement ni fin ne semblent pas les concerner ! Non, pour eux, pas de cette sorte de malaise ni cet effroi qui devrait les pousser à refuser la tentation du Rien, et ainsi grâce à un raisonnement rassuré en quelque sorte par une telle épaisseur d'absurde nous proposer le signe plus, oui, un positif signifiant le néant absolu, un néant pur, tel que Dieu, s'il est vraiment parfait, se devait de le maintenir sur l'univers en dehors de tout témoignage. Ils se croient dispensés de

LA question, et quand leur intelligence bute, ils incitent les "artistes" – qu'ils soient peintres, poètes et surtout musiciens – à disposer leurs œuvres en une sorte d'écran devant le réel. Nostalgie que tout cela ! poursuit Yeshayahou en *nous* entraînant de nouveau vers le buffet. Goûtez donc cette tarte iodée aux myrtilles des steppes irradiées ! Ah ! Ah ! Quel philosophe disait : "Si nous avons inventé le langage et si l'art nous a été nécessaire, c'est qu'il y avait en face de nous un autre pareil à nous pour entendre et apprécier. Et pourtant, toute l'astuce de l'expression humaine vient du fait qu'avant tout nous nous adressons à nous-mêmes car le langage n'est évidemment qu'un soliloque… et l'art une forme suprême d'isolement" ? Et, en effet, combien de génies ont chargé leur meilleur ami de détruire la partie la plus inspirée de leur œuvre ? Que certains de ces exécuteurs testamentaires aient succombé à ce vœu ne montre que mieux ce que sont les tourments du deuil… et de la jalousie… Si je vous fais cette confidence, c'est pour la triste raison que voilà : moi, j'ai eu la faiblesse de faire œuvre pieuse en détruisant une masse de papiers que mon frère m'avait chargé de brûler. Oui, moi je l'ai fait ! Un épais manuscrit où obsessionnellement revenait… quoi, un secret… un terrible secret que moi seul, le jumeau, l'indigne jumeau devais partager… Pouvez-vous comprendre cela ? Mon frère jumeau avait écrit ce que moi-même, si je l'avais pu, j'aurais dû écrire… Jamais *miroir* n'aura renvoyé un reflet aussi terrible et fidèle ! Bref, après avoir lu – bien que mon frère m'eût expressément défendu de le faire : ce qui signifiait : lis ! – j'ai brûlé un à un tous les feuillets de *notre secret*. Et pourquoi ai-je été ce frère à la fois désobéissant et obéissant ? Par ja-lou-sie ! Oui, par un terrible sursaut de jalousie non pour l'extraordinaire lucidité de ce texte posthume mais par une horreur maladive qu'il se survive trop fort, qu'il occupe encore plus et définitivement l'esprit d'Eva... Remarquez comme elle est entourée ! Il me plaît qu'elle se plaise à plaire à tous ces hommes de science ridicules !... Ah, voilà qu'elle quitte ses admirateurs et s'avance vers nous ! Pas un mot de ce que je vous ai confié !... Figurez-vous, Eva, que nous profitions de ce moment de détente autour de ces tas de nourriture pour évoquer la bassesse des motivations qui animent la recherche scientifique. Nous songions à la puissance de réalité que peuvent avoir sur nos esprits de chercheurs les insaisissables présences de l'art. Sans l'art notre effroi nostalgique ne resterait qu'un effroi muet plongé dans le vide en mouvement des grandes énigmes d'un absurde cosmos... Vous riez, Eva ? Et pourtant reconnaissez de quelle logique sont les rapports de l'art avec notre certitude de la mort.

— Chassez ce mot de votre vocabulaire ! dit Eva. Cessez de me poursuivre avec ce mot ! Ce mot n'est qu'un mot ! Il ne représente que l'effroi et non la réalité ! Quand je me trouvais auprès de *lui* alors qu'il venait d'être remonté de la salle de réanimation, et qu'entrouvrant les yeux il avait murmuré : "Me revoilà !" d'une voix où restait contenue toute l'angoisse d'avant cette ultime intervention... et que sa main trouvait ma main sur le rabat du drap, ce "revoilà" signifiait qu'il n'y avait pas de mort pour les morts... et qu'en sortant du non-être de l'anesthésie, c'est l'Univers qui s'éveillait et reprenait son cours.

Elle se tait un instant, puis continuant :

— La mort de votre frère, quelques jours après, je vous assure, Yeshayahou, je ne l'ai pas ressentie comme sa mort mais comme une absence brutale de l'Univers *vu à travers lui*. Comprenez-vous cela ? Sa vision venait de m'être enlevée. Le Grand Tout était là, bien en place, moi-même ainsi que vous, nous étions là, bien en place, sauf que *lui* ne nous maintenait plus à la place qu'il nous avait donnée. Il n'était plus là pour nous placer parmi les objets épars d'un Univers rempli d'un silencieux désordre. C'est ce désordre de l'Univers que j'ai ressenti quand il ne resta plus que son corps parmi les draps froissés et que les appareils qui étaient censés le maintenir en vie eurent été déconnectés. Mais *lui*, non ! *lui* n'était pas mort ! Son regard sur l'Univers s'était fermé... mais *lui* n'était pas mort puisqu'il ne pouvait donner forme à cet état de non-existence. Sans *ses* mots, quelle forme donner à son définitif silence ?

Elle se tait encore, hésite, et ajoute en détournant les yeux :

— Par contre, ce que je ne peux *lui* pardonner, pas plus qu'à vous qui avez obéi à son ultime exigence, c'est que soient brûlés les papiers qu'il vous avait confiés.

— Eva, vous savez bien combien il m'a fallu de courage...

— Pourquoi cet empressement ? Ces papiers pouvaient rester à l'écart... En brûlant les papiers de votre frère, vous l'avez tué, vous l'avez exclu définitivement !

— Le moment est mal choisi, Eva. Je vous laisse, dit Yeshayahou Fridmann en s'enfuyant.

— Ne prenez pas trop au sérieux nos querelles, *nous* dit Eva. Qu'il ait obéi aux dernières volontés de son frère m'a laissée incapable aussi bien de lui en vouloir que de l'approuver. Qu'aurais-je fait s'il m'en avait chargée ? Ne pas jeter au feu ses papiers n'était-ce pas aider à sa résurrection ? Tout créateur prétend à ce que l'œuvre qu'il a produite lui survive. Survive à sa mort. Sa création en aucun cas n'est une exaltation de son moi mais bien au contraire son effacement devant l'incompréhensible... de sa vision de l'incompréhensible. Et c'est devant cette vision personnelle que se fait la rencontre avec l'autre, alors que du temps où il s'interrogeait, souffrait, doutait, il se vivait comme un être à jamais ignoré. Aujourd'hui, me voilà douloureusement partagée, dit encore Eva Mada-Göttinger, tout me laisse penser qu'il a voulu que ce soit son frère qui le détruise... et se détruise à travers la destruction de ses écrits. Qu'il ne désirait pas laisser derrière lui ce que contenaient ses écrits. Et qu'en mourant c'est avec orgueil qu'il a souhaité retourner au néant, *seul*, oui, seul cette fois en abandonnant enfin son frère. Un détail m'en persuade. Oh, quelque chose de ridiculement frivole... et pourtant si profondément significatif ! Voyez ces boucles d'oreille ? C'est son cadeau posthume. Il les avait dissimulées pour que je ne les trouve seulement qu'après sa mort. Cette invitation à la vie, à la coquetterie surtout, m'avait anéantie... et à la fois remise en vie... Depuis je porte ces deux papillons d'or en souvenir de lui et de nos équipées à la poursuite des grandes migrations... Ah, voilà Tania Slansk ! Elle me fait signe, dit Eva, *nous* abandonnant brusquement.

— Alors ? dit Zef Zimmerstein, s'approchant. Je vous observais et il semble qu'une fois encore Eva et Yeshayahou se sont affrontés à travers celui qui les tient par la force de son absence… Ils sont enchaînés à sa mort. Ce lien leur rend la vie insupportable… et à la fois ils savent que s'ils étaient privés de l'ombre sans cesse grandissante de ce mort, ils perdraient toute raison d'exister l'un pour l'autre. Ce n'est pas de la psychologie, c'est de la mécanique humaine. En mourant, le sismologue savait qu'il rendait son jumeau dépendant de sa *sur-vie*. Terrible mission, d'autant plus effrayante qu'en chargeant Yeshayahou de détruire ses papiers, il croyait qu'il serait impossible à son jumeau de s'anéantir lui-même à moitié à travers ces papiers. On ne détruit pas la trace d'un mort, croyait-il. Qu'il se soit trompé montre bien que la mécanique de l'âme humaine ne fonctionne pas comme un système. Les balanciers et les contrepoids des comportements faillissent. Le frère s'était trompé quand, priant son jumeau de détruire son œuvre, il pensait être pieusement désobéi – comme la plupart de ces orgueilleux qui confient une telle tâche à ceux… A un détail près : leurs exécuteurs testamentaires n'étaient pas leur réplique biologique, dit Zef Zimmerstein le biologiste en *nous* quittant.

X

— Je sais qu'à la suite de différentes indiscrétions vous savez, *nous* dit en *nous* abordant la jeune pédiatre Tania Slansk. J'ai eu l'imprudence de me confier à Eva et à ses amis. Ou plutôt, en me confiant à elle c'est à ses amis que je livrais le terrible secret dont je suis comme étouffée en permanence. En effet, j'ai vu ! Ce que j'ai vu ne pouvait se taire ! Et voilà que, passant des uns aux autres, mon dangereux secret risque de se répandre au-delà du cercle restreint de scientifiques formant la mission d'enquête. Que sont ces gens réunis sur le site dévasté de la Centrale ? Ce qu'on appelle des "scientifiques". Que veut dire scientifiques ? Ceux qui se consacrent à la science ? Qu'est-ce que la science ? Etrange divinité, poursuit Tania Slansk, *nous* entraînant d'un pas rapide entre les arbres fleuris du verger, oui, étrange divinité qui réclame à la fois la direction matérielle, la direction intellectuelle et la direction morale de la société. Et encore aujourd'hui c'est à ces prêtres de la Science que l'on fait appel pour produire un rapport, un "message" dont le but est précis. On attend de nous un message pervers. Encore une fois ! Comme toujours nous devons délivrer un message radieux ! Mais la vraie question, comprenez-moi, n'est pas celle de la morale ou de l'absence de morale de nos conclusions. C'est le niveau d'éthique de leur perception qui m'effraie. Quelles sont les exigences morales des multitudes dont le souci est d'être rassurées ? Dans quelle mesure la sensibilité des multitudes est-elle encore capable d'exiger la vérité dans cet acte de communication falsifié que sera fatalement le rapport final de notre mission ? La Cité Potemkine, où j'ai réussi à pénétrer en prenant de terribles risques, cette Cité prétendument messagère du *bien* que produirait fatalement tout désastre, cette sorte d'île avec son lac, ses prairies et ses vergers en fleurs, est un lieu de souffrance prétendant à tous les signes de la gaieté, comprenez-vous ? Là sont regroupés, et maintenus en continuelle distraction du terrible mal qui les détruit, des quantités d'enfants. Certains sont "visibles" mais d'autres, nul ne peut les voir à part les pédiatres et les chimiothérapeutes spécialisés dans une science de l'à-peu-près, et qui ont été nommés par un lointain comité dont les membres font partie de la police secrète. "Vous êtes jeune, vous semblez peu expérimentée quant aux pratiques des missions chargées de produire un rapport sur la catastrophe, mon intuition me dit que c'est à vous, Tania, que je dois confier une part de l'horreur qui m'accable." Voilà ce que m'a dit une des doctoresses attachées en permanence à la Cité Potemkine. Cette femme est elle-même gravement atteinte du mal qui détruit lentement tous ceux qui séjournent dans la Cité ainsi que sur ce site. "J'entrouvrirai une porte et vous verrez !" Voilà ce qu'elle m'a dit aussi ! poursuit Tania Slansk. Une nuit, elle est venue me chercher, et grâce à quelques complicités nous avons pu faire le trajet de la Centrale à la Cité sans être inquiétées. Là, j'ai été conduite dans les sous-sols de l'important ensemble de prétendus "soins" – qui ne sont à vrai dire qu'un vaste laboratoire de recherche. Et j'ai vu ! J'ai vu ! Je n'ai pu que voir, sans pouvoir les approcher, les enfants ! Depuis, plus rien n'est normal pour moi. Comme pour Yeshayahou le géologue revenu accablé de son incursion sous le socle de la Centrale, je suis accablée par ce que j'ai aperçu dans les sous-sols interdits de la Cité Potemkine.

Elle s'assied au pied d'un arbre et, levant la tête, elle contemple longuement les branches fleuries qui retombent au-dessus d'elle.

— J'aime venir m'asseoir ici, poursuit-elle, bien que je sache le mal invisible qui détruit jusqu'aux principes les plus singuliers de ces fleurs ; j'aime le bourdonnement réconfortant des abeilles dont l'obstination dans leur tâche pollinisatrice vous ferait croire que tout est parfaitement normal et que ce que nous savons n'est qu'une illusion puisque le désastre qui nous frappe ne ressemble à aucun désastre connu jusqu'à présent. "Mais voyons, Tania, m'avait dit mon amie la doctoresse, avant que la musique ne se soit fait entendre, la musique n'existait pas. Avant que nous n'inventions les valeurs, quelle pensée autre que la nôtre aurait pu concevoir ces valeurs ? Que les enfants reclus dans les sous-sols de la Cité Potemkine soient ce qu'on appelle «monstrueux», la pauvreté des mots pour dire cette «monstruosité» ne peut mieux démontrer que, malgré tout, et même au pire de nos actions, nous ajoutons au monde une *musique* qui sans notre perception des valeurs n'existerait pas car innommée. Si je vous ai entrouvert la chambre de Barbe-Bleue, c'est pour ressentir à travers vous, Tania, à travers votre jeune regard, ce que l'usure m'empêche de voir.

Votre regard, Tania, m'avait encore dit la doctoresse, «nomme» ce que je n'arrive plus à nommer. Ces enfants Polyphème sont-ils des monstres ou sont-ils «musique» porteuse d'une nouvelle forme de «beauté» archaïque dont les valeurs seraient depuis longtemps perdues pour nous ? Ce qui me fait souffrir, Tania, m'avait encore dit mon amie la doctoresse, poursuit Tania, c'est que ces «monstres» soient dérobés à tous les regards, c'est qu'on les traite en «monstres» alors qu'ils sont peut-être la nouvelle «musique» de l'humanité. Maintenant que vous les avez vus, je peux mourir. Que votre jeune regard n'oublie jamais ces lézards humains qui ne sont pas des lézards humains mais des enfants doués d'étranges possibilités de communication." Voilà ce que m'a dit la doctoresse après qu'elle m'eut entrouvert la porte des sous-sols de la Cité dite du Bonheur. Depuis, ajoute Tania Slansk, je n'ai qu'un but : obtenir de la mission d'enquête internationale l'autorisation de visiter la Cité pour en préserver *tous* les enfants. Si déjà l'hélicoptère de la mission pouvait se poser sur le terrain balisé ! Si on nous permettait déjà de nous mêler aux enfants irradiés que nous voyons jouer à la surface de la Cité ! De même pour la Centrale dont aucun membre de la mission d'enquête n'a pu approcher. Nous l'avons survolée. Yeshayahou Fridmann le géologue a été autorisé à descendre dans *certaines* des galeries souterraines que l'on ne cesse de creuser pour surveiller autant que possible l'état du cœur en ignition dont le lent et irrépressible enfoncement étonne les physiciens, les effraie et les passionne prodigieusement. On nous permet de voir sans voir, de savoir sans savoir, d'être présents sans que notre présence n'ait d'autre conséquence que de faire croire à la communauté internationale qu'un rapport rassurant sera produit. On nous permet de tourner autour de cette ruine monstrueuse, d'en constater le délabrement. Eva peut capturer tous les insectes qu'elle souhaite ; le biologiste Zef Zimmerstein peut disséquer les campagnols, les chiens errants, et même les ours que les brigades vétérinaires spéciales lui fournissent tout en l'empêchant d'approcher les animaux présentant les mêmes sortes d'anomalies que les enfants-lézards enfermés dans les sous-sols de la Cité ; le géologue Yeshayahou Fridmann ramasse tous les échantillons qu'il souhaite sur cette terre affreusement contaminée mais nous autres, pédiatres invités à travailler au sein de la mission internationale d'enquête, nous n'avons jusqu'à présent pu examiner un seul de ces enfants relégués dans la Cité heureuse ! On ne nous cache pas qu'ils sont leucémiques, atteints des plus graves lésions de la thyroïde, que certains même *ne peuvent être regardés* et que de nombreux nouveau-nés présentent des malformations inconnues. Mais approcher ces enfants, ces nouveau-nés, il n'en est pas question ! "Il n'est pas question d'étudier leurs malformations, m'a dit la doctoresse, mais de les aimer. Il n'est pas admissible que l'on traite ces enfants en lézards humains", m'avait-elle encore dit après avoir entrouvert la porte des sous-sols où sont séquestrés les enfants Polyphème de la Cité Potemkine, "vous devez savoir, Tania, vous ne devez jamais oublier ce que vous venez de voir ! Que cela reste un secret… mais un secret vu ! Surtout le silence, comprenez-vous !" Voilà ce que la doctoresse ne cessait de répéter alors qu'en pleine nuit elle me raccompagnait hors du périmètre interdit. Mais comment garder le silence lorsqu'on a *vu* ! Ce que j'ai vu appelle les mots ! Et si les mots pour dire l'horreur de ce que j'ai vu dans les sous-sols de la Cité interdite manquent, de dire qu'ils manquent le dira peut-être mieux que si l'aspect épouvantable de ces enfants avait déjà trouvé l'anesthésiante musique des mots pour figurer ce qui ne peut être figuré. Mais comment vivre après avoir *vu* ? Comment vivre en sachant qu'ils sont, qu'en ce moment on s'en sert, qu'en ce moment on expérimente sur ces enfants au lieu de leur donner les gestes qu'ils demandent ? Au-dessus du niveau végétatif minimal, l'enfant exprime une demande illimitée. Ces enfants-lézards ne sont pas des lézards mais de vrais enfants, ils geignent, pleurent, expriment leur mal à être, ils se savent entourés de présences et refusent d'être traités en lézards humains sans évidemment savoir que c'est en lézards humains qu'on les traite. "Vous ne pouvez imaginer, Tania, m'avait dit la doctoresse, à quel point ces enfants Polyphème ont le sens de leur dignité. Oui, déjà, et sans qu'on leur ait donné les éléments sur lesquels prendre appui pour développer ce sens de la dignité ! Bien qu'en partie lézards, ils sont humains, ils sont insupportablement intelligents, et même les plus froids de nos pédiatres nommés par la police secrète sont souvent honteux des atrocités qu'un certain Meng et son équipe des brigades médicales font subir à ces enfants devenus cependant des objets d'expérimentation irremplaçables. Plus proches de l'homme que des chiens, des chats ou des singes, pour mes collègues les biologistes et pédiatres, ils offrent de la matière vivante inexplorée. Quand vous quitterez ce site, quand vous aurez regagné votre pays, Tania, m'avait encore dit la doctoresse, poursuit Tania Slansk toujours assise au pied de l'arbre en fleur, quand vous pourrez parler librement, n'oubliez pas de signaler ce que vous avez entraperçu par cette porte donnant sur les sous-sols de la Cité Potemkine. La plupart de ces enfants-lézards seront depuis longtemps morts, d'autres seront nés ou à naître... moi-même je serai morte aussi mais si de votre côté vous n'êtes pas encore détruite, que rien ne vous arrête pour, si ce n'est trouver les mots signifiants, tout au moins trouver un moyen d'avertir." Voilà ce que m'avait dit la doctoresse dont le nom est Atlantida. Bien sûr, dès le lendemain, je n'ai pu faire autrement que de confier mon secret à Eva Mada-Göttinger... qui s'en est immédiatement déchargée sur son intime et inséparable complice le géologue Fridmann ainsi que sur le biologiste Zimmerstein qui, lui, en a avisé Nini. "Tania, m'ont-ils dit, vous êtes trop jeune pour comprendre que parfois le silence doit être impérativement et à toute force maintenu. Ce que vous avez vu, vous ne l'avez pas vu ! Nous-mêmes nous savons et nous ne savons pas. Gardez votre calme ! On nous surveille ! La mission d'enquête internationale est tout aussi fictive qu'est fictive la Cité heureuse Potemkine. Autour de l'événement, qui à peine peut se nommer, autour de cette masse recouverte d'un sarcophage de ciment et de plomb, tout est fictif et c'est en limitant le pouvoir de nos paroles que nous risquons par certains soupirs et certains silences de dénoncer le mieux ce qui autrement ne peut être dénoncé." Comprenez que je sois découragée, continue Tania Slansk, comprenez que je me méfie maintenant de ce quatuor. Pourquoi sont-ils ici ? Pourquoi ont-ils accepté de faire partie de la mission d'enquête, eux qui ne sont préoccupés que de la disparition du frère jumeau de Yeshayahou et de la façon dont Zef Zimmerstein s'arrange avec la vie ? Qu'Eva soit inconsolée, que Yeshayahou la poursuive comme un petit chien, que Zef ne cesse de les épier et que Nini reçoive les commentaires plutôt amers de Zef Zimmerstein, en quoi cela intéresse la terrible "réalité" qui nous écrase et nous requiert ?

Elle se renverse sur le dos, dans l'herbe fraîche et fleurie.

— J'aime rester ainsi à regarder le ciel entre les branches. Je sais, il ne faut pas, autant que possible, toucher cette terre imprégnée d'iode radioactif, il ne faut sous aucun prétexte rester, comme j'aime à le faire, allongée de tout mon corps sur ce sol mortellement contaminé. Et pourtant je le fais ! L'autre jour Yeshayahou m'avait surprise ici-même, allongée comme je le suis en ce moment sous les branches fleuries de ce pommier. "Tania, m'avait-il dit, ne restez pas en contact avec ce sol malade ! Sur près de quarante centimètres ce sol est un sol épouvantablement imprégné des pires agents destructeurs. Ce n'est qu'en apparence que ce sol est un sol. En vérité, vous êtes couchée sur un matelas de rayons mortels. Relevez-vous, ne jouez pas avec ces sortes de défis ! – Mais vous-même, n'avez-vous pas joué avec des défis tout aussi semblables ? lui avais-je répondu. N'êtes-vous pas un de ceux qui avez souhaité que la Centrale soit édifiée sur ce lieu même ? – En effet, avait-il dit, j'en avais fait le rêve. Mon frère jumeau et moi-même nous avions imaginé au milieu de ces steppes un complexe radieux producteur d'énergie et de bien-être. A vrai dire, mon frère était contre ce projet, moi pour, je le reconnais.

Mais pour finir nous avions signé le rapport assurant que le site s'y prêtait parfaitement, tant au point de vue sismique que géologique. Mon frère m'avait dit : «Nous savons l'un et l'autre que ce que nous faisons est une belle connerie», voilà ce que m'avait dit mon frère, employant ce mot qui ne veut rien dire… ou qui en dit trop", s'était confié Yeshayahou Fridmann, poursuit Tania Slansk, restée allongée dans l'herbe. "D'un trait de plume ne changions-nous pas la face du monde ? – Mais lui avais-je dit, insiste Tania, vous n'allez pas me faire croire que vous saviez quel contrat, votre frère et vous, vous veniez de signer avec les forces que vous n'étiez pas sûrs de maîtriser ? – Voilà les grands mots ! s'était moqué Yeshayahou. Sachez, Tania, ce contrat n'était pas une séquence de mots déchiffrables disant : ici sera édifié cela. Ce contrat n'avait pas de sens. Bien que notre rapport fût épais, rempli de graphiques très élaborés, il n'avait aucun sens. Nulle enquête préalable concernant ce socle terrestre sur lequel nous bâtissions nos illusions n'a de sens. Nos forages les plus profonds ne dépassent pas douze kilomètres. Rien, à peine une égratignure dans les six mille quatre cents kilomètres de rayon de cet amalgame hétéroclite sur lequel nous surgissons et disparaissons sans rien y comprendre ! La composition chimique des couches successives qui enveloppent les masses internes de cette effrayante chose à laquelle aucun géologue ni aucun sismologue ne peut comprendre quoi que ce soit restera à jamais une énigme. Les échantillons transportés vers la surface par les volcans subissent au cours de leur remontée de telles transformations qu'il n'est évidemment pas question de s'y fier. Restent les météorites qui, elles, sont les reliques de la nébuleuse primitive à l'origine du système solaire. Par l'étude des météorites nous arrivons à déterminer approximativement la composition globale de notre planète. Mais de là à savoir ! Le laboratoire international de physicochimie des fluides géologiques est un laboratoire pour rien. Nous y modélisons du rien en vue de rien. Nos signes ne véhiculent pas de présence. Ils ne sont pas semblables aux objets auxquels ils prétendent se référer." Voilà ce que m'avait dit Yeshayahou le géologue, poursuit Tania Slansk. Tout ce que Yeshayahou voyait dans le grand projet c'était la possibilité de faire surgir, au milieu des steppes arides, ces vergers, ces prés, ce lac et cette rivière à jamais mis à l'écart du gel grâce aux surplus d'énergie de la Centrale. Ce qui, en effet, eut pour résultat dc transformer le climat de cette partie à l'abandon des territoires extérieurs des républiques d'Eurasie. L'Eden ! Une sorte de *Verbe réalisé* à partir des lieux communs régulièrement surgis de civilisation en civilisation. Transformer "le vert en rouge" selon l'abominable image de Shakespeare, dit encore Tania Slansk. Et aujourd'hui, l'ultime résultat : la Cité Potemkine.

XI

— Venez, *nous* dit encore Tania Slansk en se levant, je vais vous montrer quelque chose que j'ai découvert. Suivez-moi, éloignons-nous, quittons les sentiers, pénétrons là où les vergers ne ressemblent presque plus à des vergers mais à un chaos fleuri que la main de l'homme n'a plus touché depuis longtemps. Ici ce sont les surgeons sauvages qui ont envahi les branches originellement entretenues par les habitants de ces fermes en ruine que vous voyez plus loin. De plus les lierres arborescents ont rapidement enserré les troncs, mêlant leurs feuillages noirs aux fleurs malingres des porte-greffes. Ces vergers retournant à la sauvagerie ne sont-ils pas horribles à voir ? Leur abandon n'est-il pas aussi désespérant que la régression que nous avons constatée aussi bien sur les enfants de la Cité Potemkine que sur les animaux ou les insectes de la région ? Voyez, les pommiers ! Ne dirait-on pas que l'aubépine a vaincu et que, l'automne venu, les fruits de ces arbres ressembleront davantage à la pomme d'api qu'à ces prétendus fruits de lumière nommés pomme par un langage qui en se voulant idéal et pratique a mis à nu l'absurdité de toute prétention à l'innocence ? Ces fleurs rabougries, qui ne sont plus fleurs de pommiers et presque plus fleurs d'aubépines, vont-elles nous obliger à produire un nouveau langage ? Nous obligeront-elles à une révision critique du langage produit jusqu'à présent par la métaphysique, l'éthique, l'esthétique, le politique ? Comment vivre cette régression si notre langage ne la suit pas ? Ce sont les terribles questions que je ne cesse de me poser, poursuit Tania Slansk. Peut-on nommer *enfants-lézards*... ou *lézards* les futurs enfants de l'homme, comme nous nommerions *pommes d'api* les fruits en régression des pommiers biologiquement déprogrammés ? Qu'une pédiatre se pose de telles questions vous étonne ? Et pourtant ne sommes-nous pas les premiers à lier l'enfant au langage, à tisser autour de lui une sorte de filet de mots... ou si vous préférez un berceau de mots auxquels il devra faire confiance comme ses sens font confiance aux capteurs nerveux qui prouvent la solidité de ces mots ? "Nous avons déclenché un processus de ré-enroulement de ce qui jusqu'à présent se dé-roulait." Voilà ce que m'a dit Yeshayahou le géologue alors que je lui faisais part de mes inquiétudes quant au langage. Il avait prononcé cette phrase en riant. Comment une jeune pédiatre peut-elle se préoccuper des rapports du langage avec la réalité ? C'est cela qu'il devait penser. Et pourtant sans l'expression et ses paliers successifs auxquels accèdent peu à peu les enfants humains, que serait l'animal que nous avons l'étrange pouvoir de *nommer* : homme ? Et justement, la doctoresse, mon amie chargée de l'épouvantable secret des enfants-lézards, elle aussi s'interroge avec effroi sur la validité des mots qui ne disent plus ce que la "réalité" en mouvement montre sans que nos mots trouvent le moyen de se décomposer comme se décompose cette réalité. De plus, quand on pense que nous faisons tous partie d'une mission dont le but est de fournir des conclusions falsifiées, avant tout rassurantes et autant que possible lavées de toute inquiétude, vous devez comprendre qu'il m'est impossible de vivre normalement cette situation, poursuit Tania Slansk, détournant la tête pour cacher ses larmes. Comment parler encore quand le langage qui n'a jamais pu rendre compte de la "réalité" mais qui au moins tentait par ses métaphores de transmettre la présence visible et palpable des objets qui la constituent, oui comment parler encore quand ce langage se heurte à un incompréhensible renversement du mouvement de la vie ? "Et s'il faut à toute force mentir, si c'est là le seul but de notre mission, alors je trahirai, je dénoncerai mon contrat, et c'est avec la conviction dont s'accompagne tout cri inutile que je révélerai ce retournement du sens de la vie." Voilà ce que j'avais dit à Yeshayahou. Et encore une fois il avait ri de ma ridicule sincérité. "Vous n'êtes qu'une enfant, m'avait-il dit, vous n'avez pas encore fait la différence entre la mise en parole, ou si vous préférez le témoignage et le discours. Si nous avons été envoyés sur le site détruit de la Centrale, ce n'est évidemment pas pour mettre en paroles ce que nous y avons constaté mais pour produire un rapport, ou si vous préférez un discours, le plus éloquent possible, pareil à tous les discours produits par l'homme quand il se trouve confronté aux grands événements de son destin. N'oubliez pas que Moïse était bègue. Quel discours construit aurait pu traduire l'éclair éblouissant du feu divin frappant le buisson ? Ce qui se passe ici, avait continué Yeshayahou, poursuit Tania Slansk, ne peut se mettre en mots. Ce qui se passe ici ne peut se regarder en face.

Ne l'avez-vous pas dit vous-même, Tania ? N'avez-vous pas affirmé que l'aspect de ces enfants-lézards aperçus dans les sous-sols de la Cité Potemkine ne pouvait être exprimé par les mots ayant jusqu'à présent servi à traduire la «réalité» ? Ce retournement de ce que vous nommez naïvement le sens, puisque le dé-roulement du sens commun s'est enrayé et que nous assistons au ré-enroulement de ce qui jusqu'à présent se dé-roulait, puisque aucun langage connu ne peut rendre la portée apocalyptique de ce processus, acceptez, Tania, avait encore dit Yeshayahou, que notre Babel scientifique produise des discours de plus en plus «humains» dont l'enflure puisse satisfaire à la fois la curiosité des hommes et leur besoin de tranquillité. Souvenez-vous de ce poète qui parlait de ces «vents violents qui soufflent de sous la terre» ! Quelle poésie pouvons-nous proposer aux hommes, quel vent soufflant de sous la terre pouvons-nous proposer à l'humanité, nous autres géologues, physiciens, botanistes, biologistes, sismologues, entomologistes ou médecins spécialisés dans les maladies du sang, de la moelle ou de la thyroïde ? Nous n'avons à notre disposition que les mots du discours, comprenez-vous Tania, avait-il poursuivi, dit-elle, nous ne savons mettre en paroles puisqu'il aurait fallu des poètes saisis de bégaiements devant l'horreur du feu tombé du Ciel. Ce qui se passe ici est une illumination dont rien ne peut rendre compte. Cette lumière inversée qui irradie de la masse horrible de la Centrale se perd bien au-delà de nous. Elle nous traverse comme nous traversons les incompréhensibles cristallisations de l'art." Voilà ce que m'avait dit, avec une étrange exaltation, Yeshayahou, insiste Tania Slansk. "Yeshayahou Fridmann est un scientifique névrosé", m'avait affirmé Zef Zimmerstein le biologiste. "Yeshayahou court après son âme. Yeshayahou est amputé de lui-même." Ce sont les mots de Zef Zimmerstein. "Méfiez-vous, Tania, de ce Yeshayahou, méfiez-vous aussi d'Eva Mada-Göttinger et, bien qu'il soit votre ami proche, de Nini qui depuis quelque temps n'est plus tout à fait celui que nous connaissions. Même de moi, m'avait encore dit Zef Zimmerstein, vous devez vous méfier, Tania ! Votre jeunesse ainsi que le choix de l'enfance comme prétexte à votre besoin d'engagement vous désigne, fait de vous la proie désignée de gens tels que nous autres. La commission d'enquête avait besoin d'une figure présentant l'exemple de la jeunesse, de la pureté, de l'honnêteté pour apporter aux conclusions de la mission cette touche de fraîcheur qui doit donner confiance. Tout bon faussaire sait cela, tout bon faussaire sait que seule la jeunesse est une complice idéale. Il ne la veut pas pervertie. Il la veut innocente. Innocemment soumise à sa perversion. Nous avons besoin de vous, Tania, m'avait encore dit Zef Zimmerstein, demeurez innocente et cependant complice." Depuis, poursuit Tania Slansk, je ne sais comment me comporter. J'ai vu l'horreur des enfants séquestrés, et tout le monde me dit que de les avoir vus suffit. Même mon amie la doctoresse Atlantida prétend que d'avoir vu suffit. Le dire serait non seulement inutile mais criminel. "Ne dites pas ce que vous ne pouvez dire !" m'a-t-on dit. "Gardez en vous l'image de ces enfants. Gardez-la comme un mystère indivulgable !" Voilà ce qu'on ne cesse de me répéter !

Elle écarte quelques branches :

— Voyez-vous cette ferme en ruine ? Si je vous ai entraîné jusqu'ici, c'est pour vous montrer quelque chose que j'ai découvert il y a plusieurs jours. C'est encore mon "innocence" qui m'a guidée là où nul regard étranger n'aurait dû pénétrer. Bien sûr, je n'en ai parlé à personne, ni à Eva ni à Yeshayahou, pas plus qu'à Zimmerstein ou Nini. Plusieurs jours que j'hésite, poursuit Tania Slansk. Comme vous devez le savoir, les portes et les fenêtres des anciennes fermes perdues dans les vergers ont été clouées. Tous ces bâtiments ont été laissés à l'abandon. Au lendemain de la catastrophe, on a tenté de les détruire complètement mais on y a renoncé. "Ces fermes sont des poches de contamination encore plus dangereuses que ne sont ces vergers, ces ruisseaux, ce lac et ces prairies", nous avait dit l'accompagnatrice en uniforme qui à aucun moment ne lâche notre mission. "Nul n'a le droit de s'en approcher. Depuis le désastre, elles sont restées en l'état..." Bien sûr, comme d'habitude, les renseignements qu'elle nous donnait étaient faux ! Avant-hier, j'ai pu m'en rendre compte. Des gens vivent dans des terriers, qu'ils ont creusés avec leurs ongles, sous les fermes abandonnées. Ce n'est pas un secret mais il est conseillé de les ignorer. Ils vivent de braconnage, de cueillette et de ce qu'ils récupèrent de nuit dans les ordures de la Cité Potemkine. Comme ce sont pour la plupart d'anciens chasseurs que la direction de la Centrale avait embauchés, d'abord pour les travaux de construction, puis pour en assurer la maintenance au plus bas niveau, ils sont revenus avec leurs femmes et leurs enfants, tous malades et insoignables. Ils se terrent le jour et ne sortent que la nuit. Ils se savent mortellement atteints mais préfèrent "mourir à l'air libre", m'a dit une femme que j'ai surprise avant-hier près d'un puits où elle était venue puiser de l'eau. "Nous sommes revenus, malgré l'interdiction", m'a-t-elle dit, "nous vivons dans des trous sous la terre et nous nous nourrissons comme se nourrissent les bêtes des bois." Voilà ce que cette femme vêtue de haillons m'a dit en me suppliant de ne pas signaler sa présence aux services médicaux spéciaux de la Centrale. Comme je l'assurais de ma discrétion, elle accepta de me conduire jusqu'à sa tanière, où en effet, aussi prudente et inquiète qu'une bête des bois, elle avait dissimulé ses petits, et où l'homme se terrait aussi. Dès que ma présence fut signalée, d'autres hommes et d'autres femmes accompagnés de leurs enfants sortirent de sous la terre. Tous évidemment étaient atteints à différents degrés par les radiations. Surtout chez les enfants j'ai reconnu les stigmates. Certains nouveau-nés présentaient même les affreux symptômes identiques à ceux des enfants Polyphème des sous-sols de la Cité Potemkine. Des chiffons noués sur leurs fronts dissimulaient ce troisième œil effrayant, montrant que là aussi la régression avait commencé le "ré-enroulement des Temps", comme le dit Yeshayahou... Evidemment, poursuit Tania Slansk, ces enfants que leurs mères portaient délicatement dans leurs bras n'avaient rien à voir avec les enfants-lézards des sous-sols de la Cité dite heureuse. Bien qu'ils fussent tous aussi gravement détruits et assez peu ressemblants à des enfants "normaux", ils n'étaient pas horribles à voir comme horribles sont à voir les enfants-lézards soumis aux expériences des pédiatres et des chercheurs affectés à la Cité. Ces enfants-là, étant inséparés de leurs mères, offraient le spectacle d'un bonheur que je qualifierais d'adamique, dit Tania Slansk, insistant sur ce mot. Ces enfants des "revenants" sont des enfants heureux… des sortes d'enfants d'*avant la faute*, malgré tout… Quelques millions d'années les séparent peut-être biologiquement de leurs mères mais je peux témoigner que ce sont des enfants heureux… au contraire des enfants que les brigades médicales spéciales dissimulent dans les sous-sols en ciment de la Cité dite du Bonheur. Les uns comme les autres sont entrés dans le même cycle de désévolution que les fleurs, les insectes ou les animaux de ces prairies et de ces vergers contaminés. Les enfants-lézards des sous-sols de la Cité offrent non seulement les symptômes de la destruction biologique mais surtout les symptômes de la plus effrayante terreur. Alors que les enfants que j'ai vus avant-hier, bien que détruits physiquement, se montraient heureux et apaisés.

Tania Slansk laisse retomber les branches fleuries qu'elle avait écartées tout ce temps-là.

— Retournons jusqu'au hall de réception, ne restons pas plus longtemps dans ce verger… et encore moins dans cette partie reculée où les destructions dues aux radiations ont produit des ravages bien pires qu'ailleurs. De plus, je crains que nous n'ayons été écoutés… Oui, jusqu'ici ! Venez, voulez-vous, *nous* avait-elle dit encore, les membres de la mission d'enquête doivent être déjà réunis pour les communications habituelles. Vous vous placerez au fond de la salle et vous vous rendrez compte, en écoutant ces différents comptes rendus, à quel degré d'insidieuse propagande est tombé le discours des prétendus témoins que la communauté internationale a dépêchés sur les lieux du désastre.

XII

— Il paraît que vous vous seriez promené avec Tania Slansk, *nous* dit un jeune homme, en *nous* abordant au fond de la salle où se tient la mission d'enquête internationale. Mon nom est… mais après tout qu'importe ici mon nom ! J'ai été invité à faire partie de la mission pour ma spécialité. Je dirige le laboratoire d'anatomie comparée de Vérone. Nous prélevons des morceaux apparemment insignifiants sur les corps et nous les agrandissons cent fois, mille fois, parfois même trois ou quatre mille fois comme pour observer, par exemple, les podocytes, ces microscopiques unités de filtration des reins qui réussissent à purifier près de cent litres de sang à l'heure. Comprenez-moi, notre démarche est purement esthétique. Il nous arrive de grossir entre cinq ou six mille fois certaines cellules au moment où elles effectuent leur mitose, et que les chromosomes se dupliquent en produisant ces fameuses cellules-filles génétiquement identiques. Oui, je suis anatomiste… et à la fois artiste ! Grâce aux appareils électroniques de la dernière génération, je "pénètre" au plus profond des corps avec la même passion que le spéléologue "pénètre" les pores de la Terre. Venez me voir dans mon laboratoire, je vous ferai découvrir les merveilleux paysages de *la route du sang* comme on suit les méandres des grands fleuves. Les fragments humains dont les brigades médicales spéciales de la Cité Potemkine m'approvisionnent sont tellement extraordinaires que je n'aurai pas l'imprudence d'en demander la provenance. Il suffit qu'ils soient prélevés sur les irradiés de la Cité Potemkine pour me mettre en émoi. Figurez-vous que ces fragments humains ne sont plus tout à fait humains, poursuit l'anatomiste italien. Mes assistantes et moi, nous constatons d'effrayantes régressions dans ces petites forteresses que sont les cellules provenant des corps d'enfants irradiés, principalement. Puis-je vous confier un secret ? dit-il en baissant la voix : Tania aurait vu, dans les sous-sols de la Cité interdite dédiée à Potemkine, des enfants-lézards dotés d'un œil frontal. Ah, vous êtes déjà au courant ? Ce secret ne serait donc plus un vrai secret ! Et pourtant tous ceux qui savent ce que nul de nous ne devrait savoir risquent d'être écartés et même, dit-on, de disparaître. Mais comme tout le monde ment, ici… Vous avez rencontré Zef Zimmerstein, ce biologiste avec lequel je partage les échantillons qui nous sont livrés par les brigades médicales spéciales. Surtout ne vous fiez pas à lui ! Pas plus qu'à Eva Mada-Göttinger, cette entomologiste dont les travaux sur les fourmis-robots sont d'une extrême originalité. Je sais que vous vous êtes promenés ensemble dans les vergers… suivis, bien sûr, par l'infernal Yeshayahou Fridmann son… comment dire ?… le frère jumeau d'un amant d'Eva qui, raconte-t-on, aurait réuni leurs mains sur son lit de mort comme dans certains romans imbéciles du siècle dernier. Cette Eva est sûrement une entomologiste de premier ordre mais une femme névrosée, croyez-moi ! On peut être à la fois une grande névrosée et une entomologiste de renommée internationale. De toute façon pour pénétrer le monde des insectes on ne peut pas ne pas être névrosé. Si de plus on pousse les recherches au stade réellement névrotique qu'exige l'entomologie moderne on ne peut douter que ce soit une femme telle qu'Eva Mada-Göttinger qui en soit le numéro un, incontestablement, dit le jeune anatomiste italien. "Toute civilisation est une trace de «démence collective», prétend la Mada-Göttinger, une surenchère de déraison dont *l'empilement* finit par donner des édifices d'une étrange cohérence. L'histoire humaine n'est qu'un ensemble de blocs compacts entassés les uns sur les autres. Jetés dans ce monde dont la compréhension nous restera à jamais fermée, avait-elle continué, les hommes n'ont pu faire autrement que d'accumuler les fragments de sens comme le font les insectes dont les mouvements ne répondent pas à un projet conscient mais qui, par leur va-et-vient, édifient en quelque sorte malgré eux des structures répondant à des lois de la physique aussi parfaites que celles qui dictent au minéral les troncatures de ses cristaux..." Ces lois mystérieuses, cette jeune entomologiste les a mises en évidence à la suite d'une extraordinaire expérience qui l'a rendue célèbre. Elle a eu l'idée géniale de construire de petits robots sur le modèle des fourmis. Partant du principe que chaque fourmi appartenant à une fourmilière fonctionne selon des règles très simples, relevant plutôt de l'acte réflexe que de l'acte réfléchi, ces robots, les imitant, elle les a programmés pour se saisir d'un objet de telle forme et le poser sur un objet de telle autre forme. Ainsi une petite colonie de microrobots armés de pinces fut-elle réunie dans un espace clos où elle a commencé à œuvrer sans que personne n'intervienne. Après des débuts chaotiques, la petite communauté mécanique s'est mise à construire des structures. Aucun de ces microrobots n'avait été programmé, par Eva Mada-Göttinger, pour un but précis mais pour la seule action de saisir et poser des éléments les uns sur les autres. Comment se fait-il que cette communauté de microrobots ne se soit pas contentée d'empiler aveuglément les matériaux mis à sa disposition et que tout naturellement elle se soit structurée à travers l'interaction de ses membres ? "Les civilisations, m'avait dit la Mada-Göttinger, poursuit le jeune anatomiste italien, seraient-elles le résultat de cette même sorte de fatalité qui fait se coordonner les éléments en tout point semblables d'une communauté par ailleurs innocente quant à ses buts ?" Bien sûr, toute la question est là ! Sommes-nous des fourmis humaines entassant aveuglément les éléments mis à notre disposition tout en ignorant dans quel but ? Ou bien sommes-nous des hommes et non des fourmis, sommes-nous de l'intelligence qui ne connaissant qu'un seul but se laisse attirer par ce "trou noir" qu'est la mort ? Cette Centrale ne serait-elle qu'un entassement de matériaux conduit par ce que certains ont nommé "pulsion de mort" ? Hommes ou fourmis ? Là est la question !

Après un silence, le jeune anatomiste ajoute :

— Encore faut-il que la question vaille la peine d'être posée. Souvenez-vous de ce philosophe anglais qui, avec la mélancolie d'un humour las, disait que Dieu avait donné à l'homme trop peu d'indices de Son existence pour que la foi en Lui ne soit pas ridicule. Prétendre que l'homme ne croit pas en Dieu revient à dire que Dieu ne croit pas en lui-même. Du moins c'est ce que je me plais à croire. N'oublions pas qu'ici, sur le site de la Centrale, nous vivons l'épilogue d'une histoire dont nous reconstituons approximativement l'évolution. En pénétrant dans les structures abyssales du corps humain, nous nous enfonçons non seulement dans *de la matière* mais surtout dans l'épaisseur même de l'évolution. Comme avec nos télescopes modernes nous arrivons à nous enfoncer dans les éclairages fossiles de notre univers, nos microscopes électroniques nous plongent dans les structures biologiques où sont inscrits les premiers moments de la vie. Hier, justement, les services médicaux secrets de la Cité Potemkine nous ont fait parvenir un œil d'enfant mort dans la nuit même. "Pourquoi cet œil est-il à ce point atypique ?" avais-je demandé à la laborantine chargée de me remettre la petite boîte frigorifique le contenant. Comme toutes les laborantines des services médicaux secrets de la Cité, elle était évidemment ivre, sale et mal tenue. "Cet œil a été prélevé sur un enfant lui-même atypique", m'avait-elle répondu en baissant la voix et en lançant des regards inquiets autour d'elle. "Cet œil n'est pas un œil conforme." C'est tout ce que j'ai pu tirer de cette ivrognesse. "Mais pourquoi ne nous livrez-vous que des fragments humains pour nos analyses moléculaires ?" lui avais-je demandé. "Il est évident que cet œil d'enfant n'est pas un œil normal et qu'il semble impossible qu'il ait été placé dans une orbite normale", avais-je insisté avec humeur. "La mission internationale d'enquête dont je suis l'un des anatomistes délégués doit entrer en possession de tous les éléments et non de fragments.

Chaque jour on nous livre des morceaux de foie, de rate ou de tissus prélevés sur des cadavres frais. Mais ne comprenez-vous pas que ce sont des cadavres complets d'enfants irradiés que nous vous demandons ! Ne craignez rien, je joindrai le rapport attendu aux autres rapports de la mission scientifique, j'accepte de ne dire que ce qu'il me sera autorisé dans mes conclusions... à condition d'être capable de juger de l'écart entre ce qui est autorisé et ce qui doit être à tout prix caché." Voilà ce que j'ai dit à cette laborantine ivrognesse. Je sais qu'elle est très bien placée dans la hiérarchie des services médicaux secrets. On la dit même la compagne d'un des mystérieux médecins-chefs... qui ne serait médecin que de titre et à vrai dire à la tête de l'appareil chargé de surveiller tout ce qui concerne la santé... ou si vous préférez la non-santé des grands irradiés de la Centrale. Donc toute la nuit dernière j'ai étudié cet œil atypique. Principalement cette dépression nommée fovéa, là où se concentre la plus grande acuité visuelle. A mesure que mes collaboratrices et moi augmentions le grossissement des fragments atypiques prélevés sur le centre de la rétine, nous apparaissaient des combinaisons de cellules comme il n'avait pu en exister que des centaines de millions d'années avant qu'une conscience capable de *se penser* n'existe. Il semblerait que les enfants-lézards entrevus par Tania dans les sous-sols de la Cité Potemkine ne soient pas une invention de ses nerfs malades, et que cet œil prélevé sur le corps encore frais d'un irradié soit bien l'œil frontal d'un lézard humain. Comprenez qu'après une découverte aussi peu rassurante pour ne pas dire atroce, je sois prêt à risquer ma vie pour me procurer le cadavre entier d'un de ces enfants-lézards. Plusieurs des membres de notre mission seraient prêts à m'aider… tout au moins en me fournissant les sommes nécessaires pour soudoyer d'autres laborantines et, pourquoi pas, un des médecins des brigades médicales secrètes chargés de ces enfants ni plus tout à fait humains ni tout à fait reptiles encore.

Après un silence, il continue :

— Tout à l'heure, dans le laboratoire mis à notre disposition par ceux qui surveillent notre mission, j'ai eu une conversation très risquée avec le biologiste Zef Zimmerstein. “Reconnaissez que ces cellules, lui ai-je dit, sont des cellules comme nous n'en avons trouvé que fossilisées au fond des mines les plus profondes.” Zef Zimmerstein avait longuement étudié les photographies que mes collaboratrices et moi nous lui présentions sur une table lumineuse. “Vous prétendez que ce sont des cellules que vous auriez isolées dans la fovéa d'un œil prétendument frontal mis à votre disposition par les services médicaux de la Cité ? – Je ne prétends pas, lui avais-je répondu, je l'affirme ! – Donc vous aussi vous y croyez à cette histoire d'enfants-lézards ? – Ces cellules le prouveraient presque. – Tant que vous n'aurez pas prélevé vous-même un œil frontal sur le cadavre d'un de ces enfants irradiés, vous ne pouvez affirmer de quelle sorte est sa provenance.” L'irritation de Zef Zimmerstein m'avait étonné, poursuit le jeune anatomiste italien. Cet homme si doux dont l'ironie un peu triste rend les propos toujours, je dirais *à côté*, le voilà tout à coup agacé par ma découverte. Que mes observations corroborent les révélations de Tania semblait lui déplaire. Et sans raison il m'avait parlé d'Eva Mada-Göttinger et de

Yeshayahou Fridmann avec la même sorte d'irritation. De Tania aussi il semblait exaspéré. "Excusez-moi, m'avait-il dit, je suis au bord de l'effondrement. Notre situation à tous, plongés dans ce désastre, me devient chaque jour plus intolérable. Comment comprendre ce qui nous entoure lorsqu'on ne nous en livre que des parcelles, comment faire le lien, comment accéder au sommet d'où il nous serait possible de voir en entier l'immense étendue de désespoir dont est formé le paysage porteur de néant que nous avons dessiné par nos œuvres ainsi que par nos ignobles comportements ?" Voilà les mots outrés de Zef Zimmerstein, poursuit le jeune anatomiste italien. "Justement, avais-je répondu à Zimmerstein, nous devons profiter de notre engagement dans la mission d'enquête internationale pour cerner d'un trait ferme le dessin catastrophique de nos œuvres et aussi celui de nos comportements. Sommes-nous complémentaires ou antagonistes ? Sommes-nous là pour nous laisser manipuler par les brigades médicales secrètes qui, en effet, nous fournissent en fragments humains, en insectes, en animaux sévèrement sélectionnés ? Nous laisse-t-on voir ce que nous devons voir ? Et même quand Tania croit avoir découvert ce que nul ne doit voir ou savoir, est-ce quand même quelque chose que nous devons voir ou savoir tout en croyant avoir franchi les plus risqués des interdits ? – Vous voulez dire, m'avait interrompu Zef, qu'il y aurait des choses plus horribles encore que ces enfants-lézards enterrés vifs dans les sous-sols bétonnés de la Cité dite heureuse ? – Oui, avais-je répondu, le secret de Tania n'est évidemment pas un secret. L'œil que j'ai analysé au microscope électronique a vu *autre chose*. Au fond de la fovéa de cet œil d'enfant-lézard, *quelque chose* s'est imprimé, quelque chose d'informe et d'illisible, comprenez-vous, mais *quelque chose*." Voilà ce que j'avais dit à Zef Zimmerstein. "Ces enfants-lézards voient et subissent cet *autre chose*, avais-je insisté, les cellules de leur œil frontal ont été frappées par *quelque chose* d'horrible." Et j'avais étalé sur la table lumineuse les photographies de certaines cellules qui montraient des lésions étranges et pour le moins inexplicables. "Vos soupçons ne font que rendre davantage intolérable notre situation, avait dit Zef Zimmerstein. Tous, nous sommes venus ici déjà accablés par nos problèmes spécifiquement scientifiques liés à nos spécialisations… et de plus nous avons transporté avec nous nos problèmes personnels. Je ne parle à vrai dire que pour les autres, avait poursuivi Zef, dit le jeune anatomiste italien, je ne me risquerais pas à parler de moi, car je serais plus qu'accablé de souvenirs morts et sans appel. Il s'est passé dans ma vie des choses plutôt lourdes à porter pour un seul homme." Voilà ce que m'avait avoué Zef Zimmerstein, continue le jeune anatomiste. Comme il se taisait, j'avais eu l'imprudence de lui poser une question pour le relancer. Mon intervention sembla le réveiller et il changea immédiatement de sujet.

XIII

— “N’ayant aucune vie personnelle, avait donc continué Zef Zimmerstein, dit le jeune anatomiste italien, comme tous ceux dont la vie n’est pas plus significative que la vie infime d’un insecte, il faut que mon regard se porte sans cesse sur quelqu’un d’aussi éloigné que possible de moi.” Voilà ce que m’avait dit hier, dans notre laboratoire, le biologiste Zimmerstein ! “Alors ne vous étonnez pas si je suis positivement fasciné par Eva Mada-Göttinger et Yeshayahou Fridmann le géologue dont j’ai assez bien connu le frère sismologue. Ce qui se passe entre eux est vertigineux. Qui sont-ils en réalité ? Sont-ils ce qu’ils donnent à voir d’eux-mêmes ou sont-ils ce que moi, celui dont la vie a été détruite, je crois comprendre d’eux et sais d’eux ? Assister à la décomposition d’une personnalité comme l’est celle de Yeshayahou, n’est-ce pas à la fois désolant et réconfortant pour le biologiste que je suis ? avait poursuivi, avec un sourire triste, Zef Zimmerstein. Ce ne sont pas des gesticulations oratoires quand Yeshayahou vous dit tout à coup que depuis la mort de son jumeau il a perdu *l’intelligibilité de la vie.* Ce sont ses mots ! «J’ai perdu toute confiance, la réalité pour moi n’est plus. En mourant, mon frère m’a tué !» Voilà ce que m’a dit Yeshayahou”, avait poursuivi

Zef, continue le jeune anatomiste alors que nous nous trouvions toujours au fond de la salle où se tenait la réunion habituelle des membres de la mission d'enquête internationale. "La mort du frère jumeau de Yeshayahou, avait encore dit Zef, l'a en effet expulsé de lui-même et de plus l'a déséquilibré vis-à-vis d'Eva. Ce qu'ils cachent soigneusement tous les deux c'est qu'Eva, avant de s'éprendre du sismologue, avait eu ce qu'on appelle une «histoire» avec le géologue. Oui, quelque chose de fugace, d'exclusivement sexuel ! Ce genre de contact qui en général reste sans lendemain et encore moins de surlendemain. La séduisante Eva et Yeshayahou s'étaient donnés du bon temps ensemble, comme on dit", m'avait confié avec une visible émotion Zef Zimmerstein, poursuit le jeune anatomiste. "A l'occasion d'un voyage scientifique sur les pentes d'un volcan des antipodes, il s'était passé entre eux quelque chose de bref, à un certain moment. L'entomologie et la géologie, ces deux disciplines si divergentes, s'étaient côtoyées par hasard sur ces pentes encore tièdes dont le basalte à peine durci avait attiré des scientifiques de toutes sortes de disciplines. Eva Mada-Göttinger aurait découvert là plusieurs insectes capables de supporter des températures prétendument incompatibles avec la vie pendant que Yeshayahou… bref ! ce rapprochement tenait plus d'une réaction nerveuse, comme il s'en produit couramment dans nos laboratoires ou sur les lieux d'une découverte apportant joie et étonnement, que d'un véritable penchant. C'est à peine s'ils avaient su qui ils étaient. Un insecte rare, une roche inattendue, et voilà qu'à la faveur d'une double émotion deux personnes étrangères se captent pour vérifier sensoriellement la réalité de leur propre existence. On dit bien : *se pincer pour être sûr de ne pas rêver.* Ils en auraient *pincé* brièvement l'un pour l'autre et, sans le frère sismologue, ce qui s'est transformé en histoire serait resté à jamais oublié. Vous pouvez comprendre, avait continué Zef, dit le jeune anatomiste, que Yeshayahou assistant peu de temps après à la rencontre d'Eva et de son jumeau se soit senti tout à coup «volé» d'une chose que cependant il n'avait pas éprouvée sur le moment. Son frère aimait et de plus était aimé ! Et voilà que Yeshayahou *voit* Eva ! Il découvre, par l'émerveillement amoureux de son frère, une jeune femme qu'il n'avait pas vue – bien qu'il l'eût *eue* pour parler comme parlent les hommes entre eux lorsqu'il est question de l'acte seul sans qu'il soit accompagné d'une reconnaissance de l'autre. Il la *voit* et s'en éprend férocement. Que s'est-il passé en lui ? Il s'est passé ce qui se passe toujours quand, étant soi-même incapable d'éprouver, on envie non pas la possession de l'objet du désir mais le plaisir que procure cet objet. C'est alors une terrible et honteuse envie qui se saisit de vous ! Et cette envie, dans le cas de Yeshayahou, m'avait encore avoué Zef Zimmerstein, dit le jeune anatomiste, cette horrible envie du plaisir qu'éprouvait son frère d'aimer et d'être aimé d'Eva, moi, l'homme exclu de sa propre vie, j'en comprends les mobiles et l'irrépressible souffrance ! Que se passe-t-il dans cette bête que nous sommes ? Nous ne voulons pas que les autres soient heureux ! Non, nous ne voulons pas qu'ils jouissent de quelque bonheur que ce soit ! Nous ne voulons pas de leur bonheur ! On nous le proposerait que nous n'en voudrions pas pour nous non plus. Si bien que si nous en avions le pouvoir nous ferions notre possible non pour nous en emparer mais pour aider à ce qu'il se flétrisse. Que des gens heureux saccagent par eux-mêmes leur bonheur, rien de tel pour nous apaiser ! Que l'univers demeure un puits de malheur, là est la raison d'être de la vie, là est l'essence de la vie ! Comme certains météorologistes avancent le truisme usé qu'un vol de papillon, par sa légèreté même, peut provoquer un typhon aux antipodes, l'état de félicité de deux êtres peut provoquer des réactions en chaîne dans l'immense sous-sol des âmes." Voilà ce que m'avait dit, avec une certaine emphase, Zef Zimmerstein, poursuit l'anatomiste. "Et bien sûr, mon ami Yeshayahou, avait-il continué, n'avait pas échappé à ce réflexe. Il n'était pas jaloux de son jumeau mais envieux, oui, il enviait ce que son frère était capable d'éprouver et que lui, Yeshayahou, n'avait jamais réussi à éprouver. Comparée à l'envie la jalousie est un sentiment noble. La jalousie s'avance au grand jour ; elle est sanguine, primitive, souvent passionnée tandis que l'envie ne désire rien, ne veut rien prendre à l'autre mais seulement empêcher l'autre d'éprouver ce que l'envieux se sait incapable d'éprouver. Voilà pourquoi, avait continué Zef, dit le jeune anatomiste, tant de violence a été mise au service des «masses» sous prétexte de leur apporter un dé-fi-ni-tif état de félicité. C'est le «rien à envier» qui a toujours conduit les bâtisseurs d'utopies, c'est le «rien à envier» qui toujours s'est opposé aux plus intimes des libertés. Toute licence, toute souplesse ludique mord au cœur l'envieux, et je vous avoue, avait insisté Zef, oui j'avoue qu'à l'idée que pour d'autres existe quelque chose qu'entre eux ils ressentent comme une ivresse heureuse me fait une véritable morsure au cœur. Et, croyez-moi, c'est en toute connaissance de cause que je vous parle de l'abominable sentiment qui s'était éveillé dans l'esprit de Yeshayahou en découvrant de quelle étrange puissance était cet amour brusquement surgi entre son frère jumeau et l'Eva Mada-Göttinger qu'il n'avait fait qu'*avoir* sur les pentes d'un volcan à peine éteint. Aimer c'est être l'autre, tandis qu'*avoir* l'autre c'est se priver de cet être, comprenez-vous, avait ajouté Zef en souriant tristement. Moi-même avant de… d'être expulsé de ma propre vie, j'ai connu, je crois, quelque chose qui s'apparenterait à ce que l'on nomme amour. Croyant être moi-même aimé il m'avait semblé avoir déversé sur un seul être et son enfant toute la provision d'amour dont mon âme était capable. Je dis bien âme ! Je dis bien amour ! Laissez-moi sourire de moi-même, avait ajouté Zimmerstein, et laissez-moi vous dire que la somme d'amour dont mon âme disposait je l'avais vue s'épanouir sur… l'être le plus froid, le plus dur qu'il m'ait été donné de rencontrer. Une «pauvre bête», tant que vous voulez ! mais un humain… Aujourd'hui je sais ! J'avais aimé aimer ! Aimer ce que je n'avais pas eu la patience d'attendre. La première venue qu'une misérable illusion m'avait fait prendre pour *celle*… Autant s'amouracher d'une lame d'acier inoxydable dissimulée dans un fourreau séduisant bien que rigide. On est jeune, on se dit : elle s'épanouira, etc. ! Puis il y eut l'inévitable enfant, une petite fille dont je fus à chaque instant plus épris, plus étonné et oublieux du gouffre biologique dont son charme d'enfant aux yeux câlins n'était que la trompeuse apparence. Ainsi, se croyant un homme heureux, le scientifique poursuivait ses travaux, et chaque soir l'attendait ce «bonheur» attendu. Je disais : *ma* femme, *ma* merveilleuse petite fille ! Mais ce que *l'homme heureux* ne voyait pas c'est que *sa* femme et *sa* petite fille trouvaient le biologiste distrait, absent, toujours ailleurs. Voilà, avait poursuivi Zef Zimmerstein, dit le jeune anatomiste, voilà comment passèrent quelque quinze années ! Et soudain la lame d'acier jaillit du fourreau ! A vrai dire *quelqu'un*. Pas tout à fait un enfant. Ni un animal, tout à fait. Un être sorti d'une boîte, un don du Diable en vérité... qui fit de moi un assassin... Evidemment j'exagère, avait dit Zimmerstein en riant. Mais à chacun son secret, n'est-ce pas ? Bref, ma femme, ma petite fille ne pouvant plus me voir, s'étaient enfuies, m'abandonnant seul avec le cadavre du Diable gisant dans une large flaque de sang." Bien sûr, continue le jeune anatomiste, Zef m'avait avoué tout cela sur un ton d'ironie gaie, mais je sais combien lourd est son secret... "Plus personne ! avait continué Zef, poursuit le jeune anatomiste, elles m'avaient abandonné à mon «crime» ! Que s'était-il passé ? Elles s'étaient enfuies ! Où ? «Au Ciel.» Voilà ce que m'écrivit ma femme ! m'avait dit Zef. «Nous sommes toutes les deux au Ciel !» Oui, voilà ce que ma femme, cette lame d'acier inoxydable eut la cruauté de m'écrire ! Et qu'était ce «Ciel» ? Quelqu'un de plus qu'un homme. «Un esprit», m'écrivit cette lame d'acier, jaillie brusquement du fourreau, oui, ma femme ! «Nous sommes heureuses toutes les deux et n'aspirons qu'à la paix et au deuil le plus loin possible de toi.» Ce sont ses mots ! Bien sûr, avait poursuivi Zef, dit l'anatomiste, je m'adressai à une agence de détectives et j'appris que le «quelqu'un de plus qu'un homme» n'était qu'un capteur d'âmes, un ignoble mage aux appétits sexuels effrénés, et que *ma* femme et *ma* petite fille avaient été accueillies dans une communauté de femmes que ce démon aussi malin qu'un singe tenait solidement ramassées autour de lui. Maintenant vous comprendrez, avait conclu Zef Zimmerstein, pourquoi depuis je suis resté presque indifférent à tout ce qui est moi, et que, détaché de ma propre vie par le tranchant acéré d'une lame plus effilée, plus cruelle, plus obstinément ennemie à mesure que tombent les années, je me passionne pour ce qui se passe hors de moi. La violence avec laquelle j'ai été comme fendu en deux m'a laissé, pourrais-je dire, détourné de moi-même. J'observe. J'observe et j'attends." Voilà, conclut le jeune anatomiste italien, ce que m'avait confié Zef Zimmerstein. Pourquoi m'a-t-il fait une telle confidence ? "Parce que vous êtes jeune, avait-il dit, et que Tania est jeune elle aussi." Attention, voilà Eva Mada-Göttinger !

— Je vois que vous ne suivez pas du tout les différentes communications des membres de la mission, dit Eva en venant s'asseoir près de *nous*. Qui les suit d'ailleurs ? C'est à peine si celui qui se croit obligé de faire une communication s'écoute lui-même. Nous nous sommes placés une fois pour toutes hors de la signification. Nos conclusions ne sont qu'une suite de mots techniques qu'il suffit de disposer dans l'ordre le plus agréable, un peu comme une musique que l'on prétend entendre parce qu'on croit la connaître déjà. Toute musique inconnue détonerait comme un coup de revolver, réveillerait ridiculement les membres somnolents de notre commission. Zef Zimmerstein vient de s'approcher de moi pour me dire que depuis un moment, écoutant les différents orateurs, il se demandait si, après tout, les bases rythmiques, ou si vous préférez les musicalités que l'on retrouve dans toutes les langues ne seraient pas comme un lointain écho des mystérieuses constructions génétiques que nous auraient léguées les temps. "Vous souriez, Eva, m'avait-il dit, cependant vous savez bien que des structures venues depuis le fond des temps sous-tendent toute forme de manifestation du vivant, qu'elle soit humaine, animale et, qui sait ? végétale. Oui, avait-il dit encore, toute expression du vivant laisse deviner des structures d'une évidente universalité que nous autres biologistes, aussi bien que les linguistes que nous avons associés à nos travaux de biochimie, détectons avec admiration et effroi. Que dit en ce moment ce physicien anglais à propos du coffrage de plomb et de ciment enveloppant la partie malade de la Centrale ? Pourquoi l'écouterions-nous ? Et pourtant ses phrases, les silences entre ses phrases, toutes les hésitations de son absurde discours n'ont rien de désagréable à entendre, bien que nous le sachions faux et entièrement composé pour ne pas déplaire à ceux qui doivent le recevoir. C'est que toute langue, même si elle vous est étrangère, demeure cependant une musique de mots tombant un à un sur la nuit du silence. Et cette musique des mots reste avant tout peut-être une musique fondamentalement biologique. Je suis bien loin d'être le seul à le penser : des philosophes, des linguistes, des orthophonistes ont avancé cette hypothèse : toute émission du vivant, pour peu qu'elle veuille signifier, est signe biologique. Le sens est d'importance secondaire… et souvent n'en a même aucun ; seule compte cette musique que nous pourrions qualifier de génétique. De là viendrait la force miraculeuse de nos grands poètes, de nos grands musiciens qui n'ont rien à *dire* mais le Tout à exprimer." C'est ce que vient de me révéler Zef Zimmerstein, conclut Eva Mada-Göttinger, légèrement ironique.

— S'il parle de l'art du langage, dit l'anatomiste italien, je serais facilement de son avis. Dans notre laboratoire de Vérone, nous avons tenté des expériences très poussées sur le fonctionnement du larynx. Certains grands opérés du larynx et de la langue s'y sont prêtés. *Dits* par eux, les chants de nos très grands poètes, devenus *incompréhensibles*, n'en étaient que plus *beaux*... ou si vous préférez, plus ils détruisaient la signification et plus ils mettaient à nu la ténébreuse spirale dont le langage porte l'empreinte. Bien sûr je pense à vos travaux, Eva, sur le langage électrique des insectes, poursuit le jeune anatomiste. Il ne fait qu'informer, n'est-ce pas ? Il fonctionne comme fonctionnent nos machines par flux positifs et négatifs...

— L'expression écrite, dit Eva, est évidemment aussi confuse que peut l'être la conscience humaine. Donc nos mots révèlent, malgré eux, cette part mystérieuse de notre être. Mes insectes, eux, ne sentent ni le drame ni la tragédie et encore moins la poésie... et pourtant ils communiquent peut-être mieux et surtout plus vite que nous. Ils s'informent mutuellement à la vitesse de la lumière, efficacement, sans erreur, avec une netteté que seules nos machines les plus poussées arrivent à égaler. Que l'anatomiste ou le biologiste s'inquiètent de la poésie, qu'ils la prétendent dictée par les rythmes du sang, et même, pourquoi pas ? empreinte des codes biologiques transmués en codes linguistiques ou artistiques, l'entomologiste penché sur la multitude active d'une société d'insectes l'oublie forcément pour voir dans cette dynamique, plus proche du minéral animé que du mammifère, seulement une horrible caricature du futur de l'homme. Plus nous compliquons nos machines, plus nous approchons l'insecte car nos machines compliquées sont simples comme simples sont les insectes. Et plus elles se compliquent plus elles sont vides de sens puisqu'elles prétendent à l'efficacité. Dans le laboratoire que je dirige, poursuit Eva Mada-Göttinger, nous avons mis au point de minuscules robots dotés de pinces leur permettant de saisir des objets en forme de parallélépipèdes. Nous les avions programmés pour entasser ces objets sans ordre ni méthode…

— Et en très peu de temps vos fourmis électroniques ont structuré leurs entassements. Je viens d'en parler, dit l'anatomiste.

— Mais cela n'est encore rien, poursuit Eva. A mesure que nous ajoutions de nouveaux petits robots aux précédents, plus nous augmentions la densité de population de notre colonie d'insectes mécaniques, plus ils devenaient *efficaces*. C'est-à-dire rapides, répétitifs, organisés… et permettez-moi ce mot : *impitoyables*, détruisant systématiquement les robots défectueux dont ils commencèrent à rassembler les débris pour en faire une sorte de machine étrange qui nous resta longtemps incompréhensible. Jusqu'au jour où l'un de mes collaborateurs émit l'hypothèse que nos fourmis électroniques étaient en train de construire une sorte de disjoncteur et que si nous les laissions faire, elles réussiraient à se faire toutes sauter…

— Vous voulez dire… vous voulez dire…

— Exactement ça : plus elles étaient nombreuses plus elles cherchaient le moyen de *tout* annuler… de revenir au vide originel…

— Et vous pensez qu'elles réagissaient…

— Oui, à leur nombre excessif. Car nous ne cessions, *d'en haut*, de déverser sur elles de nouveaux petits robots.

— Je comprends, dit le jeune anatomiste. Zef Zimmerstein vous expliquerait que le corps social artificiel créé par vous se comportait exactement comme un corps biologique. C'est-à-dire que la seule réponse à l'excès devient l'excès. Vos fourmis artificielles, excédées, étaient en train de fabriquer un cancer.

— C'est bien ce que mes collaborateurs et moi en avions conclu.

— Et les avez-vous laissées aller au bout ?

— Après beaucoup d'hésitations nous les avions abandonnées à leur sort.

— C'est-à-dire ?

— Au court-circuit final.

— Elles se sont détruites elles-mêmes ?

— Oui, en un instant tout fut réduit à néant !

XIV

— Et vraiment vous pensez, Eva, que ce court-circuit n'aurait pas eu lieu si vos fourmis-robots n'avaient pas été en surnombre ?

— Je ne suis pas la seule à le penser. A l'époque, auprès de moi se trouvait quelqu'un dont les recherches apparemment divergentes des miennes se découvraient d'une étrange proximité. Qu'avait à voir la sismologie avec le comportement des insectes ? Bien sûr, rien, apparemment ! Et pourtant... et pourtant mes fourmis-robots fournissaient au sismologue certains arguments sur l'état crépusculaire du monde, me disait-il. "Auprès de vous, Eva, ici, dans votre laboratoire, il me semble entrevoir un monde antérieur à la conscience. Tous ces insectes que vous maintenez en captivité et auxquels vous consacrez votre vie ne cessent de communiquer sur les modes les plus divers : soit par des bruits codés, soit par des échanges de parfums, soit par d'infimes ébranlements du sol qu'ils frappent avec leurs tarses. Certains même utilisent des signaux lumineux très compliqués, s'ajoutant aux parfums ainsi qu'aux bruits et aux ébranlements de l'air, de l'eau et du sol, qu'ils provoquent avec une étrange «intelligence». Ils se servent de la nature comme d'un instrument mis à leur disposition pour qu'ait lieu quoi ? L'infime jonction de leurs sexes. Tant d'*inventions* dont les complications secrètes occupent votre vie, Eva, me disait cet homme passionné de sismologie, tant de serrures aux codes d'une invraisemblable sophistication ! Depuis que je vous ai rencontrée, je découvre une telle quantité de pourquoi qu'il me semble impossible que la science puisse jamais nous apporter la moindre réponse." Voilà ce que me disait le sismologue alors que le géologue, son frère, s'acharnait à prétendre que la vie n'était rien d'autre qu'une maladie de la matière, que seule l'énigme de la matière posait le vrai *pourquoi* et que de descendre aux insectes ou à l'homme c'était inverser le sens de *la* question. "Tu as raison, Yeshayahou, disait le sismologue, poussant exprès jusqu'à l'absurde la pensée de son frère le géologue, le principe anthropique qui nous invite à lire l'univers à partir de la conscience que nous en avons, nous autres hommes, est évidemment une naïveté tout aussi stupide que l'anthropomorphisme ou l'affirmation d'une finalité. La vie, le mouvement ne sont qu'un avatar sans réel intérêt. La preuve, ne la voyons-nous pas justement dans les systèmes figés perpétués par les insectes… dont nous-mêmes ne serions que le reflet embelli ? Quant à la conscience produite par la matière, en quelque sorte arrachée à la malédiction de l'Univers, dis-toi que s'il n'y avait pas de planètes, si l'Univers n'avait duré qu'une fraction infinitésimale de seconde, ce quelque chose d'innommé aurait suffi et se serait suffi à soi-même en tant que question-réponse. Le reste n'étant que phénomènes annexes, une oxydation ou une moisissure si tu préfères." Voilà comment parlait celui qui avait consacré sa vie à la sismologie, et dont la perte me laisse inconsolée.

— Vous prétendez qu'il se contentait du fait que dans l'épaisseur d'un néant infini, *à un certain moment*, un court-circuit d'un millionième de seconde aurait eu lieu, dit l'anatomiste.

— C'est bien cela ! Un éclair créant une sorte de césure entre deux ténèbres infinies. Ne croyez pas qu'il proposait cette vision avec sérieux, il l'offrait à son frère en riant, bien qu'il fût à quelques heures de sa mort et qu'il ne doutât pas qu'après lui nous ne saurions quel comportement adopter l'un envers l'autre. "Frère" et "sœur" ? Sa plaisanterie nous avait placés au plus profond de son absence.

Elle se tait un instant.

— Il avait réuni nos mains... et nous nous étions sentis comme deux parts de ténèbres que l'éclair de sa vie venait d'illuminer puis d'anéantir... Vous voyez ces deux papillons d'or, c'est le signe posthume retrouvé après... après qu'il me fut possible de prononcer *mort* à son sujet. Ces papillons posés sur les lobes de mes oreilles sont là comme un sourire venu d'outre-mort. *Cadeau !* D'une fine écriture il avait tracé ce mot sur l'enveloppe qui les contenait, et que j'avais déchiffré à travers mes larmes... en souvenir de ce lac de montagne où venait de nous être signalé un vol en masse d'azurés d'Arion. Il m'avait dit : "Eva, saurons-nous jamais le pourquoi de l'appel qui entraîne par millions ces papillons si fragiles ?" Assis dans la prairie qui doucement descendait jusqu'au lac, nous observions les tourbillons moirés que faisaient les brusques changements de direction de ces masses au vol irrégulier. Tant d'ailes battant à la fois provoquaient une sorte de crépitement soyeux. Des azurés d'Arion se posaient un instant sur nos lèvres, sur nos paupières... mais le trop, oui le trop devenait à chaque instant plus insupportable et notre ravissement s'était transformé en un effroi désolé quand une bande de gamins, agitant des raquettes, déboucha d'un sentier... des enfants, de très jeunes enfants ! et ils tuaient, tuaient avec un tel plaisir !... Mon ami m'empêcha de bouger : "Non, Eva, vous ne devez pas ! Ce qu'ils font est *naturel* !" Longtemps ce mot me hanta, continue Eva Mada-Göttinger alors que nous nous trouvons toujours au fond de la salle où se succèdent à la tribune les différents membres de la mission internationale venue enquêter sur le site de la Centrale. Oui, ce *naturel* resta en moi comme une blessure. Et par la suite, chaque fois que j'assistai à des migrations massives d'insectes ou d'oiseaux, et que je voyais des hommes soudain saisis d'une sorte d'hystérie de destruction, j'entendais mon ami le sismologue prononcer le terrible mot.

— Ne restez pas ici, dit Zef Zimmerstein, nous rejoignant au fond de la salle. Sortons par cette porte, marchons un peu au grand air, voulez-vous ? Que complotiez-vous dans le dos des membres de la mission ? Savez-vous qu'il est préférable de paraître ne pas avoir de secrets et surtout de ne pas en échanger ? Deux commissaires accompagnateurs vous observaient avec une telle insistance que je me suis inquiété. Le soir tombe, voyez comme la lumière *joue* à travers les branches fleuries de ces vergers ! L'air est doux, la nuit s'annonce belle. Pourquoi nous quittez-vous, Eva ?... J'aime les réactions inattendues de cette femme, poursuit Zef Zimmerstein, j'aime cette sorte de mauvaise humeur toujours prête à se manifester ! Je sais avec quelle douleur elle vit la superposition du passé sur le présent, combien ce passé dévore son présent, oui nous savons cela ! Mais ne cherche-t-elle pas cette familiarité de la douleur dans sa relation aux autres ainsi que dans le sens de ses expériences entomologiques ?

— Nous évoquions justement ces fourmis-robots qui l'ont rendue célèbre, dit le jeune anatomiste italien. La conclusion de ce passionnant travail sur les insectes artificiels nous laisse désespérément démunis. Qu'une colonie de minuscules insectes-robots électroniques s'organise elle-même, que ne répondant à aucun programme elle invente des structures d'une logique telle que seul un raisonnement mathématique aurait pu les définir, n'y a-t-il pas là de quoi nous effrayer ? Que l'octogone soit la figure idéale pour des contenants destinés à être stockés en masse est-ce *naturel* ? Que l'abeille l'ait spontanément utilisé est-ce *naturel* ? Voilà quelle question j'aurais aimé poser à Eva, avant que votre intervention l'ait chassée, dit encore l'anatomiste. Si au lieu de fourmis électroniques elle avait réalisé des abeilles-robots, ces machines auraient-elles inventé l'octogone pour y entreposer…

— Quoi ? l'interrompt Zef Zimmerstein.

— Que sais-je ? Un quelconque substitut de miel ou un substitut de nymphes… Peu importe ! La question est là, terrible, désespérante : toute structuration d'un ensemble encombré du nombre doit-elle forcément produire des organisations spéciales induites par ce nombre ? Ne riez pas, Zimmerstein ! Cette question est essentielle. Le cristal dont les troncatures, comme on le sait, se développent suivant des lois de symétrie qui veulent que, lorsque dans sa forme primitive un élément géométrique se trouve modifié, tous les autres éléments géométriquement et physiquement identiques le soient aussi et de la même manière, oui, le cristal, cet élément prétendument mort, répondrait-il à… comment appeler ça ?… la même *pulsion* qui fait agir les insectes-robots inventés par Eva Mada-Göttinger ? Et nous-mêmes alors ? Serions-nous du *ça* ? Du quelque chose agissant, ou plutôt agi par des forces que masqueraient les moirures de notre intelligence ?

— Vous voulez dire, l'interrompt Zef Zimmerstein, que notre intelligence…

— … serait comme ce voile sensible de la musique du sublime Beethoven que jouait un orchestre de musiciens squelettiques pendant que le bourreau, l'homme-véritable et parfaitement "humain", *exécutait* sans trembler…

— Si je vous comprends, dit Zef Zimmerstein d'une voix un peu essoufflée par l'émotion, si je vous comprends bien…

— Oui ! vous m'avez bien compris, l'interrompt le jeune anatomiste. Je vous pose la question : de quel côté situer ce que l'on nomme : *l'humain* ? Beethoven ou bourreau ? Avouez que l'un peut aller avec l'autre.

— Ah, cessez ! s'écrie Zef Zimmerstein. La nuit tombe. Il serait temps de rentrer. Voyez comme la Centrale démolie rougeoie en pulsant ! Les fleurs de ces vergers prennent des tons de rose tout à fait merveilleux…

— Attendez, ne vous sauvez pas ! Si nous sommes musique, nous ne pouvons être *aussi* bourreaux. Mais si nous sommes bourreaux *par nature*, nous pouvons être *aussi* un peu musique, comprenez-vous ? Voilà la question que nous posent les insectes-robots d'Eva. Sommes-nous programmés pour cela, pour construire cela, cette chose monstrueuse dont les rougeoiements rosissent, dites-vous, les fleurs de ces vergers ? Sommes-nous victimes de processus *naturels* qui nous font bourreaux alors que nous aspirons à être musique ?

— Voyez mes mains…

— Et alors ?

— *Voilà des mains d'assassin…* qui cependant pourraient être des mains capables de jouer… Mais pourquoi vous dis-je de telles absurdités ! Ecoutez-moi, poursuit Zef Zimmerstein, s'immobilisant tout à coup. Vous ne pouvez imaginer combien cette question de l'homme capable d'*être musique…* et à la fois, si les circonstances le veulent, parfait assassin, se pose pour moi ! Sachez que la *nature* n'est pas désordre mais ordre brisé… on dit chaos. Que demande-t-elle ? Avant tout : ordre et symétrie. Et même si possible Néant – ce qui serait en quelque sorte un ordre supérieur, par essence porteur d'une suprême symétrie… ou tout au moins ne risquant plus l'asymétrie, l'odieuse asymétrie tellement contrariante pour la *nature*. Que ce soit le cristal ou l'étoilement de la neige, que ce soit l'abeille ou la fourmi-robot imaginée par le génie d'Eva, tous tendent vers le maximum d'ordre, oui, tous tendent vers le néant, la symétrie suprême… ou si vous préférez vers la non-musique. Toute la question est là : comment un système qui se réclame de la véritable *nature* de l'homme, un système de symétrie et d'ordre réussira-t-il à détruire l'homme-musique, l'homme asymétrique porteur d'une pensée de jeu et de fantaisie anti-naturelle ? En mettant de force cet homme dans une situation de désordre absolu… ou pour mieux dire en l'entassant massivement dans un lieu aussi restreint que possible où il ne pourra que se dégrader... se "déshumaniser", comme on dit.

Zimmerstein se tait un moment, puis reprend :

— Alors, rien de plus *naturel* que, devant le nombre devenu déchéance et confusion, ce système d'ordre et de symétrie trouve en lui-même les hommes-nature capables d'exécuter les ordres qui vont dans le sens de la symétrie ordonnée du néant. Ensuite qu'on habille ces actes-nature en actes "inhumains" montre jusqu'où peut aller *l'innocence* des hommes car, bien que les moyens employés pour anéantir en masse leurs semblables aient démontré jusqu'à quelles limites d'astuce spécifiquement humaine peuvent aller les hommes, l'humanité sécrète toute une trouble sémiotique pour mettre entre elle et les faits de pudiques écrans sur lesquels elle dessine des "monstres" plus proches de l'insecte que de l'homme tel qu'il se prétend. Depuis, une catastrophique profusion d'écrits n'a cessé d'ensevelir nos consciences sous des masses de témoignages d'une "humanité" quasi insoutenable. Oui, depuis, nous sommes soumis aux mots d'ordre qui nous imposent une vision d'une humanité "humaine" que quelques monstres "inhumains" sont venus visiter en répandant autour d'eux l'horreur que représente l'organisation froide, méthodique, sélective de la mort. Certains philosophes vous diront : "Quel droit l'homme a-t-il au langage s'il ne peut articuler que la culpabilité ?" A cette interrogation, permettez-moi de répondre, dit Zef Zimmerstein, permettez-moi d'affirmer que les mots signifiant le pire comme ceux signifiant le meilleur de l'homme doivent se partager équitablement entre tous autant que nous sommes d'humains capables de penser... et surtout de nous penser.

Nul ne peut se proclamer innocent des meurtres produits massivement par l'humanité ! D'avoir la faculté d'imagination pour qu'en nous s'ouvrent les fosses et que dans ces fosses notre pensée puisse y entasser des cadavres d'enfants d'hommes et de femmes suffit pour nous river jusqu'à la fin des temps à la chaîne infinie des bourreaux. Oui, de pouvoir l'imaginer nous condamne... comme d'en être incapable nous condamne aussi ! Notre condition d'homme nous charge d'un fardeau d'une telle épaisseur, d'un tel contenu d'iniquités qu'il est presque excusable pour nos âmes qu'elles refusent l'écrasement de cette charge. Nos âmes se défaussent alors sur celui qu'elles nomment : "l'inhumain", ce monstre mythique surgi aux temps anciens quand l'homme s'étant défait des attributs de la bête... ou s'imaginant tel qu'il se rêve : "humain", osa désigner cet autre capable d'exécuter ses basses œuvres, ses actions, ses perversions... Excusez-moi, conclut-il, voilà un sujet sur lequel je redoute de *parler*. Moi qui me méfie de la relation entre la parole et le monde... Voyez mes mains... le sang...

— Et pourtant, sans les mots, ni le bien ni le mal ne pourraient se départager, dit le jeune anatomiste.

— Certainement... mais ils sont projets, ils autorisent, par le fait d'exister, d'avoir été créés pour dire, désigner, proposer... et ensuite manquer en se voilant de l'*indicible*. Que cache ce mot ? Ce qui ne peut se dire ou ce qui nous écrase tous de honte ? En prononçant : ceci est tellement abominable que c'en est in-di-cible, ne révélons-nous pas le savoir que nous avons de notre abominable pulsion d'être voués à toujours agir dans le sens de l'extermination ?

Et voilà qu'aujourd'hui nous sommes malheureusement chargés d'une mission où seule la rhétorique doit suppléer aux mots qu'exigerait un témoin *innocent*. Nous avons été envoyés sur ce site pour tisser un discours infecté d'où seront soigneusement exclues toutes tentatives de réelle communication, dit encore Zef Zimmerstein. Nous ne sommes pas payés pour cela mais, ce qui est pire, nous nous sommes convaincus qu'il serait plus "humain" de détourner l'esprit de nos contemporains de ce qui n'est même plus un problème puisque aucun remède ne peut être apporté à l'abominable processus de régression qui frappe le vivant, pas plus que nous ne pouvons avoir d'action sur le cœur en épouvantable expansion de la Centrale. Nous nous trouvons au chevet d'un monde attaqué par une maladie innommable... car elle se nomme : *l'homme* ! Et même si nous pouvions trouver les paroles pour la désigner nous savons bien que cette maladie resterait *indicible* puisque nos mots ne seraient que des mots alors que nous sommes les témoins d'un phénomène qui se développe plus vite que ne peuvent s'inventer les termes pour le signifier.

LIVRE II

Si Dieu voulait me donner la vérité, je refuserais ce cadeau et préférerais me donner la peine de la chercher moi-même.

LESSING

I

— Hier, je le sais, dit Tania Slansk, vous avez longuement écouté Zef Zimmerstein et Nini l'anatomiste. Je veux vous mettre en garde contre l'un et l'autre de ces deux esthètes aveugles à la souffrance et dont la lucidité ne s'excite qu'à partir du moment où, s'enfonçant dans de la matière physiologique, ils se savent hors d'atteinte… sur un autre plan, si vous préférez, que celui des pleurs, des cris et surtout de ces grandes souffrances muettes qui rendent souvent le vivant plus éloquent encore par son abattement et sa résignation que par les manifestations de son effroi. "J'aime le silence de la chair morte", m'avait dit mon ami l'anatomiste Nini, dit Tania Slansk, s'animant. "Rien n'est plus terrible et beau que nos images livrant dans leurs recoins les plus secrets les parties *isolées* d'un corps abandonné par la vie. Le microscope électronique nous permet de nous introduire à des distances inouïes dans les profondeurs de la matière sensible. Quand on songe que nous ne sommes parvenus qu'au seuil de l'immense univers de l'infime, que chaque génération de machines à explorer cet univers ouvre sur de nouveaux espaces, on voudrait oublier la science pour nommer ces sortes de «voyages» : poésie." Voilà ce que m'a dit un jour mon ami Nini, dit

Tania Slansk. “Cette poétisation de l'investigation électronique est déplaisante, lui avais-je répondu, tes photographies coloriées de fragments d'os ou des mucus tapissant les parois internes du corps humain ne peuvent prétendre à l'«art» et à sa gratuite maladresse. Il ne peut y avoir représentation plus aiguë de notre désespoir collectif que l'avance de la science dans cet univers dont l'exploration n'atteindra jamais les confins. Cet univers, lui avais-je encore dit, n'est ni en toi ni hors de toi. – Et où se situerait-il alors, avait-il plaisanté en me regardant avec cette gentille ironie qu'il réserve en quelque sorte pour moi ou Eva ainsi que pour les autres femmes faisant partie de la mission internationale. – Cet univers, avais-je continué, se borne aux possibilités de vos machines. Qu'elles explorent aussi bien les espaces infinis qu'infinitésimaux, les images et les mesures qu'elles nous communiquent ne sont qu'une parodie du sensible, comprends-tu, une interprétation... ou mieux encore, un délire électrique, un faux langage de métaphores excitantes mais profondément dérisoires et bien sûr insuffisantes pour assouvir notre désir douloureux et presque nostalgique d'un autre chose qui signifierait cette part mystérieuse d'inconnu qu'est notre présence aux énigmes de ce monde. – Et la curiosité, Tania ? m'avait-il répondu, savoir, ne serait-ce que pour nous assurer que nous ne *saurons* jamais... que nous n'arracherons jamais le voile... mais savoir quand même qu'il n'y a pas condamnation, que nous ne sommes pas que cela ! Nos appareils d'investigation sont *les flèches du désir lancées vers l'autre rive...* bien que nous sachions que nous n'expliciterons jamais les «vérités» sensorielles ou profondes, avait-il dit un peu moqueur, que toi, Tania, la jeune pédiatre, défends jusque dans le sein de notre mission d'enquête internationale." Si je vous parle de Nini mon ex-ami, c'est que par son énergie dévastatrice, son extraordinaire âpreté à vouloir passer par la porte étroite de l'investigation, il représente la dernière génération de "chercheurs" produite par ces machines et leurs codes d'une nouvelle convention. Coupé de toute prétention transcendantale, l'anatomiste qui s'est confié à vous est ce qu'on appelle un homme perdu. Sans repères, il a quitté en quelque sorte la vie pour s'enfoncer dans l'univers fictif que lui offrent ses machines à voyager dans l'infiniment infime jusqu'à s'y perdre, comme je vous l'ai dit, continue Tania Slansk, jusqu'à ne plus vouloir savoir d'où proviennent les échantillons d'organes que lui livrent les services médicaux secrets attachés à la Cité Potemkine.

Elle se tait puis continue, baissant un peu la voix :

— Ce n'est pas un hasard si nous nous trouvons tous les deux faire partie de la mission d'enquête internationale. Nous n'avons pas choisi cette impossible mission… mais nous avons été choisis par Zimmerstein, Yeshayah ou et celle que Nini désigne par la Mada-Göttinger. Pourquoi moi ? Pourquoi lui ? Si je vous disais qu'avant de nous retrouver sur ce site maudit nous avions un moment espéré non pas exactement mettre en commun nos travaux mais trouver entre l'anatomie et la pédiatrie certains points essentiels sur lesquels approfondir réciproquement nos recherches. Venant de deux horizons opposés, il nous fallait un prétexte pour non seulement nous voir mais imaginer un langage "amoureux" dans lequel entreraient à la fois les interrogations que peuvent poser l'anatomie moderne et la pédiatrie telle que l'école dont je faisais partie l'envisageait. Depuis la catastrophe et ses horribles conséquences, j'ai renoncé au sens de mes recherches. De plus, après avoir vu ce que j'ai vu dans les sous-sols bétonnés de la Cité Potemkine, j'ai compris à quel point je m'étais intellectuellement fourvoyée. Plus question d'intervenir *in utero*, plus question d'eugénisme déguisé ! Plus question surtout d'aller en amont pour faire le tri ! "Je refuse de participer à l'édification d'une *contre nature*. Je refuse de confondre le manipulateur de nos instruments scientifiques avec «l'artiste créateur» qu'il prétend être, avais-je dit à Nini, mon ami l'anatomiste. – Mais Tania, m'avait-il répondu, nous sommes les maîtres et possesseurs de la nature ! Grâce à nos instruments nous finirons bien par la dominer totalement. – J'en doute, avais-je dit. Ce sont vos instruments qui vous dominent... et de plus en plus vous domineront." Cette conversation date de quelques jours à peine et c'est dans les vergers fleuris entourant la Centrale que nous l'avions eue. "Vois, cette caricature d'Eden, avais-je dit encore, Enfer et Eden se sont confondus !" Et j'avais quitté Nini sans vouloir en dire ou en entendre davantage.

Elle se tait encore un instant.

— Pouvez-vous imaginer sur quoi nos travaux réciproques s'étaient rejoints ? Comme nos physiciens, assistés de Yeshayahou et de son frère jumeau le sismologue, avaient *imaginé* la Centrale, Nini l'anatomiste et moi la pédiatre nous *imaginions* la machine suprême, la machine des machines, la machine libératoire grâce à laquelle enfin l'humanité serait en mesure de se choisir, choisir sa forme, son aspect... et surtout devenir enfin, pensions-nous, égalitaire. Enfin ! pensions-nous, l'œuf humain pourra mûrir, se développer entièrement dans des centres spécialisés, hors de l'utérus maternel ! Enfin ! la femme illettrée, même celle qui ne sait pas compter, aura définitivement acquis la maîtrise de la reproduction. Le terme de grossesse aura enfin cessé d'avoir un sens. Les jeunes femmes du futur, libérées, ignoreront les servitudes qui, pendant des millénaires, ont accablé leurs aînées. Oui, c'était là le sens de notre recherche ! "Ce schéma, avait dit Eva, un jour que nous évoquions devant elle notre projet, cette prétendue libération nous autres entomologistes nous la connaissons. Il suffit de vous pencher sur cette société égalitaire, unisexuée… ou mieux encore asexuée que nous offrent les insectes pour reconnaître cet avenir dégagé de toutes servitudes comme vous dites, de tout autre désir que celui de fonctionner comme un mécanisme dont le mouvement perpétuel rejoindrait en quelque sorte l'immobilité. Etrange destin que celui de l'espèce humaine ! avait-elle ajouté, pensive. Croyant se rebeller contre la nature, après un périple d'une fantaisie assez extraordinaire, nous voilà retombés du mammifère animé de sentiments, de rêveries, d'insatisfactions mélancoliques, à l'insecte fonctionnel, sans rêves et sans passions. Enfin ! le but a été atteint, puisque l'insatisfaction qui nous rend humains aura été éradiquée de ce «meilleur des mondes»." Voilà ce que nous avait dit Eva, dit Tania Slansk alors qu'elle *nous* entraîne de nouveau sous les arbres en fleurs entourant la Centrale. Indéchiffrable Eva, continue Tania Slansk, mystérieuse Eva dont je n'arrive pas à saisir les véritables motivations qui la poussent à étudier avec cette froideur, ce flegme si peu féminin, la nature formelle de ces machines nommées insectes. Rares sont les femmes passionnées d'entomologie. Jamais vous ne verrez une petite fille arracher les ailes d'une mouche tandis que tous les petits garçons torturent férocement les insectes. Se pencher sur les insectes c'est déjà, chez l'enfant mâle principalement, prétendre à une surdimension, à un refus d'affinité avec le reste du vivant. L'insecte c'est la nature telle que l'homme veut la voir. L'insecte c'est l'autre simplifié ; inutile de lui attribuer un sens, il n'est rien d'autre que du "ça bouge", "ça pique", "ça s'écrase". Au contraire de la petite fille qui manifeste une crainte instinctive devant l'insecte, l'enfant mâle l'affronte, s'en saisit et aussitôt le démembre sans se demander ce que cela signifie, pourquoi c'est là ? Un insecte, cela n'a pas de sens pour l'enfant mâle. Ou vaguement peut-être comme moyen de confrontation avec les dangers affaiblis du monde véritable qui l'attend. Que le petit garçon sorte toujours vainqueur de la lutte fictive qu'il engage avec l'insecte, fonctionne comme une certitude d'infaillibilité quant à ses actes et leurs conséquences dans l'avenir. Il suffira par la suite qu'il rajuste à l'échelle de ses infaillibles victoires sur l'insecte les actions violentes qui seront exigées de lui. Au cours de mes différentes conversations avec Eva, c'est ce que j'ai retenu de son étrange choix : comprendre non pas l'homme à travers les comportements de l'insecte mais l'insecte comme modèle de finalité pour l'homme – cet enfant mâle devenu adulte qui ne peut penser le monde autrement qu'en rapport de force. "«Là où les sociétés d'insectes sont depuis longtemps parvenues, tend notre désir d'annulation», m'avait dit mon ami le sismologue", avait dit Eva, dit Tania Slansk. "«Seul le *faire* apaisant l'homme, c'est par le mouvement qu'il justifie sa présence face à cette nature dont il se proclame ennemi... puisque ennemie, dit-il. Ce refus de silence, de réflexion, cette nécessité de combattre toujours pour donner la réponse avant même que la question soit émise, *l'homme* s'en est toujours enorgueilli comme d'une spécificité purement masculine. Qu'aujourd'hui cette pulsion l'homme-nature la transcende dans des réalisations techniques, d'un raffinement ici aussi digne des insectes, ne peut masquer l'extraordinaire grossièreté de cette détente ancestrale qui le fait agir.»" Voilà ce que m'avait dit Eva rapportant les propos de son ami le sismologue. Et elle avait ajouté ces mots qui m'avaient définitivement détournée des travaux que nous avions entrepris ensemble, Nini et moi : "Que la curiosité de *l'homme* se soit affinée, qu'elle se prolonge dans des instruments d'une miraculeuse sensibilité n'enlève rien à la brutalité simiesque de la pulsion de domination qui le motive. Ce même mâle qui imposa à sa femelle l'ablation du clitoris travaille aujourd'hui dans nos instituts de recherche biologique ! Non seulement il rêve d'eugénisme mais surtout de s'emparer de la machine de reproduction elle-même. Sous prétexte de libérer la femme du pénible travail de gestation et de parturition, il promet l'avènement de l'utérus artificiel... Et vous-même, Tania, avait-elle conclu, vous vous êtes laissé avoir par ce Nini qui non seulement vous utilise comme complice de sa recherche mais surtout se sert de vous pour cautionner cette part de sa recherche, qu'une femme, une pédiatre, de plus, ne peut que rendre positive puisque acceptée par elle." Depuis, poursuit Tania Slansk, *nous* entraînant toujours à travers les vergers fleuris entourant la Centrale, oui, depuis ces paroles d'Eva, je suis divisée entre le désir de faire, de trouver dans le faire un sens à mes activités, et d'autre part l'envie de me conformer au conseil désespéré de mon amie la doctoresse qui, en m'entrouvrant la porte des sous-sols de la Cité Potemkine m'a rendue témoin du spectacle le plus horrible qu'une pédiatre puisse recevoir sans y être préparée : voir sans pouvoir intervenir ! "N'oubliez jamais ce que vous venez de *voir*, Tania, m'avait-elle dit. Personne ne peut rien pour ces enfants. D'autres vont s'ajouter à ceux-ci. Nous savons quels «monstres» portent les femmes irradiées de la Cité et nous n'y pouvons rien ! Bien que l'humanité soit la seule espèce vivante douée de l'impératif de la parole, comme l'espèce *qui doit parler*, m'avait encore dit la doctoresse attachée à ces affreux sous-sols, comme l'espèce qui pour réaliser son humanité ne peut éviter de s'exprimer par la parole, ces enfants-lézards au contraire des enfants habituels, ne s'expriment que par leur silence. Cela peut paraître paradoxal mais pourtant leur silence est impressionnant d'expressivité. Devant l'inexprimable de leur condition ils se taisent. Ils ne geignent pas. Ils ne crient pas. Ils se taisent. Et ce silence est insupportable." Voilà ce que m'a dit la doctoresse alors que nous revenions de nuit par les vergers silencieux qui séparent la Cité dite heureuse de la Centrale non loin de laquelle les membres de la mission sont logés. Et je me demandais : Le langage est-il *naturel* ? Oui, me disais-je, le langage est *naturel*... à la mère. Il est le résultat d'un "bonheur" qui se transforme en jeu. Avant d'avoir une signification linguistique le langage est jeu de chair maternelle avec ce qui est encore sa propre chair. La mère joue avec le don qu'elle vient de se faire à elle-même… et ce jeu est jeu de "bonheur". La détresse est silencieuse. Pas la joie ! En arrachant ces enfants-lézards à celles qui les ont portés, on les condamne à s'exprimer par un silence affreux à *voir*. Est-ce ça : l'indicible ? Le ce qui ne peut être dit ? Je me posais ces questions pendant que la doctoresse qui m'accompagnait continuait à me supplier de me taire surtout, de garder strictement pour moi les images "indicibles" qu'elle venait de me dévoiler. Et je me disais encore : Et si le langage n'était qu'amour ? Si le langage n'était naturellement *que* maternel ? Et si l'autre langage, celui qu'*ils* nomment "utile", n'était après tout qu'une dégradation de cette *langue maternelle* vidée de son expression vitale, réduite à une construction verbale héritée d'un continuel combat dont la "langue maternelle" n'a que faire ? C'est alors que m'est apparue dans toute son horreur la machine à laquelle Nini, moi… et d'une manière occulte Zef Zimmerstein, nous projetions de donner une réalité.

Après avoir contourné la Centrale, nous nous trouvons maintenant à l'opposé de notre point de départ.

— J'aime marcher sous les arbres fleuris, continue Tania Slansk. D'ici, on voit la partie la plus atteinte de la Centrale. Ces crevasses d'où s'échappent des fumées jaunâtres se sont ouvertes depuis que la mission internationale est arrivée. Croyez-vous qu'un membre quelconque de cette mission aurait signalé la dangereuse évolution du bouclier de plomb et de ciment que vous voyez d'ici dans cet état lamentable ? Par ces longues fentes les radiations… Ah, voilà

Yeshayahou Fridmann ! Que fait-il ? Venez, il nous a vus !

— Savez-vous, Tania, il est déconseillé de s'aventurer dans cette partie du verger, dit Yeshayahou en venant au-devant de nous. Je recueille des échantillons de roche et de terre que je me propose d'analyser... Ou tout au moins je fais semblant... S'il n'était pas question de fournir un rapport, si j'étais libre de me laisser aller à une étude approfondie de ces échantillons, je prendrais un vif plaisir à constater l'horreur dans laquelle nous voilà tous plongés. Voyez, dans ce sac, ces cailloux et ces prélèvements de terreau contaminés mêlés aux pétales de fleurs de pommiers, de pêchers, de poiriers... Voilà quel est le bouquet de l'épilogue ! Devant ce mélange de fleurs tombées, de pierre, de terre et de pourriture végétale, vous vous dites qu'aucune analyse concise ne serait adéquate. La critique n'a plus de sens. Trop tard ! Nous frapper la poitrine en nous accusant d'avoir assassiné l'eau, la terre, le ciel et tout ce qui vit ? Au-devant de qui ? De quoi ? Vos yeux étincellent, Tania, je vois de la colère dans vos yeux de jeune pédiatre pleine de foi et d'indignation ! A quoi bon ? Nous n'en sommes plus à départager l'idéal du vécu. "Toute critique fondamentale de nos agissements au nom d'un état parfait s'appuyant sur la métaphysique, l'éthique ou l'esthétique est bien sûr sans raison aujourd'hui", a dit un philosophe. Ce qui devait advenir est advenu ! Terminées la vie spirituelle, la vie intellectuelle, nous n'avons plus qu'à nous laisser survivre. Voilà où se situe notre modernité ! Tout à l'heure, Zef Zimmerstein m'a dit qu'une des accompagnatrices de la mission internationale aurait perdu la raison. "D'en savoir trop, et d'être obligée de se taire lui aurait fait perdre la raison, a insisté avec une sorte de jubilation trouble Zef Zimmerstein. – Comment peut-on perdre ce que nul représentant de l'espèce n'a réussi jusqu'à présent à trouver ?" avais-je dit en riant. Et ainsi de suite nous avons plaisanté sur ce thème rebattu. Les certitudes sur lesquelles se sont édifiées les institutions, les lois imaginées par les hommes, les discussions idéologiques souvent étayées par des prétentions philosophiques, tout a toujours été infecté par le mensonge ! Nous mentions déjà bien avant que nous sachions que le mensonge était mensonge. Nous mentions en toute innocence et pour le plaisir de dévoyer la réalité. La contagion s'est même élargie à ce que nous désignons par nos sentiments. Et même quand nous utilisons le mot "vérité", nous ne faisons que révéler la gravité du mal dont nous sommes atteints... Mais... mais où allez-vous, Tania ? Ces femmes de la mission internationale sont toutes d'une hypersensibilité impossible, plaisante Yeshayahou le géologue. Sans leur demander d'être un tant soit peu cyniques, nous aimerions qu'au moins elles descendent de leur monture morale, non ? Elles sont là, raidies sur leur selle morale, et tiennent au mors leur cheval moral sans qu'à aucun moment elles lui permettent ne serait-ce qu'un écart pour le plaisir de la plaisanterie. Non, on chevauche le cheval fourbu de l'éthique ! Et quand il est sur le point de mordre la poussière, comme on dit, voilà qu'elles sautent sur le canasson étique de l'esthétique ! Attendez, attendez, un mot encore ! Bien sûr ces *femmes bien*, comme on les nomme, sont les créatures de l'homme. Et plus nous sommes infectés par le mensonge plus nous nous précipitons vers ces *femmes bien* pour qu'elles nous absolvent... et nous consolent de l'abominable sort d'être homme.

Yeshayahou ramasse quelques pierres et les examine à la loupe.

— Le silex et l'argile ! L'argile de la vie : le silex de la mort ! Ah, ah ! Toute vérité fait fuir nos femmes de science. Que ce soit Eva, que ce soit Tania, que ce soit l'accompagnatrice qui aurait, dit-on, perdu la raison, toutes se considèrent comme profondément blessées par ces vérités que sont nos mensonges. Non seulement l'Univers est une fausse monnaie, mais de plus elles prétendraient que cette fausse monnaie ne le serait qu'à demi... selon la face choisie. Elles sont *avec* l'Univers, et nous autres, l'élément mâle, *contre*. Ce qui n'est pas faux, après tout. Chez elles nostalgie de la caverne, chez nous nostalgie de l'apocalypse ! Chez elles poésie de l'immobile patience des éléments, chez nous poésie apocalyptique des grands volcans. De leur côté un ennui infini, tandis que chez nous autres l'irrépressible appétit de mort dans un affrontement aussi sanglant que possible ! Mais le plus surprenant, c'est que sans vouloir être elles, nous les envions... et redoutons cependant cette forme de "bonheur" qu'elles tiennent en réserve pour nous, pour l'humanité, pour l'Univers. Non, nous ne voulons pas d'un "bonheur" hiératique, nous autres les remuants ! La lutte s'est toujours située à ce niveau dialectique dont les prémices, vous diraient Zef Zimmerstein et le jeune anatomiste Nini, vous les décelez dès la pénétration fondatrice de la cellule mâle au sein de l'immobile ovule. Cet engloutissement, nous le redoutons, poursuit Yeshayahou, tout en continuant à examiner à la loupe des échantillons de roche qu'il ramasse sur le sol recouvert de pétales qui ne cessent de tomber des arbres fleuris, oui, cet anéantissement au fond de l'abîme féminin, nous le redoutons et le souhaitons avec la même intensité que la mort, *cet état d'avant*, qui après tout est le seul, par sa définitive immobilité, à nous réconcilier avec l'absurde Univers. Voilà pourquoi, quand je songe à mon frère jumeau, je ne peux m'empêcher de penser que c'est elle, oui, Eva, qui l'a en quelque sorte encouragé à mourir. Mon frère le sismologue et moi nous ne formions qu'un, depuis notre prise de conscience d'être deux parts d'un même destin. Comme nous sommes venus au monde le même jour à la même heure, avec entre nous l'écart d'à peine quelques secondes, nous ne doutions pas que la mort de l'un ne pourrait avoir lieu sans celle de l'autre. "Tant qu'il vit je vis", pensions-nous déjà à cette époque où l'enfant ne sait pas encore imager la mort, son immobilité, sa régression, et qu'il ne peut la concevoir que dans l'arrêt de ce qui bouge, donc de ce qui peut se constater comme extérieur à lui. L'intériorisation de la mort ne vient que plus tard, bien plus tard. Tania Slansk vous le dirait mieux que moi. Mais voilà, mon frère et moi nous étions jumeaux. Nés au même instant et destinés, nous en étions persuadés, à mourir ensemble. Quitte à recourir à l'intelligence du suicide, ce désir réprimé de tout adolescent. En choisissant les sciences telluriques nous restions parfaitement parallèles jusque dans nos recherches. Complémentaires ! Nos deux esprits s'attachant aux mêmes phénomènes, tout en nous amusant de deux approches différentes des états atomiques et subatomiques de cette réalité dont nous ne savons rien et que faute de mieux nous avons nommée : Terre. Et voilà que les jumeaux, arrivés à un certain degré de ce faux savoir qu'est la géologie, s'avisent qu'ils divergent. L'un, moi, s'attache à la dynamique de la matière, aux conditions spatiotemporelles des structures et des singularités galactiques, pendant que l'autre, lui, s'interroge au contraire sur les flux impalpables qui au-delà des forces magnétiques enveloppent la Terre d'une "pensée", disait-il, d'un "autre chose" que ce que nous nommons par l'approximative musique des mots. Moi les chiffres… à la limite même des concessions à l'alchimie, à la métaphore opaque en ce qui concerne le matériau existentiel de l'Univers tel que les sciences dites exactes prétendent le cerner ; lui, mon frère que j'aimais d'amour, de cette sorte d'amour qu'on ne réserve que pour soi-même, lui, glissant peu à peu hors du champ de la géologie vers des interrogations que "seules la poésie, la musique, disait-il, peuvent mettre en forme". Et ce fut Eva !

II

— Et ce fut Eva ! poursuit Yeshayahou Fridmann. Et ce fut le début de la grande comédie qui se conclut par la mort de mon frère jumeau, la mort à travers lui, pour moi, de toute poésie et de toute musique. Tout ce qui m'avait charmé, avait rendu "charmante" ma vie, s'était soudain dérobé sous moi. Sans mon jumeau je n'étais rien... ou si vous préférez *que* l'inutile géologue... oui, moi ! La musique de la vie s'en était allée, il ne me restait que le poids incommensurable de ce *moi* face à une Eva qui à travers moi *voit* mon frère sans que je sois lui. Personne ! Voilà quel pourrait être mon nom ! Voilà quel nom me donne Eva sans le prononcer ! Lui seul savait entendre le poème, la véritable résonance d'une construction romanesque... Je le vois, encore adolescent, repousser un livre où mieux encore le garder à la main, un doigt passé entre les pages, et me dire : "Toujours les mêmes schémas platement romanesques ! Comment retrouver dans ces mots qui s'accumulent d'un livre à l'autre la trace de ces forces d'invention accumulées dans la longue lignée des œuvres qui les ont précédés ? La faim culturelle de ceux qui lisent est une terrible catastrophe ! Cette faim suscite une nourriture intellectuelle insipide, une pâtée culturelle bonne tout juste à faire survivre le commerce du papier imprimé et broché en forme de livre. Cette culture n'est pas cultivée, elle est décivilisatrice : soit elle produit du reproduit ; soit elle commente en déconstruisant les œuvres, proposant un langage du «savoir», un jargon technique dont les œuvres sortent difficilement intactes. La boue du commentaire d'un côté, de l'autre un monceau d'œuvres imitatives confirmant que la culture est l'exact contraire de la civilisation..." Et ainsi de suite, poursuit Yeshayahou, mon frère jumeau ne cessait de vouloir clarifier ce qu'il ressentait. Quel bonheur fut notre adolescence ! J'aimais écouter mon jumeau, il vivait en quelque sorte pour moi, il se tenait sur le seuil de ma personnalité, prédisant sa future disparition en la nommant "l'au-delà du dire". Puis ce fut Eva ! Qu'une nullité, une mouche s'éprenne de l'entomologiste qui la dissèque, rien de plus naturel, n'est-ce pas ? continue le géologue, *nous* entraînant toujours sous les arbres fleuris, mais qu'un esprit d'une intelligence supérieure au point de ne pouvoir supporter du monde que son écho assourdi se trouve comme foudroyé par le charme de cette entomologiste, rien n'est moins naturel. Ceci dit, sachez que le "charme" d'Eva Mada-Göttinger n'a jamais agi sur moi, et que s'il y a eu "quelque chose" entre nous, ce "quelque chose" s'était situé hors du charme dans une chambre aux murs recouverts de cafards, avec comme bruit de fond ce qu'un auteur exotique définissait comme le chuintement d'une machine à coudre et que moi j'identifierais plutôt aux zzz, zzz de ces énormes moustiques que vous trouvez sur les pentes des volcans noyés de brumes éternelles. Deux corps s'étaient provisoirement rencontrés, pensions-nous l'un et l'autre, le corps d'un géologue et d'une entomologiste. Contact plus près de la nécessité que du plaisir, comprenez-vous ? intimité à la limite de la répulsion, comprenez-vous ? Une moustiquaire pour deux, voilà quelle fut l'excuse de ce spasme tropical. Eva Mada-Göttinger, même son nom fut provisoirement oublié, jusqu'au jour... jusqu'au jour fatal où mon frère pousse vers moi une jeune femme : "Eva !" dit-il, la tenant tendrement par la nuque, "Yeshayahou !" ajoute-t-il, me poussant vers elle. Stupide situation ! Se reconnaître sans se connaître, avec entre nous comme un rêve moite dont ni elle ni moi ne parlons. "Figure-toi, Yeshayahou, m'avait dit mon frère, que cette jeune femme m'a découvert un monde auquel je n'aurais jamais pensé pouvoir trouver un intérêt. Tu m'imagines, moi, penché sur une fourmilière ? Eh bien c'est fait !" Mon jumeau rencontre cette jeune femme dans un colloque sur le bruit, et le voilà à l'instant passionné par des stupidités telles que ces grincements et ces sifflements que produisent les fourmis en frottant une partie de leur corps contre des rainures ventrales spéciales, comme si c'était "une planche à laver", m'avait-il dit. "Elles font aussi craquer leurs mandibules supérieures et tapent leurs têtes en mesure contre les pierres." Serait-ce vraiment ça l'amour ? S'agenouiller devant des insectes et s'émerveiller de ces sortes de détails ? Que les fourmis communiquent entre elles, non seulement par une syntaxe de parfums mais aussi par des séries de coups frappés à intervalles plus ou moins courts, je ne vois là rien de bien séduisant ni de perturbant pour un sismologue. Mais je vous assure qu'en plus d'Eva elle-même ce sont de tels détails qui firent de mon jumeau un perpétuel extasié. Lui, le sceptique dont les seules valeurs, les seuls repères se tenaient dans la musique, et qui prétendait que toutes les tensions secrètes datant de l'aube de l'humanité se trouvaient aboutir dans les brèves et gémissantes plaintes de Webern, oui, lui ! le voilà un filet à la main en train de courir en compagnie d'Eva à la poursuite d'un papillon ou à plat ventre dans l'herbe ! "Tout est bavardage, sauf la musique", disait-il avant d'avoir rencontré Eva. "La musique, disait-il encore, est l'absolu mystère concernant l'homme." "Bien avant d'inventer le langage, l'homme *s'est su* par la musique", disait-il aussi, découvrant par Eva que la carapace des mots craque, se fendille et tombe en poussière quand se fait entendre la musique de la femme aimée. "Eva est musique." Pour avancer de telles banalités, avais-je pensé, c'est qu'il l'aime vraiment ! Se peut-il qu'une femme divise ce qui avait eu tant de difficulté à se réunir ? Sachez, continue Yeshayahou marchant toujours à grands pas sous les arbres fruitiers en fleurs, oui vous devez savoir que nos parents furent atterrés quand ils nous virent arriver à la lumière en quelque sorte main dans la main. Deux d'un coup c'était un de trop. "Deux d'un coup m'a brisé le cœur", aurait dit notre père. "Encore seraient-ils trois… mais la paire c'est trop !" s'était-il désolé devant la femme, notre mère, qui venait d'accomplir ce qu'il considérait comme un désagréable exploit. Dès ce premier jour il vécut les sourcils froncés, refusant ce qu'il nommait "ce bégaiement de la nature". Et c'est ici que tout a commencé. Décrétant qu'un seul lui suffisait et que, malheureusement, la loi romaine autorisant le père de mettre à mort, comme bon lui semblait, sa progéniture n'ayant plus cours, il avait décidé de ne tenir compte que d'un seul de nous deux. "Voilà mon garçon", aurait-il dit en posant au hasard la main sur ma tête. "Que l'on habille l'autre en fille", aurait-il ajouté, excommuniant pour ainsi dire mon frère, le chassant de son univers où seul le masculin méritait l'existence. Ainsi fit-il, de nous, de faux jumeaux, poursuit Yeshayahou Fridmann, détruisant toute symétrie apparente entre mon frère et moi. Tête rasée pour moi, cheveux longs pour lui, jouets différents, parler différent envers l'un et envers l'autre, à tel point que moi-même, pendant les quelque premiers dix ans de mon existence, je ne doutai pas de cette différence de sexe qui faisait de mon frère ma petite sœur, et de moi son grand frère. L'autorité de mon père était si pesante, si monolithique et inflexible que notre mère s'était pliée à cette horrible fantaisie, acceptant ma situation privilégiée… et acceptant surtout le statut si différent de mon frère, y trouvant la compensation de tendresse et de câlineries qu'elle n'avait pas le droit de se permettre avec le "garçon" que j'étais. J'avoue qu'influencé par la rigidité méprisante de notre père je méprisais ces marques de douceur ridiculement féminines… Mais voilà qu'un jour, alors qu'on nous baignait ensemble, nous nous avisâmes, ma "sœur" et moi, que nous étions frères. Jusqu'à ce moment nous n'avions rien vu que la *différence* des comportements envers nous, et cette différence de comportements nous avait, il faut croire, empêché d'abaisser les yeux vers cette partie du corps qui ne pouvait mentir, comme on dit. Nous posâmes la question. Réponse : "Le garçon au gymnase, la fille, elle, à la maison !" Telle fut la réaction de ce tyran notre père !… Tiens ! s'interrompt Yeshayahou en apercevant Zef Zimmerstein un peu plus loin sous les arbres. Plus tard, ajoute-t-il hâtivement, je vous dirai comment eut lieu la révolte des fils… ou si vous voulez comment ma "sœur" redevint mon frère, et comment surtout nous apprîmes que nous étions jumeaux, de vrais jumeaux et non, comme l'insinuent certains amis d'Eva, de faux jumeaux.

— Quoi que vous raconte Yeshayahou, ne le croyez pas, intervient joyeusement Zef Zimmerstein.

— Que vous disais-je ? Voilà quels sont les amis d'Eva et quels sont mes amis ! Sous prétexte que nous avons tous accepté de falsifier nos conclusions au sujet du désastre, nous serions tous voués au doute quant au reste de nos comportements. Comme tous ceux qui vivent écrasés par les jeux de domination, notre parler nous échappe en quelque sorte, nous sommes pris à la gorge par la rhétorique falsificatrice. Mais attention ! Ce n'est pas parce que nous dévions sur un mode – appelons-le social – que nous nous parjurons pour le reste. Quand il m'arrive de m'épancher, poursuit Yeshayahou, j'abandonne l'organisation du temps social pour le plaisir organique d'offrir mon visage complètement nu, oui, sans ce masque social interchangeable du membre de la mission internationale humilié par le devoir de réserve. Avouez, Zef, qu'*ils* nous ont rendus étrangers à nous-mêmes, que nous ne sommes plus en paix avec nous-mêmes. Aucun des membres de la mission ! Pas plus vous que moi ou Eva ou Tania !

— Mais qui demande à être en paix avec lui-même ? Si nous avions vraiment tenu à être en paix avec nous-mêmes, dit Zef Zimmerstein, nous nous serions refusés à entrer dans ce qu'on appelle l'âge adulte. Tout à l'heure je me trouvais avec deux physiciens anglais appartenant à notre mission. Comme ils venaient de faire des mesures aux abords immédiats de la Centrale, je leur posai la question qui nous préoccupe tous : "Alors ?" leur ai-je dit. "Alors rien !" m'ont-ils répondu. "Je suis le biologiste Zef Zimmerstein, nous faisons tous partie de la même mission, votre «Alors rien !» me terrifie, me navre et m'humilie. Votre «rien», s'ajoutant à tous les «rien» que chacun de nous est tenu de produire, dessine une figure dont l'ironie décontractée est proprement diabolique. Donc, même entre nous, les membres de la mission, ai-je insisté, dit Zef Zimmerstein, nous nous plions au *devoir de mensonge* ! Donc nous n'aurons jamais une vision globale du grand malheur qui nous frappe. Vos appareils ne parlant que pour vous, les miens que pour moi, ceux des médecins, des pédiatres, des entomologistes, des spécialistes de toutes les disciplines convoqués sur ce site, qu'à ceux qui en connaissent les langages codés, démontrent que nous sommes tous arrivés au pire des consensus : celui du silence que permet la fragmentation des responsabilités." Les physiciens anglais avaient ri, me trouvant infantile et inconvenant par le ton de sincère exaspération que j'y avais mis. "Que les conséquences de l'accident se lisent pour vous en nombres purs, isolés de leurs catastrophiques effets sur la matière organique, ne vous place pas au-dessus des lois de la vie et de la mort. Je suis biologiste, leur ai-je redit, vos chiffres ne peuvent rester isolés des miens. Savez-vous ce qui se passe dans les sous-sols de la Cité Potemkine ? Des enfants naissent avec des malformations horribles. Certains même montreraient des signes de régression qui laisseraient penser que ce que vous calculez en codes spécifiques se traduit en langage biologique *jusqu'à un certain point*... ensuite nous n'avons plus ni les mots ni les concepts, même pour donner forme au processus d'abominable recul déclenché par l'enfoncement du cœur de la Centrale." Ce que je venais de leur dire ne les avait en rien troublés. "Nous sommes physiciens. Désolés !" Voilà quelle fut leur réponse. Et ils me tournèrent le dos. Je les avais rattrapés alors qu'ils s'éloignaient dans le verger côté sud de la Centrale, et je leur avais lancé : "Votre tolérance est criminelle ! Vous manquez d'esprit de jeunesse !" Une telle accusation est généralement blessante, surtout aujourd'hui, puisque toute approche des sciences se doit d'être "jeune", "dynamique", "innovante". Mais j'oubliais qu'ils étaient anglais et que pour eux l'esprit conservateur est un signe de profonde adéquation au monde. "Les molécules organiques qui ont autorisé l'éclosion de la vie sont composées d'atomes lourds dont les noyaux ont été synthétisés au cours des phases avancées de l'évolution stellaire. L'homme ne pouvait donc voir le jour que dans un Univers suffisamment vieux, ensemencé par l'explosion des supernovae." Qu'est-ce que vous en dites ? N'est-ce pas la réponse oblique attendue ? Je pense qu'ils se moquaient de moi, de l'homme déstabilisé psychiquement qu'ils n'avaient pas pu ne pas détecter en moi.

— Vous un homme déstabilisé psychiquement, moi un jumeau affublé d'une moitié morte... dit Yeshayahou. Je jubile ! Voilà une association de faussaires bien savoureuse ! Ce sont des *humanistes*, ils représentent ce que les sciences ont réussi de mieux, de plus lucide et de plus astucieux comme paradigme d'une espèce dont la supériorité n'a trouvé jusqu'à présent aucune intelligence extérieure à la sienne pour la remettre en question... et de quoi se préoccupent ces *humanistes* ? De savoir si un tel d'entre eux est un demi-homme pour avoir perdu son jumeau, si un tel autre des membres de cette association, au bout du compte malfaisante, est un déstabilisé psychique ou simplement un homme rendu inquiet par un secret qu'il porte en permanence...

— Ah ! s'écrie Zef Zimmerstein, n'en dites pas plus, non, non !

— Tous ces représentants des sciences modernes se surveillent, écoutent aux portes... pour savoir quoi ? Qui couche dans le lit de qui. Là est *la* question, et reconnaissez qu'elle passe toute autre.

— Allons, Yeshayahou, ne soyez pas venimeux ! Je reconnais que *la* question dont vous venez de crier le *la* sur une note discordante terriblement désagréable aux tympans, oui, je reconnais qu'il est heureux qu'elle passe encore avant les autres. Le jour où personne n'intéressera personne et que nul ne partagera le lit de personne... Voilà qu'il s'en est allé fâché ! Eh bien, continuons sans lui notre promenade, voulez-vous, poursuit Zef Zimmerstein en *nous* entraînant plus avant à travers le verger fleuri. Yeshayahou est d'une susceptibilité vraiment agaçante. En tout ce qui touche Eva, son frère jumeau, et surtout lui-même, pas question de se poser de questions ! Et pourtant ! Avouez vous-même que *la* question du oui ou non, de l'avant et du présent, du moment, du comment, du vraiment au sujet du géologue et de l'entomologiste vous paraît tout aussi essentielle que de savoir à combien de degrés en est aujourd'hui le cœur de la Centrale. L'ironie et la tolérance se trouvent obligatoirement accouplées lorsqu'il est question de *la* question du qui avec qui, du quand et du vraiment ? du comment ? du où ? et tout le reste. A côté de l'anxiété que provoquent ces sortes de suppositions, le "pourquoi sommes-nous là" paraît usé, rabâché, sans réelle profondeur. Qu'aujourd'hui il se trouve encore des esprits assez simples pour s'inquiéter de cet absurde mystère m'étonne. Pascal, je veux bien ! Mais nous ! Non, sérieusement, assez de la question fondamentale ! Assez du panier sans fond de la question fondamentale ! Le "qui est avec qui ?", cette interrogation qui dit-on donnait des insomnies à ce couple de philosophes français dont la pensée disjonctait bizarrement sur la question du sexe et du "qui est avec qui ?", c'est indubitablement existentiel, poursuit Zef Zimmerstein avec un certain agacement.

Il s'arrête, *nous* désigne la Centrale d'où s'échappent des fumées rougeâtres maintenant.

— Rien de plus plat et ennuyeux que la réponse de nos physiciens à la douloureuse et naïve question de Pascal : *Parce que les particules de même type sont identiques, nous sommes là...* ou *Parce que les constantes sont ajustées, nous sommes là... Parce que l'Univers a trois dimensions au lieu de onze possibles... Parce que l'Univers est grand... Que l'Univers est isotrope et non anisotrope...* etc. Voilà ce qu'ils répondent au fantôme de Pascal lorsqu'il nous visite. Mais pour tous, la question essentielle reste toujours le "qui est avec qui ?", que ce soit dans les mythes archaïques ou dans nos insipides romans. Donc inquiétons-nous : Yeshayahou et Eva ? Ce qui s'était consommé avant qu'elle ne rencontre le sismologue, l'ont-ils re-consommé depuis sa mort ? Bien sûr, je m'interroge : Yeshayahou et son frère jumeau étaient-ils ou n'étaient-ils pas monozygotes ? En physique, vous avez des particules de même type, identiques comme justement le sont les jumeaux monozygotes. En aucun cas ces particules ne peuvent occuper le même état quantique et surtout se trouver au même endroit… Excusez ces détails mais sachez que la transgression de cette loi élémentaire aboutirait à une altération des noyaux constitutifs des êtres vivants. Et même, peut-être, la formation de ces noyaux serait-elle irréalisable… donc pas de vie sans interactions nucléaires ! Pas de cellules, puisque pas de noyaux ! Sachez que le biologiste reste extrêmement vigilant en tout ce qui concerne la physique car en l'absence de la force électromagnétique, le métabolisme dont les tissus des organismes vivants sont le principe visible, palpable, réconfortant, ne pourrait être assuré. Ces deux physiciens anglais, en pratiquant la rétention des informations, entravent mon travail au sein de notre mission : "Vous sabotez ma réflexion, leur ai-je dit un peu plus tard, les rencontrant dans le hall d'accueil de la Centrale, poursuit Zef Zimmerstein, le principe anthropique fait que certaines implications des théories physiques sont nécessaires aux processus biologiques, et vous n'ignorez pas que sans la mécanique quantique qui orchestre les réactions entre les particules, l'hémoglobine serait incapable de transporter l'oxygène. – Si la biologie est concernée par la physique, cela vous regarde, ont-ils répondu, nous autres physiciens nous n'avons que faire de l'homme ! – Mais sans nous, rien ! me suis-je exclamé avec colère, sans nous personne, pour entendre la musique de l'Enigme ! – L'Univers n'a besoin ni de vous ni de nous !" avaient répondu les deux Anglais en me quittant pour aller se restaurer… Excusez-moi pour cette digression, non, non ! n'ayez crainte, je ne vous ferai pas subir davantage la cuisine où se mélange la soupe nucléaire et biologique ! La frontière entre le vivant et disons l'électrique est, à la limite, incernable. Et j'aurais envie de crier à ces deux physiciens, volontairement retirés dans leur spécialité, cette phrase d'un vieil astrophysicien : "Mais ne vous rendez-vous pas compte qu'en inventant l'homme l'Univers avait envie de prendre conscience de lui-même ?"…

Zef Zimmerstein ajoute en détachant les mots :

— Il n'est pas exclu, en effet, qu'à mesure de l'avance de notre pensée nous *n'inventions* la réalité sensible… Un peu comme le romancier qui lentement absorbé par son ouvrage s'éprend de ses propres fantaisies au point de les faire coïncider entre elles en les soumettant peu à peu à un plan général qu'il ne cesse de modifier.

III

— Vous comprenez maintenant que mon regard sur le géologue, et le sismologue son jumeau, manque de liberté car à aucun moment je ne peux oublier les principes physiques dont je viens de vous parler. Comme pour les particules, la loi d'exclusion joue-t-elle ? me dis-je en collant mon œil à la serrure pour observer le comportement d'Eva Mada-Göttinger vis-à-vis de Yeshayahou Fridmann redevenu *un* depuis la mort de son frère. Si nos jumeaux avaient vraiment été monozygotes, ils n'auraient pu aimer la même femme. Que Yeshayahou ait précédé son frère auprès d'Eva… et, selon la volonté de ce frère, lui succède peut-être et même sûrement, complique leur roman tout en me persuadant que ne pouvant aller contre la loi de l'Univers, ces jumeaux n'étaient que de faux jumeaux… Et pourquoi pas sœur et frère, vraiment ? Là est peut-être leur secret véritable ? Ainsi, tout en poursuivant mon enquête sur les conséquences désastreuses de l'enfoncement du cœur de la Centrale, je m'amuse à suivre les tensions qui agitent Eva, Yeshayahou et ce terrible fantôme qu'est *l'autre*, ce frère mort, ce double dont l'absence ne fait qu'être plus présente à mesure que Yeshayahou prend conscience de l'attirance répugnée qu'il exerce sur Eva.

Vous avez remarqué combien elle souffre de chacune de ses apparitions ? Il la poursuit à travers les vergers sans se rendre compte qu'il est pour elle comme le spectre horriblement charnel de son jumeau dont elle s'efforce de conserver intacte l'image. Son aspect brouille l'image de son double qu'elle refuse comme son double. A la lettre, *elle ne peut le voir !* Et plus il impose son image et gomme son frère, plus elle le déteste... et va le haïr si les choses suivent leur cours "romanesque". Un jour elle sortira un petit revolver pas plus grand qu'un briquet, et brûlera la cervelle, comme on dit, du double importun... "Comprenez, Zef, m'a-t-elle dit dernièrement, je ressens, avec Yeshayahou, un glissement dans ma perception du temps, une superposition momentanée du passé sur le présent qui m'obligent à une *reconnaissance...* que tout en moi refuse. Et pourtant, ce qui me trouble et me rend incertaine, c'est que depuis la mort de son frère, Yeshayahou me donne une épouvantable impression de familiarité." Cette confidence d'Eva, poursuit Zef Zimmerstein, m'avait intrigué et je suspendais mon souffle, me gardant bien de l'interroger. "Ce serait comme deux images superposées qui, bien qu'identiques, ne colleraient pas exactement. Pourtant c'est la même voix, les mêmes façons, le même sourire... et, de plus, la même sorte de coiffure adoptée depuis..." avait-elle ajouté d'une voix où il m'avait semblé percevoir une terrible tristesse. Comment savoir ce qui se passe vraiment ? Qu'une femme et un homme se cherchent sans se trouver, rien de plus banal et même de naturel ! S'il n'y a ni amour ni haine on peut dire que ce sont les sédiments de notre histoire biologique qui fermentent, créant une sorte d'alcool légèrement enivrant, une anesthésie permettant le contact sans coup de griffes ni morsures. Mais quand s'y mêlent les larmes, le vouloir et le non-vouloir, nous pouvons spéculer, coller notre œil à la serrure, écouter aux portes et poser la question essentielle : "Couchent-ils ensemble ?" que posait à propos des êtres ce couple de philosophes français en lutte contre le Néant.

Nous approchons maintenant des fermes abandonnées près desquelles *nous* étions déjà venu avec Tania Slansk.

— Voyez ces fermes aux portes et aux fenêtres clouées ! Là, dans des trous creusés sous les granges et les étables démolies, se cachent ces gens que l'on appelle les "revenants". Je sais que Tania vous a conduit ici et qu'elle vous a parlé de ces hommes et ces femmes ainsi que de leur progéniture ni tout à fait enfants ni tout à fait lézards… Eh bien, hier, à la tombée de la nuit, il s'est passé autour de ces fermes et dans ces fourrés une sorte de *massacre des innocents…* sauf qu'au lieu d'être massacrés, ces petits monstres ont été arrachés à leurs mères. *Ils* les ont tous raflés ! Et nous qui espérions approcher ces enfants-lézards non répertoriés par les services médicaux de la Cité Potemkine ! Voyez ces quelques silhouettes qui errent sous les arbres fleuris ; ne bougeons surtout pas ! Si nous étions aperçus, à l'instant vous les verriez plonger dans leurs terriers. Tania Slansk nous avait avisés de ses contacts avec cette population clandestine retournée quasiment à l'état sauvage. Nini l'anatomiste et moi-même nous projetions, avec l'aide de Tania, d'entrer en pourparlers avec ces gens pour obtenir, contre de la nourriture, des couvertures et quelques médicaments, un de ces enfants-lézards échappés à la vigilance des services médicaux spéciaux… Mais *ils* nous ont pris de vitesse. Que les enfants-lézards nés dans les sous-sols de la Cité dite heureuse soient étudiés, dressés, observés nuit et jour dans les caves suréclairées des blocs de surveillance médicale, acceptons-le… Ce qui nous exaspère en tant que scientifiques, c'est qu'*ils* nous aient barré toute possibilité d'approcher un de ces petits monstres. Nous avions dit à Tania : "Si au moins vous pouviez nous procurer un de ces enfants-lézards morts. – Il n'en est pas question ! nous avait-elle crié. Qu'au moins ces enfants-là soient enterrés sans passer par vos horribles dissections ! Il suffit de l'œil frontal qu'inexplicablement *on* vous a fait parvenir il y a quelques jours !" Voilà quelle fut la réaction de Tania. Et en même temps je me posais la question : Que se passe-t-il entre elle et Nini ? Et je me répondais : Elle l'aime… et hait l'anatomiste. Bien qu'ils aient mené ensemble certaines recherches, elle refuse l'anatomiste, tout en étant terriblement attirée par sa canaillerie masculine proprement italienne. Cette métamorphose des enfants, bien que catastrophique, réjouit le scientifique. Si encore cette métamorphose était stabilisée ! Mais quelle jubilation que d'une naissance à l'autre, et à mesure que les effets des rayonnements se prolongent et pénètrent les habitants de la Cité dite heureuse, leurs enfants ressemblent de moins en moins à des enfants et de plus en plus à nos lointains ancêtres dont les paléontologues retrouvent des fragments pétrifiés dans les strates datant de deux cents, trois cents et même cinq cents millions d'années avant notre ère ! Désolante… mais régression bienvenue qui devrait nous permettre de feuilleter à rebours le livre de l'évolution. Comme la Cité Potemkine ne manquera jamais de mères contaminées, cette régression, à mesure des naissances, devrait offrir au biologiste ainsi qu'à l'anatomiste de précieux spécimens que seules les couches géologiques archaïques livraient de temps en temps avec une parcimonie qui exaspérait les paléontologues, tout en leur permettant de faire fonctionner la créativité virtuelle de leurs appareils à restituer les formes à jamais perdues de la vie. A vrai dire, que nous importe l'aspect de ces nouveau-nés, leur nombre de doigts ou l'étrange dessin de leur colonne vertébrale, ce qui nous intéresse, Nini et moi, ce sont les cellules, c'est de *descendre* de palier en palier au plus profond de la structure qui constitue ces chairs, ces organes pour comprendre, oui, comprendre et ainsi assouvir l'ignominie de notre curiosité. Que cherchons-nous au fond de ces viandes réduites en lamelles de quelques microns d'épaisseur ? Ce que cherchent les physiciens dans les mines abandonnées que visitent de temps en temps quelques rares mésons. Ce que cherchent les astrophysiciens en décryptant les photographies transmises par leurs télescopes satellisés. L'incompréhensible, voilà ce que nous cherchons, oui l'incompréhensible ! Ce mur absolu devant lequel enfin nous agenouiller et reconnaître que là, derrière ce mur, *Il* se cache… bien que nous sachions que derrière ce mur absolu, cette limite extrême permise à l'appréhension de nos sens, il n'y a rien… ou *tout* ! et que *ça* continue ainsi de suite à l'infini, à jamais, à perpétuité, pour toujours. Alors, fouillant les chairs mises à nu par Nini, nous nous rabattons sur les vestiges laissés par l'accession des rudiments du "moi" à la perception et à la forme intelligible de cette perception. Mais ce n'est que l'alibi du fouilleur de cadavre qui à vrai dire ne fouille que pour fouiller et qui souhaiterait, sans l'avouer, pratiquer la vivisection sur de l'humain… ce qu'il a réussi dans certains lieux et en certains temps… ou parfois aujourd'hui en prélevant plus ou moins clandestinement et en transplantant des organes arrachés à bas prix dans quelque pays lointain. Je le sais, d'en parler est de mauvais goût mais cependant n'est-il pas admirable que butant contre le mur derrière lequel se cache la satanique divinité… l'innommable divinité !… nous ayons encore en nous presque intacts les réflexes moraux légués par quelques ancêtres crédules et rêveurs. Enfin, la recherche scientifique nous permet de nous débarrasser de ces réflexes en unissant de nouveau ce que notre conscience avait divisé artificiellement en bien et en mal. "Ces enfants-lézards dont nous a parlé Tania, m'a dit Nini, devraient nous permettre, sans *états d'âme*, de poursuivre nos recherches anatomiques et biologiques à même le vivant comme nous le pratiquons communément sur les chats, les chiens… ou les singes de laboratoire. Les animaux sont des machines, disait Descartes, et les machines ne souffrent pas. La souffrance n'existe pas en soi. Seule la conscience donne un sens à la souffrance. La douleur sans la pensée et les mots pour la nommer, n'est rien d'autre que réflexe électrique." Voilà ce que m'a dit Nini dans son impatience à mettre la main sur un des enfants-lézards découverts par Tania au fond des vergers abandonnés entourant la Centrale ! "Tant que nous n'en tiendrons pas un, avait-il ajouté, nous ne saurons pas si ces enfants sont encore humains et déjà lézards ou s'ils ne sont plus humains donc redevenus des *machines*. Et ça, seule la vivisection nous permettrait d'effectuer le partage entre souffrance intelligente et réflexe." Ne soyez pas choqué par la netteté du langage de ce jeune Italien. La nouvelle génération de chercheurs ne s'embarrasse pas plus de la liberté que des contraintes, poursuit Zef Zimmerstein. Les nouveaux arrivants dans nos disciplines sont indisciplinés, inventifs, sans ce que l'on appelait les scrupules humanistes, ils sont neufs, impatients et savent que les résultats, s'ils ne font du bruit, n'ont aucun risque d'être comptabilisés. Nous sommes sortis de l'ère du secret. Le magicien travaille en pleine lumière, sous le regard de millions de spectateurs. Les scrupules, la honte de certaines pratiques faisaient partie de *l'avant*, ou si vous préférez de cette civilisation morte que nous avons quittée sans encore le savoir puisque nous mélangeons civilisation et culture. Nini, Tania et la masse de jeunes chercheurs qui se pressent aux portes de nos laboratoires sont très astucieux, ils ont de la culture... mais ne sont absolument pas cultivés, comprenez-vous, continue Zimmerstein, je vous assure ils ne sont pas du tout cultivés, ils ne sont absolument pas civilisés, ce sont de merveilleux petits goinfres plus près du lézard par leur fringale de succès que de cette stupide idée que nous nous faisons de "l'homme"... bien que *dans certaines circonstances* des biologistes et des anatomistes ne se fussent pas embarrassés de scrupules pour user du matériel humain avec la même froideur que nous autres aujourd'hui usons du matériel animal. Il avait suffi d'entasser ce matériel humain de telle sorte qu'il perde, aussi bien par le nombre que par les effets de la déchéance qui en résulte obligatoirement, ce qu'on avait mis des siècles à nommer la "dignité humaine". Ce matériel humain, bien que s'efforçant de rester digne intérieurement, à force d'être traité en bêtes en avait forcément retrouvé l'aspect et les primitives terreurs. Au fond, ce que l'Ordre des bourreaux avait mis en place volontairement, je dirais presque philosophiquement, est aujourd'hui en train de se faire de soi-même pourrait-on dire au grand jour, avec l'assentiment de tous. Oui, nous travaillons à vue ! A quoi bon le secret quand exhiber un enfant-lézard par exemple, le disséquer vif passionnerait l'ensemble de la planète pour peu que l'on approche suffisamment l'objectif.

Il hésite :

— Ne croyez pas que je sois amer, dit encore Zef Zimmerstein, seulement lucide ! Comme il m'a été permis de constater, à même le site, ce que je nommerais la déconstruction biologique... ou si vous préférez le ré-enroulement de l'évolution – ainsi que Yeshayahou avait eu l'heureuse idée de définir cette régression éclair à laquelle nous assistons – je constate avec une méchante jubilation la dé-évolution, ou pour mieux dire la bifurcation proche de la sénilité d'une civilisation qui confond mémoire avec culture immédiate de l'ensemble des signes appartenant au fonds collectif mis à la portée de tous par nos moyens de divulgation. Avez-vous remarqué que Nini ne quitte pas son T-shirt orné d'une reproduction des deux angelots de Raphaël ? Voilà où s'est logée la culture ! Pourtant c'est un des plus brillants anatomistes de la jeune génération, et je suis irrésistiblement entraîné dans son sillage, moi le vieux biologiste ! Croyez-moi, le vieux biologiste que je suis, revenu de tout, l'homme ayant non seulement *tout* perdu mais de plus ayant accompli un acte d'une régression inouïe dont il faudra bien qu'un jour je trouve le moyen de me décharger sur… oui, l'homme perdu que je suis se réjouit cependant d'être encore accepté comme partenaire par ces produits de la décivilisation que sont nos jeunes chercheurs sans scrupules… Venez, contournons la Centrale, voulez-vous ? Il faut le reconnaître, l'idée d'utiliser le surplus d'énergie fournie par la fusion pour transformer le climat de ces steppes, où rien d'autre ne poussait que de maigres bouleaux, avait de quoi séduire. En quelques années ces plaines, ces collines parcourues jusque-là par les ours et les lynx, se sont couvertes d'arbres fruitiers, de champs et de jardins potagers. N'était-ce pas hautement astucieux de porter à des dizaines de millions de degrés un plasma de deutérium et de tritium, ces deux isotopes de l'hydrogène, pour en dégager, par la formation d'hélium, une énergie tellement excessive que même nos physiciens se prirent à rêver de l'Eden. On déroule en quelque sorte un tapis de fleurs… dont les poisons détraquent l'abeille et transmuent les nouveau-nés en d'effrayants petits reptiles. Chaque pas à travers cet Eden nous rapproche de la mort… bien qu'on s'acharne à vous prouver que les doses absorbées par vos os, votre thyroïde, vos cellules, *ne mettraient pas en danger une mouche* pour peu qu'elle ne se pose pas trop longtemps au même endroit. Voilà pourquoi les hôtesses multilingues postées dans le hall d'accueil vous invitent à aller de droite et de gauche dans les vergers… sans cependant vous asseoir dans l'herbe et, autant que possible, sans respirer de trop près les fleurs, etc. Ridicules consignes ! Croyez-moi, continue avec un étrange enjouement Zef Zimmerstein, nous sommes gorgés de radiations mais comme ce sera le sort commun, et un des signes secrets de l'Eden, nous devons absorber les capsules d'iode que nous trouvons mêlées aux "collations" servies à toute heure de la nuit et du jour au troisième étage du bâtiment d'accueil. Il y a le poison et le contrepoison. "Là où il y a poison, la nature a dissimulé le contrepoison, il suffit d'être assez astucieux pour le reconnaître et s'en servir." Voilà la version barbare, le conte d'un symbolisme inefficace aujourd'hui ! Mithridate n'a que faire dans cet Eden où les champignons vénéneux et le laurier recèlent un tout autre poison que celui qui leur donna une place dans nos mémoires ! *Abandonnez les mots, oubliez ! car ici commence une autre histoire !* Telle devrait s'inscrire la recommandation à l'entrée de la Cité Potemkine et de l'immense territoire dont les limites ne cesseront de s'étendre jusqu'à recouvrir la Terre entière ! "Que nos mots se consument au terrible feu tombé du Ciel !" ai-je dit, plaisantant plus ou moins, à Eva, ce matin, alors que je la croisais dans un rayon de soleil. Penchée sur une haie d'aubépine en fleur elle capturait, comme d'habitude, d'affreux insectes. Mon bonjour sembla hautement lui déplaire. "Laissez donc votre jargon ridiculisant les Ecritures, Zef", m'avait-elle répondu. Et, en effet, combien Eva avait raison ! Même nos vieux mots, si on voulait se risquer à les utiliser pour qualifier la catastrophe présente, sont superflus. Jusqu'ici ils pouvaient couvrir toutes les situations. Et les voilà tout juste bons à plaisanter. Maintenant seule la formalisation mathématique peut *dire.* Plus d'explication verbale ! Notre vieil alphabet ?... qu'il se consume au terrible feu tombé du Ciel ! C'est pourquoi, continue Zef Zimmerstein, les physiciens anglais se sont refusés à tout dialogue avec moi. A quoi bon essayer de communiquer par-dessus la grande faille qui s'élargit à vue entre les hommes ? "Regardez, m'a dit Eva, en me montrant une araignée, figurez-vous, Zef, que cette épeire a perdu le sens de la satiété. Cette haie d'aubépine toute scintillante de gouttes de rosée retenues par les fils d'innombrables toiles tissées par les épeires, est devenue un lieu d'horreur. Oui, figurez-vous que ces araignées meurent de faim tout en ne cessant de dévorer des quantités énormes d'insectes diminués par les radiations au point de ne plus *savoir* quel danger représentent toutes ces toiles tendues entre les fleurs. Que pensez-vous, Zef, d'une telle abomination ? – Si c'étaient des hommes, lui ai-je répondu, en tant que biologiste je vous dirais que leur centre de la faim et leur centre de la satiété sont détruits et que leur hypothalamus serait passionnant à étudier. Mais des araignées... Seraient-ce au moins des rats, des chats... des singes, ou de bons gros chiens ! Seraient-ce de ces enfants-lézards que l'on nous cache avec tant de soin ! Que voulez-vous que je vous dise d'une araignée ?..." Si je vous rapporte cette conversation avec Eva, ce n'est pas pour vous faire sourire mais pour vous faire comprendre que le mal émanant de la Centrale détruite ne peut se saisir globalement. De tous côtés il se manifeste par fragments. Là c'est un pétale de fleur qui se déplie étrangement, là ce sera un campagnol présentant des aberrations incompréhensibles, là des yeux frontaux sur des nouveau-nés humains dont on laisse entendre qu'ils seraient trop "abominables" pour être livrés à l'exploration scientifique… Alors, une colonie d'épeires tissant leurs toiles sur des buissons d'aubépine "scintillants de rosée", que voulez-vous que cela nous fasse ?

IV

— Voilà justement Eva Mada-Göttinger ! dit Zef Zimmerstein. Je parlais de vos épeires et des mutations que vous avez relevées dans leur comportement.

— Je ne cesse de constater d'étranges modifications, soit dans l'aspect de la plupart des insectes de ces vergers, soit dans leurs habitudes. Il est certain que les épeires dont les soies ont envahi les buissons d'aubépine ont été irradiées dans ce qu'on appelle le centre de la satiété. Certaines de ces araignées que j'ai capturées sont épouvantablement obèses et c'est à peine si leur toile pouvait les soutenir, dit Eva. En les voyant, tout à l'heure, Nini m'a demandé si les entomologistes avaient détecté chez les insectes un centre de la satiété ou, ce qui revient à peu près au même, un centre de la faim. Comme vous, Zef, il s'est posé cette question. “Chez l'homme, m'a-t-il dit, ainsi que chez l'ensemble des vertébrés, nous avons repéré dans l'hypothalamus le centre de la satiété et, à un millimètre environ de ce centre, le centre de la faim. Si l'on détruit ces informateurs, l'animal… car jusqu'à présent nous n'avons risqué cette expérience que sur des singes…”

— Ah, Eva ! crie presque Zef Zimmerstein. Excusez-moi ! Ne parlons pas de singes, je vous en supplie !

— "Si l'on détruit ces informateurs, m'a dit Nini, poursuit Eva, le sujet devient soit obèse comme votre épeire, soit il meurt de faim sans pour cela avoir ressenti le manque de nourriture…" Il y a chez Nini quelque chose qui me repousse, continue Eva, et je ne comprends pas comment Tania Slansk – qu'il nomme la Slansk – a pu se lier à lui non seulement par des recherches communes mais sentimentalement.

— Sentimentalement ? J'en doute, l'interrompt Zimmerstein.

— Alors, appelez cela comme vous voulez ! Je sais que vous aussi, Zef, vos recherches sont étroitement mêlées à celles de Nini.

— Nous sommes en effet liés par… la dissection. Lui serait presque un artiste du microscope électronique. Avez-vous vu ses photos réalisées au laboratoire d'anatomie de Vérone ? Ce sont de véritables "tableaux" qui vous feraient oublier, par les couleurs précieuses du labyrinthe des cavités du corps humain, l'horrible condition de putrescibilité qui est la nôtre. Baudelaire l'a *dit* ! Nos moyens modernes pour saisir l'"irréalité" du réel le démontrent encore mieux par des images que nous ne savons comment classer. Ce serait faire preuve d'arbitraire que de dissocier *beauté* et *utilité* dans le cas de ces visions saisies à l'intérieur de nos organes. Il est *utile* de savoir que, grossie quelques centaines de fois, la fovéa, par exemple, située au centre de la rétine, révèle une dépression innervée dont la somptuosité de formes et de couleurs rejoint…

— Ah non ! l'interrompt Eva, ne comparez pas cela à de l'art !

— Avez-vous vu une glande gastrique grossie huit ou neuf cents fois ? Non seulement il nous est utile de la savoir ainsi faite mais de plus, qu'elle soit *belle*, que nous soyons capables de la qualifier de *belle*, nous place, nous autres hommes, sur ce plan supérieur que nous ne cessons de revendiquer dans le grand désordre du vivant. Le carnassier humain s'arrête un instant de dépecer, et dit : "Comme cela est beau !" N'en sommes-nous pas sauvés ?

— Yeshayahou vous dira ce que son frère pensait de la musique accompagnant les exécutions dans ces lieux innommables où la mort planifiée, au bord des fosses remplies de corps humains en putréfaction, finissait par s'inscrire dans un rituel dont la *beauté*, prétendaient les bourreaux, n'était pas absente puisque la musique n'en était pas absente. L'*Hymne à la joie*, vous le savez bien, Zef, nous poursuivra jusqu'en Enfer !

— Vous voulez dire…

— Vous savez combien le frère de Yeshayahou adorait, oui, vouait un véritable culte à la musique… "Et pourtant, disait-il, la musique, par son inclassable «beauté», par son côté «divin», rachète terriblement trop l'infâme bête humaine." Oui, voilà ce qu'il disait tout en se prosternant devant la musique ! "Pourquoi la musique est-elle musique et non pas seulement sons ?" disait-il aussi, alors que nous observions ensemble de quelle complexité sont les nerfs auditifs des arctiides, ou si vous préférez ces papillons nocturnes qui *jouent* une bien étrange partition avec les chauves-souris – et cela depuis des temps immémoriaux. "Ce *jeu*, avait-il dit encore, entre celui qui produit un son et celui qui le reçoit, est-ce cela la musique ? Mais alors, comment les musiciens de l'orchestre de condamnés, en tenue rayée, *jouant* l'*Hymne à la joie* au bord de la fosse où agonisaient leurs proches, leurs enfants peut-être, en tout cas leurs compagnons, pouvaient-ils percevoir ces sons comme vecteurs de *beauté*, unissant leur sensibilité musicale à la sensibilité musicale de ceux qui abattaient, à la chaîne sans recul de cette sensibilité, indifféremment, femmes et enfants, enfants et hommes, hommes, femmes et enfants ? Insupportable paradoxe", avait insisté cet homme que j'ai tellement aimé et que j'adore encore, malgré son vœu d'oubli, poursuit Eva d'une voix lente et désolée. "Abominable paradoxe", répétait-il, sachant bien que sa question resterait à jamais sans réponse et que d'autres crimes semblables quant à leurs mécanismes se perpétueraient sous d'autres formes, appuyés sur d'autres pensées… mais forcément semblables, évidemment semblables puisque humains !

— Eva, revenez à nous ! crie presque Zef Zimmerstein.

— Mais justement ! Comment garder un regard "juste" sur nous, tels que nous sommes plongés dans ce nouveau paradoxe qu'est notre présence au sein de la mission ? Comment nous situer, nous qui savons et qui sommes ici pour produire un diagnostic mensonger sur cette lèpre qui frappe non seulement l'humanité mais la vision que l'humanité s'était faite…

— De son avenir ?

— Non ! De ses possibles ! de ce qu'elle ne savait pas d'elle-même, comprenez-vous, Zef ? De se savoir dans un univers que l'humanité aurait compris, enfin ! *De se savoir !…* Jamais je ne guérirai de la mort du frère jumeau de Yeshayahou ! Yeshayahou le sait, et de cela je souffre insupportablement, ajoute Eva, changeant sans raison de sujet. Vous qui l'avez bien connu, vous qui par vos jeux de mots et votre goût du paradoxe saviez le distraire de ses idées, qu'aurait-il fait dans la situation où nous nous trouvons ? Auriez-vous plaisanté ensemble au sujet du rapport mensonger que l'on attend de nous ? Qu'aurait-il dit des enfants-lézards ? Croyez-vous qu'il aurait supporté les paroles de Nini réclamant sans aucune gêne un cadavre d'enfant Polyphème pour non seulement le disséquer mais aussi en tirer de belles images ? Et vous-même, Zef, auriez-vous tenu avec lui le même discours qu'avec moi ou Yeshayahou ?

— Je vous répondrai par ce vers célèbre que Rilke avait lancé aux Anges : "Qui, si je criais, qui donc entendrait mon cri parmi les hiérarchies des Anges ?" Souvenez-vous ! Comme *il* aimait ce vers…

— "Et cela serait-il, même, et que… l'un d'eux soudain me prenne sur son cœur : trop forte serait sa présence et j'y succomberais", cite à son tour Eva ne retenant pas ses larmes. Oh, Zef, Zef ! Quelle torture pour moi, ces vers ! Savez-vous que, parmi les physiciens faisant partie de notre mission internationale, certains croient à cette protection promise, à cette présence, ce fluide indétectable comme le serait en quelque sorte l'antimatière ? Ce halo de nuit bénéfique, une onde douce et d'une totale compréhension doublant nos gestes, renforçant notre présence – cela notre vrai moi ? Toute mort, toute survie à nos morts, laissant derrière elles la paix du néant, nous plongent dans l'effroi d'être encore là, de survivre, alors que tout en nous tendrait au désir d'accompagnement. Sans ces papillons d'or qu'il avait dissimulés parmi ses papiers, sans l'injonction qu'ils représentent, m'obligeant à vivre malgré… m'obligeant à me plier à ce souhait posthume, j'aurais depuis longtemps recherché l'étreinte de l'Ange, la trop forte étreinte dont parle Rilke… et j'y aurais succombé…

— Nous sommes là, Eva, avec vous ! Et nous nous heurtons aux facettes d'un même cristal, l'interrompt Zef Zimmerstein d'une voix embarrassée.

— C'est cette ressemblance !… Si encore Yeshayahou ne lui ressemblait pas ! Si cette ressemblance ne créait pas autour du jumeau restant un halo continuel ! Yeshayahou disparaît, effacé par cette lumière irradiante… et je me dis : Ah, il est là, l'Ange ! Ah, le voilà ! Qu'il m'étreigne, que je meure !

Elle saisit une branche fleurie et la brise.

— Avez-vous jamais regardé de près une fleur de pommier ? Ces étamines, ce pistil, ces pétales bordés de rose tendre ? Vous est-il arrivé de faire l'effort *d'oublier* momentanément les mots qui disent la fleur, la détaillent, la transmuent en signes lexicaux pour l'inclure dans des séries de constructions grammaticales, oui, vous est-il arrivé d'être pris d'une sorte d'amnésie qui vous ferait découvrir soudain entre vos doigts une chose tremblante, fragile, sans signification… et voilà que vos doigts aussi vous les voyez *pour la première fois* : et vous êtes soudain glacé d'effroi car la chaîne des significations continue ainsi à se défaire, de proche en proche, jusqu'à néant ? Non ? Vous n'avez jamais éprouvé cela ? Et pourtant combien il serait nécessaire aujourd'hui de nous déshabituer non seulement des mots qui diffractent la réalité mais de la façon dont nous les plaçons et les détournons. N'est-ce pas cela rencontrer l'Ange de Rilke dont l'étreinte vous ferait mourir d'amour ? En moi s'est brisé le mythe du miroir, non, non, plus de cette poésie du reflet ! Nous n'avons plus de reflet ! Qu'y a-t-il derrière nous ? Qui ? Quoi ? Voilà par quelle présence j'attends d'être étreinte... et non par Yeshayahou, le Yeshayahou de la première fois, rencontré sur la croûte poreuse d'un volcan dont les dégorgements de soufre dans l'ombre bleue avaient fait dire à ce géologue, que je ne connaissais pas encore, une phrase de Van Gogh dont je ne me souviens plus aujourd'hui mais qui sur le moment m'avait paru sublime... Le voilà, allons-nous-en !

— Calmez-vous, Eva, dit Zimmerstein la retenant doucement par le bras. Au contraire, allons vers lui. Il fait partie de vos amis, quoi que vous en disiez... Justement, nous parlions de vous, Yeshayahou, de vous, des Anges, des fleurs de pommier... Voilà qu'Eva se sauve ! Son exaltation est inquiétante. Depuis quelque temps je trouve ses phrases spasmodiques et bien péremptoires. Même son regard sur les insectes manque de tranquillité. A tout à l'heure ! Je cours derrière elle, crie Zimmerstein en s'éloignant.

— Ces vergers sont non seulement détraqués mais détraquants, *nous* dit Yeshayahou Fridmann en *nous* entraînant rapidement sous les arbres fleuris. Eva et moi, nous jouons à nous éviter et à nous rencontrer sans jamais réussir à saisir un moment de tranquille confiance. L'un et l'autre, je vous avoue, nous appréhendons ce moment de vérité qui doit fatalement nous jeter dans les bras l'un de l'autre pour pleurer *celui qui est entre nous*, plus présent que s'il l'était vraiment... excusez-moi, je me heurte à ce mot, oui, nuit et jour je me heurte à ce mot qu'il m'est impossible de prononcer à son sujet ! Et en même temps les euphémismes prétendant à un adoucissement me sont d'autant plus odieux. Si encore la nature avait eu l'élégance d'obéir à notre père, si la nature avait docilement transformé en fille ce double si parfait de moi-même !

Ramassant la branche de pommier brisée qu'Eva avait abandonnée à terre, il poursuit :

— Voilà à quoi mène l'excès de vitalité de ce que l'on nomme l'inconscient. On cueille la branche en fleur du pommier… pour la jeter aussitôt. Voilà de quoi est jonché l'Eden ! Les ombres sont bleues et dans l'ombre de ce bleu-de-l'ombre gît le rameau dont jadis les Muses formaient les délicats entrelacs des couronnes dont elles ceignaient le front du poète. Sauf qu'aujourd'hui nos femmes ne sont plus nos muses et que les couronnes destinées aux poètes sont irradiantes non de beauté mais du plus terrible des poisons. Aucun poème ne peut *dire* cela ! La lettre et l'esprit ont divergé. Plus d'écriture sainte… ou si vous préférez de Saintes Ecritures. Et même plus d'Apocalypse dont la rhétorique foudroyait les hommes par des images trop riches de ce sens… en train de se révéler aujourd'hui. Mais cette fois, c'est sans mots et sans images, comme s'ouvre sur l'équation finale un mystère mathématique résolu. Et voilà, dans cet Eden de l'Apocalypse, courant sous les pommiers fleuris, vous surprenez quelques âmes jouant la Lettre, quelques âmes attardées… quelques êtres attardés, à peine encore des êtres humains, de vagues mouvements sous les fleurs à jamais stériles de ces vergers, et vous vous dites : Mais où aller maintenant ? Si les corps n'ont plus de lieu, où se retrouvera l'esprit ? Si cette fois nous nous sommes lassés nous-mêmes de l'Eden, où ? mais où aller ? Retourner à la molécule première ? Renoncer à notre lente progression vers… quoi ? La musique ?… Mais nous l'avons empoisonnée, la musique !…

Venez, dit encore Yeshayahou, allons par là-bas. J'imagine qu'Eva ou Zef Zimmerstein vous ont dit qu'il y a eu rafle, qu'ils ont attrapé tous les enfants-lézards clandestins ainsi que les femmes enceintes – évidemment porteuses d'enfants-lézards – pour les soustraire à notre curiosité. Surestimant notre capacité d'honnêteté *ils* les ont fait disparaître. Les services de santé qui tiennent en main la Cité Potemkine, et qui d'ailleurs nous surveillent où que nous soyons, n'ayant pas encore compris que nous serons parfaitement dociles quant aux termes de nos rapports, les instances médicales secrètes se méfient de nous, oui de nous ! les plus coopératifs des enquêteurs… Asseyons-nous sur cette petite butte fleurie. D'ici nous pouvons admirer cette chose innommable, informe, pustuleuse, d'où s'échappent toutes ces fumées verdâtres-jaunes-roses-bleutées que le vent disperse par-delà l'horizon… Quand mon frère et moi nous étions arrivés jusqu'ici, après une étape épuisante, nous ne pensions pas désigner ces lieux comme le Lieu. Nous aurions pu aller moins loin… ou plus loin, continue Yeshayahou. Nous étions fatigués, nos équipes de foreurs et de dynamiteurs l'étaient tout autant que nous. Le matériel pesait, les chevaux et les mulets n'en pouvaient plus non plus. Voilà pourquoi ce fut ici ! Mon frère m'avait dit : "Yeshayahou, dormons, et demain nous planterons nos repères." Son ton était un peu ironique, un peu triste, assez indifférent à vrai dire. Je pense qu'il savait ce qu'il adviendrait de tout cela. Mon jumeau savait ce que moi j'étais incapable d'imaginer. On dit que les jumeaux pensent en même temps. Que la vraie gémellité, la gémellité monozygote présenterait une pensée rigoureusement jumelle.

Pour d'autres jumeaux peut-être mais dans notre cas sûrement pas. Nous divergions toujours sur tout et en toute occasion. Le merveilleux, c'est que j'avais immanquablement tort, oui immanquablement les événements me donnaient tort ! Imaginez deux êtres, apparemment semblables, en profond désaccord sur tout ; deux fois le même apparemment, et terriblement opposés bien que liés par le rire, et une absolue tolérance l'un envers l'autre. La violence quasiment bestiale que notre père avait exercée sur nous en nous *séparant*, en faisant artificiellement de mon frère une demi-fille… et de moi, par conséquent, un garçon à demi, grandissant avec la blessure invisible de cette amputation, cette violence au lieu de nous séparer nous poussa au contraire à nous attirer mutuellement comme il est naturel que les contraires s'attirent. N'étant pas de vrais frère et sœur, le pressentant sans doute comme seuls les enfants savent pressentir, n'étant plus vraiment frères car soumis aux différences et inégalités imposées par le monde extérieur, un sentiment de plus en plus trouble s'infiltra dans nos jeunes consciences encore mal formées et s'y développa irrésistiblement. Là où deux jumeaux non contrariés auraient sans doute renforcé cet amour de soi-même extériorisé qui, dit-on, occupe pendant une vie entière ceux qui n'ont pas connu l'affreuse solitude intra-utérine, la contrariété que notre père avait faite à la nature nous autorisa à rechercher chez l'autre un tout autre complément… Pourquoi cet aveu ? poursuit Yeshayahou. Pour le plaisir sans doute d'être en situation de le faire. Comprenez que deux jeunes corps semblables, se découvrant semblables à cet âge de fraîcheur inquiète qu'est l'adolescence, ne pouvaient pas ne pas se reconnaître comme les deux moitiés d'une même félicité. N'était-il pas alors naturel qu'ils se rejoignent ? Là où un frère et une sœur se seraient abstenus, les deux frères à demi, que l'autorité de notre père avait artificiellement séparés, trouvèrent, dans les déraisons de l'instinct, les raisons du scandale et de la rupture avec leur famille et le monde auquel leur famille les destinait. Mon frère se crut musicien, moi je me passionnai surtout pour le déchiffrement musical sans être particulièrement doué pour l'exécution. Mais par ailleurs, pour rester inséparés, comme j'avais choisi la géologie, mon frère, séduit par les recherches modernes d'acoustique et de propagation de l'écho, se consacra à la sismologie. "Le *vibrato*, disait-il, persiste en nous après le son. Cette durée du son, cette musique d'après le son imprègne l'Univers, elle traverse la mort, elle est lumière, comme toute lumière est tension musicale. L'archer, tendant son arc, ferme les yeux, il ne vise pas la cible, il tend la corde de son arc qui vibre contre son oreille et cette vibration lui fait comprendre que la flèche et le but n'ont aucun sens et que seule la musique produite par la tension de la corde, sa vibration, suffit à la lumière musicale de l'univers. Alors l'archer ajoute une corde puis une autre et encore d'autres à son arc devenu lyre…" C'est ainsi que mon jumeau aimait parler ! "Cette vibration *inutile* de la corde de l'arc devenu lyre nous met en relation avec ce qui en nous n'est pas nôtre. Cette musique de l'Univers nous traverse, comme la lumière nous traverse et voyage jusqu'aux confins sans fin de l'Univers…" Oui, c'est ainsi qu'il parlait tout en calculant les charges de dynamite que ses assistants descendaient au fond des forages. L'écho des déflagrations, il lui trouvait des "couleurs", poursuit Yeshayahou, selon la densité des roches traversées par les séries de détonations qu'il modulait avec un sens extraordinaire "du ton juste", il pouvait vous donner les détails des couches géologiques profondes avec une précision proche de la voyance. "Mais là où la musique de la Terre est la plus juste, disait-il, hélas après avoir été influencé par Eva, c'est quand vous vous arrêtez pour entendre la vibration du vent dans les roseaux". Ça je n'aimais pas ! Je détestais ce glissement de la pierre au vent ! Du solide au mystique ! Quelle ironie délicieuse il avait su répandre sur ce qui nous était essentiel de sorte qu'il en devenait presque incompréhensible, d'un charme drôle et irrésistible quand il abordait ce que, faute de mieux, on a nommé "les grandes questions" ! Et voilà qu'il rencontre Eva ! Etait-il déjà malade ? Je le crois. Ce que son être conscient ne savait pas, son corps le pressentait-il ? Comment pourrais-je autrement admettre cette brusque passion ? Ce n'est pas Eva qui fut l'agent de notre séparation mais ce mal qui le jeta vers Eva, vers la femme, comme si l'élément féminin en le réabsorbant allait remettre en état ses cellules malades !

V

— Le soir tombe doucement, continue Yeshayahou, toujours assis sur la petite butte fleurie. Remarquez ces tons verdâtres faisant comme une frange lumineuse sous les fumées rougies par le couchant. Ces colorations changeantes, d'une violence telle qu'il serait difficile de dire si elles sont belles ou laides, me font penser aux travaux du jeune anatomiste Nini. Les photographies qu'il réussit à "inventer" en grossissant mille, deux mille, jusqu'à dix mille fois et plus, les replis secrets des organes humains qu'il dissèque avec un brio indiscutablement italien, ces merveilles réalisées au microscope électronique, colorées par le laboratoire d'anatomie Pinoccio de Vérone, rendent toute une forme de peinture moderne inconséquente. Quand vous découvrez, par exemple, une section du cristallin grossie quelque six cents fois, vous comprenez que devant l'ordonnance de ces cellules transparentes, plates et hexagonales, dépourvues de noyau, on ne peut se tenir à la myopie métaphysique dont les hommes dits "évolués" n'ont cessé de se vanter en ce déclin de siècle. Tant de *terrible beauté* existait-elle avant que l'esprit astucieux… et poétique de l'homme la découvre ? Ou à mesure que le scalpel de Nini pénètre au fond des chairs, frayant la route à l'œil électronique de son microscope, oscillant entre l'admiration et l'effroi, nous "enrichissons" la Création de la vision gratuite et innocente de nos artistes ? Bien sûr, mon frère jumeau vous aurait répondu sans une seule hésitation que "l'homme ne saurait créer s'il ne croit pas avec toute sa chair que l'âme de l'homme est immortelle". Cette phrase de Yeats vaut-elle encore aujourd'hui ? Se tenant sur le palier de sa chambre mortuaire, mon frère l'affirmait : "Nous devons vivre et mourir comme si l'âme existait", disait-il. "Ce qui est certain, affirmait-il encore, c'est que la Raison n'existe pas ! La Raison est un désert prodigieusement assoiffant, et seule cette soif que donne l'horrible désert de la Raison est réelle." Il disait aussi, alors qu'il gisait sur son lit de grand malade : "Bien qu'entre nous et *ce* que nous avons nommé Dieu se dresse un mur définitif, étanche, indestructible, bien que même s'Il était, Il ne soit pas plus que nous ne sommes pour Lui, nous ne pouvons faire autrement que de *jouer* au-devant de notre âme, qui peut-être n'existe pas, la sublime comédie qui nous distingue dans l'infini des immensités de l'Univers." Cette "comédie" dont mon frère prétendait qu'elle était l'essence même de l'homme, quelle part avait-elle dans sa passion pour Eva ? Je ne cesse d'entretenir en moi cette question, poursuit Yeshayahou *nous* retenant assis avec lui, sur la petite butte fleurie, en face d'un soleil rouge qui, à vue d'œil maintenant, s'enfonce derrière les vapeurs empoisonnées de la Centrale… Sentez-vous ce parfum d'herbe ? Toute notre enfance… je parle de celle de mon frère et moi… toute notre enfance j'ai l'impression de la tenir dans ce parfum d'herbe écrasée. Zef Zimmerstein vous mettrait en garde contre les abominables poisons contenus dans cette poignée d'herbe fleurie sentant l'insouciante félicité de l'enfance. Si nous avions dans notre poche les appareils capables de chiffrer les radiations qui nous traversent depuis que nous nous sommes assis sur cette butte fleurie, pourrions-nous nous laisser aller au plaisir de bavarder dans les lueurs du couchant ?... Avez-vous jamais regardé un coucher de soleil en renversant la tête complètement ? Quel adulte oserait ? Mon frère et moi nous aimions pencher la tête, comme ça, et trouver plus "beau" ce qui était "beau". Et même plus tard, beaucoup plus tard, quand on nous eut chargés du sérieux de très très lourdes responsabilités – tel le projet de la future Centrale –, figurez-vous que, traversant les steppes, il nous arrivait encore, sans descendre de cheval, de nous pencher, oui, comme ça ! et de nous émerveiller toujours de l'étonnante fraîcheur de vision qu'un léger voile de sang, je suppose, répandait sur la réalité.

Il se tait un moment.

— Voyez ce vol presque invisible de chauves-souris. Zimmerstein vous dirait qu'à la dissection ces chauves-souris se révèlent gravement irradiées, que leur rate, leur foie, leur sang sont presque putréfiés. Et pourtant elles volent encore ! Elles produisent leur babil ultrasonique, elles évitent, reviennent, s'élèvent, se laissent choir et remontent, impalpables, silencieuses ! Ce *quelque chose* d'encore vivant dans le rouge du couchant me fascine. Et à la fois, sachant ce que représente ce froissement de l'air, j'éprouve la douleur de me souvenir que c'est à l'occasion d'une communication d'Eva, à propos, justement, de cette lutte invisible entre les chauves-souris et les arctiides – ce papillon nocturne doté d'un organe brouilleur d'ultrasons –, que mon frère reçut "la révélation de l'amour", m'avait-il confié peu de temps après, avec une exaltation déplaisante, continue Yeshayahou. Je reconnais que cette lutte d'ultrasons entre les chauves-souris et les arctiides met non seulement en question notre science de la nature mais surtout notre perception de ce que nous avons nommé la réalité… Venez, repartons, l'air du soir fraîchit… Eva vous détaillerait mieux que je ne pourrais le faire cette dialectique d'ultrasons unissant dans une lutte mortelle l'arctiide et la chauve-souris. Elle vous transmettrait sans doute ce même enthousiasme qui fit de mon frère son adulateur… Comment pouvais-je rester impassible, sans amertume ni désillusion, en découvrant chez mon jumeau ce qui fut immédiatement pour moi un accablant malheur ? Le monde entier continuait d'exister comme avant, tandis que pour moi rien n'était plus comme avant. Le vide ! Un silence morne ! A cause… à cause d'une femme ! Une vraie, que sur le moment je n'avais pas reconnue pour ma brève partenaire des volcans. L'entomologiste Mada-Göttinger dont les travaux sur les colonies de fourmis-robots avaient révolutionné toutes les idées à propos des insectes – précurseurs, selon elle, des futures sociétés humaines.

Il hésite encore un instant :

— Sa vision terrifiante de l'avenir promis aux humains l'avait rendue célèbre, comme jamais femme de science n'avait réussi à l'être *à part entière*. Vous verrez toujours des collaboratrices en second, des assistantes, que ce soit dans nos laboratoires ou à même le terrain, mais sous aucun prétexte ceux que vous voyez s'effacer "par galanterie" quand il s'agit de lui faire franchir une porte, ne permettront à une femme de prendre l'avantage là où la recherche peut vous rapporter de l'admiration et des honneurs. D'excellentes secondes, mais jamais, surtout en ce qui concerne les sciences, autorisées à franchir les premières les portes de la notoriété ! Voilà en quoi Eva est atypique ! Par quel hasard la communauté scientifique l'a-t-elle laissée librement développer une recherche aussi originale ? Parce que l'entomologie, a-t-on prétendu, demande une patience et un sens de l'observation dont la modestie convient mieux au tempérament féminin. En réalité personne n'aurait pu imaginer sur quoi allaient déboucher des travaux d'une telle "modernité". Créer des insectes électroniques capables de se mouvoir, de soulever des charges et de les transporter entre leurs pinces, n'était-ce pas pousser le jeu critique de l'appétence du vivant jusque dans son annulation puisque la matière dite "morte", pour peu qu'on la dispose dans un certain ordre, s'anime et tente de construire des ensembles logiques ? Et cette même sorte de "vie" ne s'élabore-t-elle pas dans la formation de certains cristaux ? En tout cas, je peux vous dire que lorsque fut divulgué le film montrant ces robots minuscules en train d'*inventer* le déplacement et l'entassement de petits matériaux mis à leur disposition, le nom d'Eva Mada-Göttinger, la femme-des-fourmis-robots, connut une immédiate universalité. "Une femme ? Im-pos-sible !" Tel fut le cri étonné ! Et bien sûr on chercha l'homme. Figurez-vous, il n'y en avait pas ! poursuit Yeshayahou. Comment ? Une femme sans même de collaborateur ? Hum !!! Et pourtant le film était bien là. Des millions de gens l'avaient vu. Les petits robots d'Eva n'annonçaient-ils pas ce "meilleur des mondes" où enfin l'humanité n'obéirait plus à la pensée mais à ces forces *naturelles* qui rythmaient le besoin d'ordre de ces choses monstrueuses inventées par Eva ? L'humanité hésitante : soit l'insecte, soit la régression. Rejoindre l'ordre universel dont s'électrifie la matière ou renverser l'évolution biologique… ce à quoi nous semblons assister avec ces enfants-lézards surgis des ruines de la Centrale qui, elle, était digne pourtant de l'étrange génie des fourmis-robots d'Eva. "Nous autres, disait mon frère, nous nous servons des sciences pour forcer la nature, et pourtant que savons-nous de la nature ? Nous autres, les hommes, nous ne savons rien de la nature, pas plus que nous ne sommes capables de nous faire une véritable idée des contours de l'immense pôle féminin." Ce sont les étranges paroles de mon frère ! Il disait aussi : "Pendant ces années vécues hors de la nécessité écrasante de devenir chaque jour un peu plus *homme* – comme ce fut ton cas, Yeshayahou –, j'ai ressenti de quelle force retenue était la densité du féminin." Oui, voilà quelles furent les étranges paroles de celui qui, par un aberrant caprice de notre père, après être né garçon était devenu "fille", puis garçon de nouveau lorsqu'il réintégra la moitié de ce *nous* que l'autorité paternelle n'avait pas réussi à détruire. Oui, mon frère jumeau semblait regretter de ne pouvoir définitivement faire partie de ce "pôle féminin" qu'il admirait, comme si de se vivre homme était un moins et non un plus. Ce n'est qu'à partir de son amour pour Eva qu'il me fut possible de comprendre jusqu'à quel point il était imprégné de la nostalgie du féminin. Quant à moi, le manque de celui que depuis notre naissance j'avais contemplé avec plus de plaisir que si je m'étais vu continuellement vivre… sans que ce soit moi, bien sûr, mais le complément de ma personnalité… ou plutôt moi devenant à tout moment l'écho de sa personnalité, cette dépossession m'avait à demi assassiné. Eva me privait non seulement de lui mais de moi – puisque j'étais lui et rien sans lui. Si j'avais pu, je nous aurais débarrassés de cette Eva ! Ne le pouvant, je pris un jour le risque d'avouer à ce frère perdu, qu'avant lui, moi, Eva je l'avais *eue*, utilisant cette répugnante expression avec l'intention de le blesser. Je ne sais quel philosophe prétendait que dans les mots, comme dans la physique des particules, la construction et l'annihilation existent intimement mêlées, et que l'épée sémantique pourrait aussi bien blesser que conduire à la communion. Sous tant de vocables excessifs, se cache sans doute une vérité. Car au lieu de le fâcher, cet aveu fit sourire mon frère, et si mon sale caractère me l'avait permis, "le miracle de compréhension qu'est la communion" dont parlait ce philosophe exalté aurait eu lieu… mais ça non ! je ne pouvais l'envisager, je ne pouvais accepter qu'ils aient comme on dit le beau rôle, tous les deux, pendant que moi… Cet aveu, que je croyais blessant pour Eva ainsi que pour mon jumeau, n'eut aucune conséquence. C'était comme si je parlais d'une autre femme. "Tu ne me demandes pas quand, où, comment ?" m'étais-je exclamé plein de dépit. "Bien sûr que si", m'avait-il répondu en souriant. Mais je le connaissais trop pour ne pas me rendre compte qu'il jouait d'une curiosité de complaisance où il n'entrait ni humeur ni jalousie. La rencontre d'Eva était donc si importante pour lui ! Seule la passion peut rendre aveugle aussi bien *à l'avant* qu'*à l'après*, m'étais-je dit, effrayé de ma réaction dont la mesquinerie était évidemment indigne de ce *nous* de la gémellité que mon comportement salissait, sans pour cela ternir l'image qu'il se faisait d'Eva. Dans toute passion, l'être aimé tombe sur votre vie comme l'éblouissement de la foudre : voilà qu'il *est* ! Par sa foudroyante présence il y a transmutation. Les voilà donc *uns* ! La fusion philosophale s'était faite. Ils étaient *uns* et moi je restais seul ! L'*un* que nous avions formés, mon frère et moi, venait d'être dédoublé pour reformer un autre élément double… dont moi j'étais exclu. J'étais donc destiné à tourner dorénavant autour d'eux comme un petit roquet rageur. Cette femme, quel souvenir en avais-je ? Un très vague. Peut-être même aucun. Parfois il y a une chaleur du souvenir, et parfois pas. De l'entomologiste, brièvement rencontrée aux antipodes, rien ! Ou des détails qui ne portent pas à l'exaltation, poursuit Yeshayahou. Ce qui est comique, c'est que malgré cette totale indifférence du souvenir, voilà que leur *idylle* allume en moi une double jalousie : elle m'a pris mon frère ; il m'a pris cette femme ! Je suis seul, ils sont eux ! Je ne suis plus rien, eux, ils sont tout ! Je ne suis plus, ils sont ! Ils s'aiment. Moi plus ! Oui, moi qui par le biais de mon jumeau m'adorais, je ne m'aime plus ! Quoi, un chaos de sentiments désastreux, illimité. Ils se préfèrent, ils rient, de plus ils mélangent leurs travaux ! Les fourmis-robots, les lépidoptères, l'écho… la musique… Et moi, je reste dans les pierres, les plaques en dérive sur un hypothétique magma, les traces d'accrétion d'une Terre aujourd'hui en voie de destruction, toute cette histoire me devenant brusquement indifférente… la géologie, la physicochimie des fluides géologiques, la minéralogie… à quoi bon ? Mon frère aimait, et moi pas ! Mon frère se passionnait pour le chaos de la vie, pendant que moi je ne cessais d'aiguiser les "poignards de la parole". Mais rien ne pouvait les atteindre. De plus, mon frère me réclamait, ne cessait de vouloir mêler ma présence maussade à leur joie… Tiens ! Voilà Tania Slansk ! Figurez-vous, Tania, nous venons d'être surpris par un coucher de soleil étonnant comme tous les couchers de soleil auxquels nous pouvons assister là où il y a eu catastrophe. Que ce soit dans les cendres projetées par l'éruption d'un volcan, ou après un beau tremblement de terre… Combien il est regrettable que nous ne soyons plus au temps de l'*explication* des phénomènes et de la certitude qu'avaient les hommes de pouvoir, par le sang versé, les conjurer. Le cœur de la Centrale s'enfonce, des enfants-lézards viennent au monde, ils sont Polyphème, leur œil frontal nous fixe, et que faisons-nous ? Nous détournons le regard ! Combien il devait être réconfortant d'égorger un enfant ou un agneau de substitution pour…

— Je suis bouleversée, dit Tania Slansk. Savez-vous qu'ils ont raflé les enfants clandestins dans les vergers ? Assez d'ironie ! Vos paroles au sujet des enfants…

— … sont des poignards ? Justement, nous nous désespérions de leur usure. Les poignards philosophiques de la parole, y croyez-vous, Tania ?

— Je vous parle de vrais enfants raflés ! Et vous, vous me parlez de la parole ! Mais de quelle parole parlez-vous ?

— Mais de toutes, Tania ! Ne pensez-vous pas qu'à travers l'échange de la parole nous nous garantissons de je ne sais quel danger ? Nous avons terriblement peur, peur et encore peur. Alors nous produisons de la parole, une parole usée, sans plus de relief, et cela depuis des siècles et des millénaires… jusqu'à ce que soudain on ne sait pourquoi certains mots "vrais" se glissent comme malgré nous, et nous restons stupéfaits de ces mots inusités. Comme le dit si bien la métaphore populaire, notre langue a fourché et au lieu du bruit usuel le blasphème est venu comme de lui-même. L'insulte à Dieu, là sont les racines profondes du langage. Sous chacun de nos mots se cache l'insulte à Dieu… et même sous nos prières c'est encore Dieu que secrètement nous insultons. Comment se sortir de cette plaisanterie, je vous le demande ? Quoi que nous disions, quoi que nous fassions, nous blasphémons. Tout désir de contact avec Celui, l'Innommable, est blasphématoire. Que ce soit par les mots ou que ce soit par la représentation. Car, pour finir, l'image est aussi redoutable et blasphématoire que le nom. Reste le silence ou alors le Feu sacré qui finira par tout détruire… Je vous le dis, Tania, plaisantons de la plaisanterie !

— La réalité n'est pas une plaisanterie, dit Tania. On ne peut jouer indéfiniment de la souffrance. J'arrive du laboratoire mis à la disposition de Nini et de Zimmerstein. Je suis écœurée au-delà des mots, en effet ! Ils dissèquent des campagnols, des chats errants, des chiens perdus rongés de radiations… et même un veau mort… Ils mesurent, découpent, entourés de leurs collaborateurs qui ponctionnent, éviscèrent, étiquettent des flacons de sang, classent les différents organes dans des bocaux… et jettent, pour finir, ce qui reste de cadavres dans des fosses creusées derrière. Un carnage écœurant ! "Vous tombez bien, Tania, m'a dit Zef Zimmerstein, Nini a réussi des images vraiment splendides avec des agrandissements rarement atteints. Ces images vous concernent, ce sont des fragments de fœtus de campagnols et de chats produits par des femelles comme nous n'en avions encore jamais découpé. Monstrueuses jusqu'au moindre détail. Même les puces, dont elles étaient couvertes, aussi monstrueuses qu'elles ! A l'intérieur huit fœtus pour la femelle campagnol et six pour la chatte, présentant tous au milieu du front la même malformation que celle des enfants-lézards que vous avez eu la chance d'entrevoir dans les sous-sols de la Cité Potemkine." Cette nouvelle, poursuit Tania, m'a effrayée. Je n'ai pas voulu en savoir davantage. "Si même les campagnols et les chats sont atteints, s'ils produisent eux aussi des fœtus Polyphème, a dit encore Zimmerstein, dans sa dégénérescence, l'humanité ne peut donc plus *s'élire* ?"

— Quel fou, celui-là ! s'écrie, d'un ton réjoui, Yeshayahou.

— Et il avait ajouté, dit encore Tania : "A moins que Dieu ne soit lézard, et que par le feu nucléaire dérobé, nous soyons en train de révéler Sa véritable nature."

— Toujours à vouloir provoquer…

— A ce moment-là, Nini est arrivé et a voulu m'attirer vers lui mais je l'ai repoussé. "Je refuse de m'associer à vos travaux et à vos blasphèmes, leur avais-je dit, nous ne pouvons affirmer et nier en employant les mêmes mots ! – Mais tu sais bien que dans la dialectique hégélienne, «l'homme tombe vers le haut», quoi que nous fassions «nous tombons vers le haut», comprends-tu, Tania ? Quoi que nous fassions, c'est, et ce sera toujours, un acte d'espoir que de provoquer Celui qui jusqu'à présent s'est obstinément tu. Et même si nous participons activement à l'extinction de notre planète, ce sera toujours en «tombant vers le haut» que nous irons à l'abîme." Voilà ce que m'a dit Nini, poursuit Tania Slansk, au bord des larmes. Je suis sortie du laboratoire et j'ai longuement marché à travers le verger fleuri. Que dois-je faire ? me disais-je, dois-je démissionner de la commission d'enquête, ou dois-je m'adresser directement à ceux qui nous contrôlent pour obtenir le droit de visiter librement la Cité Potemkine ?

— Moins fort, Tania ! Nous sommes écoutés, c'est certain ! Mais faudrait-il encore savoir par qui, dit Yeshayahou. Peut-être par personne ! Les écoutes, les contrôles se font-ils de soi-même ? En acceptant de pénétrer dans ces vergers, ne sommes-nous pas entrés dans le rituel sacré des grandes catastrophes ? *Le temps qui reste* rétrécit à vue d'œil, comme on dit. Par quel moyen savoir si nous sommes emportés par la logique du néant ou si cette détérioration, à laquelle nous avons le privilège d'assister, annonce un nouveau départ, et qu'à travers les enfants-lézards quelque Dieu fantasque s'amuse à vouloir nous prouver qu'Il ne se trouve jamais à court d'imagination... jusqu'à nous faire croire qu'Il n'existe pas et n'a jamais existé. Et je comprends Nini quand il affirme que «nous tombons vers le haut». Dès que la vie a quitté son niveau végétatif à la limite du minéral, notre existence a dépendu de la possibilité d'espoir dont nous étions capables. Et qu'importait le sens !

— Vous voulez dire, l'interrompt Tania, que le processus de régression frappant tout ce qui naît sur ce site en expansion de la Centrale est le processus...

— D'un autre espoir. Oui ! Certainement ! Vous le savez bien, vous qui avez travaillé étroitement avec Nini, l'anatomiste, et le participant occulte à ses expériences, notre ami le biologiste Zef Zimmerstein, vous qui aviez rêvé de délivrer la femme du "pénible travail de gestation", vous faites partie de ceux qui confient volontiers le sort de l'humanité à des propositions hypothétiques, non ?

— J'en ai fait partie, je le reconnais, à ma grande honte, dit Tania.

— Et maintenant ?

— Je me renie ! Je renie cette sorte de foi !

— Finis les rêves actifs de changement ? De progrès ? De délivrance ?

— Oui, fini tout cela.

— Un instant, Tania. Vous avez découvert avec horreur ces enfants-lézards que les services médicaux secrets gardent prisonniers dans les caves de la Cité dite du Bonheur, bien ! Les conditions scandaleuses de régression dans lesquelles on les maintient ne prouvent pas pour autant que la lézardification de ces enfants soit effectivement une régression. Nous sommes entre gens intelligents, de plus nous avons été choisis pour la qualité d'innovation de nos travaux respectifs, pour notre indépendance intellectuelle, pour notre probité, bref, nous ne risquions pas de tomber dans cette sorte de sentimentalisme bien-pensant qui frappe les meilleurs esprits d'une société quand se sont effacées les idéologies et que les "âmes" sont restées sur le sec. Serions-nous naïfs au point de penser que seuls les non-enfants-lézards ont droit à un futur digne de l'humanité ? Que l'aspect d'un enfant-lézard nous répugne, comme vous ont répugné les fœtus de chats ou de campagnols dotés d'un troisième œil, ne veut pas dire qu'ils sont sortis du sens. Pourquoi toujours la ligne droite ?

— Alors vous prétendez que le sens peut bifurquer ?

— Non seulement bifurquer mais aussi se retourner, Tania. Quand ces enfants-lézards de la Cité Potemkine auront à leur tour produit une descendance, alors nous pourrons peut-être préjuger d'une nouvelle direction, d'une nouvelle voie, pour cette nouvelle humanité qu'une erreur de calcul et de manipulation de nos physiciens aura provoquée... Bien que ce qui est en train de se passer sous terre nous laisse sans lendemains...

— Vous raisonnez comme Zimmerstein. Je suis lasse de vos paradoxes ! Même Nini, vous l'avez dévoyé... pour ne pas dire contaminé.

— L'éthique de l'esthétique dont il se réclame recèle de bien terribles dangers. L'eugénisme menant au plus "beau" des mondes, sous prétexte que ce qui est "beau" contient la part noble du sens, ouvre sur des gouffres peut-être plus horribles encore que cette sorte d'apocalypse lente déclenchée par l'accident de la Centrale.

— Mais savez-vous que, selon Zef Zimmerstein, le processus de régression auquel nous assistons, dit Tania Slansk, semble ne jamais devoir s'arrêter. C'est-à-dire que cette chute à rebours devrait nous ramener à la cellule unique, à la cellule fondatrice du vivant... Je me souviens qu'un jour – c'était l'époque où Nini et moi faisions des expériences assez poussées dans l'espoir de réussir à mettre au point les bases de ce qui deviendrait peut-être un jour la première tentative d'utérus artificiel –, oui, un jour Zef Zimmerstein était entré dans le laboratoire que notre équipe de chercheurs occupait à Vérone ; voyant l'état de nos travaux, au lieu de nous encourager, agacé j'imagine de nous trouver ensemble, Nini et moi, il nous avait insidieusement provoqués. “Vous savez, mes enfants, nous avait-il dit, combien je m'associe à votre recherche et combien je la crois nécessaire au futur de l'humanité… mais encore faudrait-il que ce futur soit celui qu'aujourd'hui nous pouvons projeter.” Cette phrase nous avait paru déplacée en ce lieu justement où un des éléments essentiels de ce futur était sur le point de prendre forme. “Supposons, avait-il dit encore, que cette machine libératrice de la «malédiction d'être femme», c'est-à-dire d'être l'instrument passif de la nature, supposons donc que vous ayez atteint ce but avec toute votre équipe, croyez-vous vraiment que l'humanité, elle, sera arrivée au niveau souhaité pour éprouver la nécessité de se libérer, comme vous dites, de la «malédiction» de porter et de mettre bas sa descendance ? Ne croyez-vous pas que peut-être vous êtes en train de vous tromper de siècle ? Il se peut que vous soyez quatre siècles en avance… ou en retard.” Evidemment il nous provoquait, comme toujours ! Nini et moi nous avions ri, nullement ébranlés dans notre curiosité et surtout sur le sens de la recherche à laquelle nous consacrions nos jours et nos nuits avec l'importante équipe que nous avions réunie autour de nous, poursuit Tania. Voyant qu'il ne réussissait pas à nous faire réagir, Zimmerstein avait alors avancé un argument qui sur le moment m'avait décontenancée. “Ce futur de l'humanité auquel vous travaillez tous les deux, nous avait-il dit, en quels termes le projetez-vous ?” Voyant notre embarras devant une question dont la force nous échappait, il avait insisté : “Parlons de grammaire si vous le voulez bien. Dans le langage d'aujourd'hui, vous semble-t-il que les temps du futur, les conditionnels, toutes les formes du désir imaginatif répondent à une vraie demande, à un souhait profond ou à un rêve collectif qui irait dans le sens de cette alternative à l'animalité à laquelle tendent vos travaux ?" Voilà ce que nous avait dit Zimmerstein !

— Et vous vous êtes laissé avoir par de tels arguments ? s'exclame Yeshayahou Fridmann.

— Nini pas du tout. Sur le moment moi non plus. Ni les membres de notre équipe de chercheurs. Voyant que nous ne réagissions toujours pas à ses façons intelligentes et compliquées de saper, il avait continué : "Reconnaissez que le langage rêve plus qu'il n'exprime le réel. Nous avons une richesse imaginative, une infinité de suppositions se proposent à nous. Peut-être nous appuyons-nous sur le présent mais c'est pour surtout ne pas le vivre au présent. Le présent n'est qu'une sorte de tremplin par lequel nous nous projetons dans le futur. N'est-ce pas terrifiant que l'homme, cette étrange et unique espèce douée de la pensée, soit plus absent que présent à la douleur d'exister ? Il ne nous reste que l'adverbe interrogatif du «si» pour nous introduire dans un futur incertain... à condition qu'il veuille bien de nous ! Oui, avait continué Zimmerstein, dit Tania Slansk, seul le «si» parlait pour l'humanité et la représentait jusqu'à présent. Pas votre «si» à vous Nini ou à vous Tania ! Votre «si» de la recherche spéculative n'est pas le «si» de l'humanité. L'humanité, que demande-t-elle ? Quels sont ses «si» ? Sûrement aucun de ceux que nous autres, qui vivons enfermés dans nos laboratoires, projetons à l'aide d'appareils de plus en plus «intelligents» ..."

— Et c'est à cause... de cela, Tania, que vous avez abandonné...

— Oui, que j'ai cessé ma collaboration à ce "futur de l'humanité" ! Pas sur le moment, quelques mois après. Le temps d'une douloureuse réflexion à la suite d'un événement que je ne peux même pas évoquer tellement il dépasse toutes les atrocités… une enfant mutilée… non ! je ne peux vous en parler !

VI

— Hier soir, la conversation que nous avons eue, Yeshayahou et moi, m'a laissée mal à l'aise, dit Tania Slansk. Je n'ai voulu en aucun cas mettre en question Zef Zimmerstein mais au contraire montrer combien sa lucidité m'a délivrée, à un certain moment de ma vie, de l'emprise de Nini. Je ne crois pas que le but recherché par Zef était de nous amener à la rupture. Et encore moins à mon refus de poursuivre toute collaboration avec Nini. Je ne sais pas si vous êtes au courant du drame familial vécu par Zimmerstein. Du jour au lendemain il s'est retrouvé seul, sa femme, sa fille "pire que mortes", m'avait-il confié d'un air sombre. "Encore seraient-elles mortes, je pourrais avoir l'amère satisfaction de les pleurer. Mais c'est une haine blanche qu'elles ont laissée en moi après leur fuite. Une haine calme, froide, indigeste." Ce sont ses mots effrayants ! Qu'une femme quitte un homme, rien de plus naturel. Mais qu'une très jeune fille accepte, entraînée par sa mère, d'abandonner quelqu'un comme Zimmerstein, laisse penser que ce qu'on appelle un "foyer" peut devenir le lieu mystérieux des plus graves souffrances, car incommunicables. "Rien ne sort d'un foyer, m'avait dit Zimmerstein, nul cri, nul pleur ! Apparemment rien ne s'y passe. Sauf que parfois émerge de ce *trou noir* un père couvert de sang, brandissant des ciseaux maculés… mais il arrive aussi qu'une mère se jette dans le vide avec ses petits enfants… ou ce sera le fils… la fille… ou les deux ensemble qui auront réglé leur compte avec les monstres que leur imagination confinée dans l'enclos familial aura inventés, si bien qu'en massacrant père et mère c'est avec les mythes – dont la plupart du temps ils ignorent la violence – qu'ils renouent *à notre place*. Que font ces assassins familiaux ? Ils se parlent à eux-mêmes car nul autre qu'eux-mêmes aujourd'hui n'est en mesure de les entendre. Ne pouvant confesser ces envies, ces désirs de meurtre qu'ils portent en eux, ne pouvant vivre avec cette pulsion – somme toute naturelle –, m'avait encore dit Zimmerstein, poursuit Tania, ne disposant pas surtout de ce pouvoir des mots à la fois monstrueux et libérateur par lesquels passe toute survie humaine, ils ne peuvent qu'exécuter *la chose* que la langue utilitaire d'aujourd'hui ne leur a pas permis de nommer. Le problème grammatical de la conjonction «si» s'est posé aussi pour ces meurtriers familiaux. S'ils avaient pu l'utiliser – comme les mythes l'ont fait –, s'ils avaient pu faire couler le sang de leur propre sang – comme cela a toujours été dit –, rien ne serait venu troubler la surface de ce monde tel que les hommes s'évertuent à le maintenir." En se confiant ainsi à Nini, ou à moi, et parfois aux deux ensemble, Zimmerstein se délivrait, je suppose, dit Tania, "de ce crime que j'ai commis et dont je vous parlerai un jour si j'en ai le courage", nous avait-il avoué à plusieurs reprises. "C'est mon terrible secret", avait-il ajouté, d'un air un peu fou. Par ces sortes de demi-confidences, il mettait à exécution ses préceptes, dérivant, grâce à ses capacités discursives, vers l'ironie et une évidente haine de soi, sa "rage perpétuelle", disait-il contre sa femme et surtout un certain mage qui non seulement lui avait volé sa femme mais de plus violé sa fille "pendant que la mère, m'avait dit Nini, par une complaisance naturelle, maintenait ouvertes les jambes de son enfant". En tout cas ce sont là des confidences que Zef aurait faites un jour à Nini, alors qu'ils se trouvaient tous les deux sans moi dans le laboratoire de Vérone où avançaient nos difficiles recherches sur la procréation artificielle. "Qu'une mère *donne* sa fille à son directeur de conscience, rien n'est plus courant, que ce soit dans les sectes ou, ce qui est tout aussi fréquent, dans la vie sociale telle qu'elle s'est toujours pratiquée, m'avait dit Nini. Mais ce qui brouille la raison de Zimmerstein, c'est que ce mage, non content de lui avoir pris sa femme et sa fille, les a de plus si bien endoctrinées qu'elles refusent tout contact, comme si c'était lui le violeur, le faux penseur, le père de famille criminel." Depuis, Zimmerstein prétend qu'entre la Femme et l'Homme se dresse une définitive incompréhension. "Et cette incompréhension, dit-il, doit être non seulement acceptée mais renforcée par tous les moyens. La catastrophe, dit-il encore, c'est que les femmes s'efforcent de comprendre les hommes quand elles ne devraient au contraire ni les admirer ni surtout vouloir les imiter. Elles devraient évidemment se refuser à les suivre dans leur pensée. C'est à croire qu'elles n'ont aucune personnalité et qu'il leur faut toujours un guide, un penseur, un violeur mental qui, en se masquant d'une prétendue pensée, en détournant leur esprit avec d'absurdes spéculations, les détroussent et les troussent ignoblement comme le font tous les filous de directeurs de conscience. Ces maîtres à penser coulent sans retenue dans ce *creux* qu'est toute femme." Si je vous rapporte aussi fidèlement que possible les paroles de Zimmerstein, dit Tania, c'est que malgré leur amertume j'y ai puisé la force de me détacher de l'emprise de Nini, et surtout de ne plus participer à l'élaboration de la machine infernale prétendument destinée à nous "libérer", nous autres femmes, de l'acte maternel. En nous encourageant, et même en trouvant des aides financières considérables pour Nini et nos collaborateurs du laboratoire de Vérone afin qu'ils puissent mener à terme les travaux sur l'utérus artificiel, Zimmerstein, plus lucide que jamais – comme le sont tous les fous – dans sa folie, s'attaquait au principe même du féminin, prétendant que tant que les femmes seraient soumises à cette spécificité qui les fait irremplaçablement femmes elles vivraient dans une totale aliénation. Le raisonnement de Zimmerstein est terriblement oblique, insidieux, apparemment noble et "du côté des femmes", comme il dit. Mais en réalité, voyant derrière chaque femme *sa femme et sa fille* tombées aux mains du mage, il voudrait qu'il n'y ait plus jamais ni femmes ni filles, de sorte que l'homme, enfin maître de la reproduction et du destin de l'espèce, destitue le féminin de son rôle sous prétexte de l'en décharger. "Car après tout, avait-il dit à Nini, reconnaissez que si la Femme n'existait plus et que nous réussissions à *la* dissoudre dans la triomphante masculinité, plus de ces singes de mages, plus de prophètes efféminés, plus de chimpanzés déguisés en prêtres suspendus aux lustres ! Tous égaux dans l'a-sexualité ! Ou encore mieux : du masculin partout ! Tous égaux dans le masculin !” Nini m’avait rapporté en riant ces paroles. Evidemment Zef Zimmerstein est trop intelligent pour ne pas rester en distance avec ce qu’il dit. Mais cependant, là sont les “si” dont il construit l’avenir. “«Si les femmes n’étaient enfin plus femmes ! Si toutes les femmes devenaient nos égales… et non nous leurs égaux ! Si enfin, comme le souhaite Schopenhauer, les hommes accédaient à la surdité sexuelle et se délivraient du trouble détraquant des obscurs désirs dont les femmes usent pour les distraire des grandes questions, oui, si les hommes pouvaient se consacrer à *plein temps* à la pensée, combien encore plus ravageants seraient les travaux qui en découlent !» Voilà comment parle Zef Zimmerstein pendant les longues heures que nous passons devant nos appareils électroniques”, m’avait dit Nini, poursuit Tania Slansk. A l’époque, Nini et moi mélangions la recherche et l’attirance amoureuse. Ce n’est pas que l’amour nous menât à la recherche ni la recherche à l’amour, mais il nous était commode de ne pas perdre de temps, et c’est au laboratoire quand nous nous y trouvions seuls que l’amour prenait brièvement le pas sur la recherche. Mais un jour, alors que Nini et Zimmerstein, se croyant seuls, parlaient de moi, j’entendis Nini dire : “Bien que Tania soit une fille apparemment froide, elle raffole que *je lui fasse l’amour*.” Cette expression, je la reçus comme la plus infâme insulte. “Lui *faire* l’amour !” Ah, non ! s’il croit me faire l’amour, eh bien il ne me le fera plus… et nous ne le ferons plus ! Voilà ce que je m’étais dit et depuis j’ai tenu parole. Plus jamais ça ! De là date aussi mon refus de poursuivre avec Nini et l’équipe de Vérone nos expériences destinées soi-disant à délivrer la Femme de son ventre. Bien sûr, Zimmerstein a tout tenté pour nous "remettre ensemble", mais quoiqu'on nous eût choisis pour participer à la mission internationale, c'est seulement en "camarades" que Nini et moi continuons à nous voir... Tiens, justement le voilà ! Surtout vous n'êtes au courant de rien !

— On ne parle que de cette rafle dans les vergers, dit Nini en s'approchant et en tentant de prendre Tania par les épaules. Alors, plus d'enfants-lézards dans la nature ! Plus de mères porteuses d'enfants-lézards en liberté ! Tu as trop parlé, Tania ! Au lieu de garder secrets tes contacts avec les "revenants", tu t'es vantée. Erreur ! Tous les membres de notre mission sont des espions. Nous sommes entièrement libres de ne pas être des espions mais comme le scorpion pique – car il ne peut faire autrement – nous nous espionnons les uns les autres – car nous ne pouvons pas ne pas espionner notre prochain. Surtout quand la recherche fondamentale est en cause et que d'un laboratoire à l'autre les découvertes se font quasi simultanément. On prétend que l'expérience d'une forme créée est la rencontre de deux libertés. C'est peut-être valable pour l'art, et en effet quand il m'arrive d'exposer mes photographies des abysses du corps humain, il m'a toujours semblé qu'elles étaient attendues par ceux qui s'étaient déplacés pour les découvrir. Mais pour les travaux secrets que nous avons entrepris, Zimmerstein et moi... et auxquels, toi, Tania, tu avais participé un temps... il semblerait que la recherche suive des labyrinthes étroits, et que ni l'expérimentateur ni cette *chose*, cet *objet* mystérieux que nous traquons, ne sont libres de se rencontrer. Parfois au détour du labyrinthe, poursuit Nini, on croit avoir entrevu quoi ? Un fragment du *caché*, un soupçon d'*autre chose.* Cet *autre chose* existe, ça, nous en avons les preuves, et même Newton le fondateur de la physique moderne en était persuadé puisqu'il attachait plus d'importance à l'alchimie qu'à la rationalité des lois qu'il avait pourtant mises en évidence. Toujours il lutta contre les conceptions cartésiennes d'une matière purement passive, incapable de se donner à elle-même le mouvement dont elle est animée. “La transformation des corps en lumière et de la lumière en corps est très conforme au cours de la nature, qui semble se complaire aux transmutations.” Cette phrase est infiniment plus moderne que sa théorie de la gravitation. La transmutation ! Que cherchons-nous si ce n'est le pouvoir de transmutation ? Découvrir les lois de l'univers pour n'en faire que le constat ? A la longue, rien de plus fastidieux. Newton s'ennuyait au constat des évidences, au contraire de ses écrits traitant de l'alchimie, de la transmutation, du pouvoir que nous autres les hommes nous avons la capacité de prendre sur l'essence même des choses. Et, vois-tu Tania, ajoute Nini en l'attirant à lui, ce qui nous passionne avec tes enfants-lézards, c'est d'avoir réussi à inverser les aiguilles du temps, de sorte que les lentes et successives mutations qui ont pris des millions d'années à nous donner cette forme si ce n'est acceptable, disons acceptée, soudain refusent de poursuivre leur élaboration et, comme l'or transmuté en plomb, voilà qu'enfin se détraque le processus biologique.

— Je ne supporte plus ces sortes de discours, dit Tania en repoussant Nini. L'influence de Zimmerstein…

— Pauvre Zef ! Quelle influence peut-il avoir ? Sur quoi ? Sur qui ? Zef a été malmené par la vie – et il a la naïveté d'appeler ça "l'expérience" ! Sa fille, sa femme se sont données corps et âme au premier bandit spirituel qui n'a eu qu'un signe à faire pour qu'elles le suivent. Qu'à la suite d'une si grave atteinte à ses capacités de séduction l'homme intelligent se soit réfugié dans l'ironie amère n'a rien d'étonnant ni de bien nouveau. Et si moi-même il m'arrive d'être un peu amer et ironique, ce n'est pas à l'influence de Zef que je le dois mais à toi, Tania, à ton regard sur moi, sur Zimmerstein, sur tous les hommes… Non, non, ne dis rien ! Je sais ! Vous autres les femmes vous pouvez vous passer de nous, alors que nous autres hommes nous ne pouvons nous passer de vous. Que le contrat entre les hommes et les femmes soit rompu, il n'y a pas de doute ! Les raisons de cette rupture ? Tu les connais aussi bien que moi, Tania, dit Nini : nous avons perdu la capacité de conjuguer les verbes nous concernant tous, femmes et hommes confondus, au temps futur. Sans le plaisir de conjuguer ensemble au temps futur les verbes…

— … les femmes et les hommes ne sont que ces fameuses "pierres qui tombent" de Spinoza – tu me l'as déjà dit ! l'interrompt Tania au moment de s'en aller.

— Et voilà ! Elle a eu le dernier mot ! Elle n'attendait que cette occasion. A force de tourner en rond dans ces vergers trop abondamment fleuris, nous finissons tous par nous taper sur les nerfs, comme on dit. Nous nous querellons sans plus pouvoir nous mettre en perspective… ou si vous préférez sans relativiser nos contrariétés personnelles avec l'effrayante calamité qui frappe la prétendue communauté des hommes. Je quitte à l'instant Eva. Comme avec Tania, impossible de parler ! Il semblerait que chaque mot, chaque geste venant de nous autres hommes les blessent. Imaginez cette rafle d'hier, par exemple, elles la ressentent comme quelque chose d'affreux. Bon ! Dans une partie reculée de ces vergers, des femmes revenues clandestinement, malgré le degré mortel de contamination, ont mis bas des portées d'enfants-lézards. Les services secrets de santé venus directement de la Cité Potemkine ont traqué ces femmes et, "de force", m'a dit Eva, scandalisée, "leur ont arraché leurs enfants". Ces espèces de femmes, plus près de la femelle que de l'idée que tout être civilisé se fait des femmes, errent, paraît-il, en gémissant autour des fermes condamnées et sous les arbres en fleurs de leurs anciens vergers. On les tolère par "humanité", m'a dit un des coordinateurs chargés de la surveillance de notre mission. "Vous prétendez qu'on les «tolère», m'a dit Eva tout à l'heure, on ne les tolère pas mais on les laissera errer dans ces vergers et on les y tolérera jusqu'au jour où leurs os, leur chair, leurs cheveux et leurs dents auront atteint un degré *intéressant* de putréfaction nucléaire. – Vous employez des mots beaucoup trop forts, ai-je répondu à Eva, poursuit Nini. Il n'y a pas de «putréfaction nucléaire», il y a des doses massives de radiations. Ces femmes, vous avez raison, sont des sujets d'interrogation. Les hommes qui partagent leurs tanières et vivent avec elles, comme vivent normalement des femmes et des hommes ayant fait volontairement cette sorte de retour à la nature, ces hommes sont aussi des sujets intéressants, mais évidemment les femmes, leur ventre, cet obscur chaudron où, même dans les conditions les pires, la vie s'élabore obstinément, sont des sujets mille fois plus intéressants", ai-je dit à Eva qui au lieu d'accepter de voir les choses comme elles sont s'était excessivement fâchée. N'est-il pas curieux que de plus en plus de femmes se fâchent excessivement et à tout propos ? L'absence de limites de leur capacité de fâcherie me pousse à les provoquer, à jouer avec la quantité, elle aussi illimitée, de propositions et d'affirmations possibles *autour* des problèmes qui nous réunissent et nous opposent. Le parfum de fleurs de ces vergers nous a tous enivrés, il faut croire. Si cela continue, nous finirons par nous haïr. Et pourtant c'est ici ou jamais qu'il est urgent de nous réconcilier. Eva, Tania, et aussi les autres femmes faisant partie de la mission, parlent une langue qui diverge terriblement de celle que nous utilisons nous autres hommes. Chaque langue rend compte du monde à sa manière. Mais parfois il me semble entendre une langue d'un autre monde, surtout chez Eva Mada-Göttinger qui, bien que s'exprimant avec une rigueur presque masculine, y met un ton, une douceur compatissante qui me semblent handicapants lorsqu'il est question de logique, de décision, de prise de pouvoir sur les phénomènes. Pourtant ses travaux sont d'une prodigieuse netteté. Que ce soit les fourmis cybernétiques qu'elle a mises au monde, pourrait-on dire, puisque avant qu'elle ne les produise personne n'en avait eu l'idée, que ce soit les nouvelles techniques de poursuite appliquées aux vols massifs de papillons ou tout simplement l'analyse rigoureuse, et sa reconstitution, de l'ambiance visuelle dans laquelle baigne l'abeille ouvrière, il faut le reconnaître, Eva est arrivée à des résultats incomparables. Jusqu'à présent, poursuit Nini, personne n'avait réussi à imaginer quelle vision du monde pouvait avoir l'abeille dont les deux mille yeux simples ne *voient* pas, ne percevant du ciel bleu, par exemple, qu'une sorte de moirure claire et obscure qui échappe à l'œil "normal". Maintenant nous savons : ce sont les vibrations de la lumière polarisée, enregistrée par ces deux mille yeux, qu'Eva a calculées, pour réussir en analysant les différents angles de polarisation à produire l'image que perçoit la petite abeille. Elle ne peut être décrite ! Ce serait comme une vision du grand Tout inscrite dans un cercle magique. Les kabbalistes voulant représenter l'Univers ont dessiné ces sortes de roues divisées par d'étranges réseaux de flèches décalées s'organisant autour d'une interprétation du soleil. Ce qui est étrange, c'est que le frère jumeau de Yeshayahou, voyant cette représentation du *ce que perçoit l'abeille*, reconstitué par Eva, y avait "reconnu", avait-il dit, certaines constantes rythmiques recueillies par ses appareils sismographiques, et qu'à son émerveillement il avait aussi retrouvé dans les harmonies musicales dont il avait étudié les courbes cachées. Bien sûr cette recherche du lien métaphysique qui unirait toutes les manifestations perceptibles, pour les fondre dans un grand Tout, n'avait rien d'original car "nous ne sommes plus des Babyloniens", avait dit Zef Zimmerstein, quand le sismologue lui avait parlé de ses intuitions qu'il vivait comme des certitudes. Ainsi pouvait-il affronter sa mort qu'il savait proche, et ne pas s'effondrer de désespoir à la pensée qu'à peine Eva rencontrée il lui fallait déjà songer à ne plus exister à jamais. "Sans Eva, disait-il, mourir m'aurait ennuyé, bien sûr, mais qu'est-ce que dix ou vingt ans de plus si la vie ne représente qu'un ensemble de fonctions occupant un corps pour les neuf dixièmes, ne laissant qu'un dixième à peine de ses capacités pour goûter le suprême plaisir de curiosité ?" Ces paroles, c'est à Zimmerstein qu'il les avait dites, et c'est Zimmerstein qui me les avait rapportées, poursuit Nini. "Mais la vie en elle-même ne se suffit-elle pas ? avait répondu Zimmerstein. – Non, plus maintenant que j'ai su à quoi ressemble une véritable passion. Avant de rencontrer Eva, je n'étais que le frère de mon frère – comme mon frère n'était que mon frère jumeau. Pour voler, il faut deux ailes. Nous étions donc les deux ailes d'un même vol. Mais reconnaissez-le, Zimmerstein, avait encore dit le sismologue, de voler parce qu'il se trouve que deux ailes ont été accolées ne suffit pas. Encore faut-il un sens, une direction, un lieu où se percher, et aussi du plaisir d'être l'une des deux ailes de ce vol. Avant de rencontrer Eva j'étais affreusement lassé d'être l'aile symétrique de mon frère. Je trouvais injuste, comprenez-vous, d'être indispensable à mon frère, et aussi d'imaginer qu'il m'était indispensable. Croyez-moi, être jumeaux n'est peut-être acceptable... et peut-être délicieux que pendant ces premiers neuf mois d'inconscience que sont les moments de mise en route en direction de la vie... et encore, qui sait si, macérant dans le liquide amniotique, les deux futurs hommes n'ont pas déjà en eux, et l'un envers l'autre, les prémices d'affinités répulsives qui fondent les rapports dits humains ?" Voilà ce qu'avait, paraît-il, confié le sismologue à Zimmerstein. Connaissant le bizarre caractère de Zef, c'est avec circonspection qu'il faut prendre ses affirmations qui peuvent aussi bien être vraies que calomnieuses. Pareil pour Tania ou Eva, il trouvera toujours le moyen de jeter un doute sur leurs comportements. Même si je pouvais déduire de certains faits que les insinuations de Zimmerstein sont plausibles, quant aux goûts inavoués, secondaires et plus sentimentaux qu'obligatoirement sensuels de la plupart des femmes qui nous entourent, je n'y attacherais aucune importance. Que Tania ait obtenu d'une des doctoresses de la Cité Potemkine la faveur de visiter en secret les fameux sous-sols où seraient entassés les enfants-lézards, ne préjuge en rien pour ce qui est des rapports avec cette doctoresse. Il n'en faut pas moins prêter attention aux insinuations de Zimmerstein, surtout *ici* sur le site de la Centrale, car nous sommes tous sous surveillance, je ne dirais pas policière mais médico-policière. Ceux qui nous surveillent font partie du corps médical : que ce soient les laborantines, les doctoresses, les médecins de la Cité dite du Bonheur, ou les coordinateurs et accompagnateurs qui eux aussi sont soit des garçons de salle montés en grade soit des surveillants médicaux ou même des ambulanciers ayant participé à l'évacuation des grands irradiés de la Centrale, poursuit Nini. En d'autres circonstances, les "on-dit" de Zimmerstein, je n'en ferais que rire mais quand on sait que chacune de nos paroles est fatalement consignée quelque part, même si on affecte une relative indifférence à ce qui se dit autour de nous, il faut cependant rester attentifs même aux petits ragots puisque *eux*, ceux qui nous surveillent, en tiennent le compte scrupuleusement. Qu'Eva, toujours selon Zimmerstein, ne soit pas indifférente à la jeunesse de Tania, en quoi cela préjuge-t-il de leurs rapports intimes ?

Et même si cela était ? En quoi Zimmerstein serait-il concerné ? Il dit de lui qu'il est un homme profondément blessé et que cela l'a conduit "au crime", pour employer son langage métaphorique. Bien sûr, il exagère sa plainte pour vous empêcher de penser. Il le dit aussi, je pense, pour que cela ne soit pas dit – là est sa ruse et là est sa force d'ironie ! L'excès dans la métaphore ou dans la métonymie, lorsqu'il est question de soi, coupe court à toute interprétation venant des autres. Vieux truc rhétorique dont il use pour entacher tous les mots qu'il emploie de sorte que l'on pense : il exagère… Mais comme il semble lucide avec lui-même et parfois trop sévère, on accepte ses propos calomnieux sur les autres. L'ennui c'est que ceux qui pratiquent l'écoute systématique de tout ce qui se dit dans ces vergers ou dans les dépendances de la Centrale, notent tout, indifféremment, sans chercher à départager ce qui est sérieux de ce qui se dit comme ça, pour ne pas rien dire. Voilà en quoi Zimmerstein est dangereux… comme le sont tous les gens trop intelligents quand ils se trouvent confrontés à de tragiques crétins tels que sont forcément les sous-espions médicaux aux oreilles plus grandes que leurs têtes. Voilà pourquoi il nous faut nous espionner *entre nous* pour nous modérer dans nos jeux pervers, ou tout au moins les rendre ininterprétables par des esprits médiocres, *nous* dit Nini.

VII

— L'élément mâle joue un jeu ridiculement nul dans les processus vitaux, continue Nini. Au dernier stade de la mitose, prenez une cellule et grossissez-la cinq ou six mille fois au moment où elle se scinde en deux, quand les chromosomes se dupliquent afin que les cellules filles soient génétiquement identiques, vous verrez alors grâce au microscope électronique s'épanouir une véritable fleur jumelle, une sorte de chrysanthème qui peu à peu deviendra *deux*. Cette fleur double, rigoureusement identique, ce noyau de singularité, par sa duplication similaire, laisse penser que la vie mérite bien son féminin syntaxique, et que si l'élément mâle a fait on ne sait pourquoi son apparition, c'est à la nonchalance de la fleur féminine qu'il doit d'être ce qu'il est. L'élément mâle est en quelque sorte un élément parasitaire toléré mais nullement indispensable à la perpétuation de la vie. S'il n'était question que de vivre, poursuit Nini l'anatomiste, la nature aurait pu se dispenser de cet élément parasitaire que nous sommes, nous autres mâles. Mais voilà, et c'est à mon sens la preuve qu'il ne s'agit pas seulement de vivre et de perpétuer mécaniquement la vie, oui voilà où se situe le mystère métaphysique dont le sismologue jumeau de Yeshayahou s'obsédait : pourquoi cet élément mâle superflu ? Pourquoi ce parasite a-t-il été non seulement toléré mais investi peu à peu d'un rôle grandissant par l'élément féminin ? Le sismologue vous aurait répondu que l'élément féminin est généreux, compatissant, que l'élément féminin n'est autre que Dieu. Bon ! Acceptons que Dieu soit le Féminin étendu à l'Univers, que le Féminin soit infini, omniprésent, en perpétuelle scissiparité comme l'hydre ou la planaire. Mais alors pourquoi moi, lui, eux, quand un grand Elle aurait suffi ? La question mérite d'être posée et reposée... à condition d'y trouver une réponse, et cette réponse la voilà, dit Nini : L'élément mâle est indispensable parce qu'il est inutile. Qu'un chercheur passionné de biologie et d'anatomie vous donne cette réponse bien peu scientifique vous étonne sans doute ? Et pourtant, croyez-moi, elle ouvre sur un champ immense de spéculations où vous découvrez, à perte de vue, si l'on peut dire, tout ce qui, à partir du vivant, représente le superflu. Si l'on admet que d'être en suffisance de soi-même suffit à ce que la vie soit, se reproduise et jamais ne meure comme on pourrait le penser d'une plante en perpétuelle bouturation, alors rencontrant l'élément mâle et lui demandant : *Que fais-tu là ?*, on s'étonne de l'entendre vous répondre : *Moi ? Mais tout !* Cette plaisanterie est une plaisanterie philosophique et comme toutes les plaisanteries philosophiques, elle jette un éclat de lumière sur une vérité fondamentale. D'un côté, il y a l'utile et l'agréable, comme on dit, et de l'autre l'inutile et le désagréable. Permettez-moi de jouer avec ces lieux communs ridicules, dit encore Nini en riant, oui jouons à penser un peu autrement, jouons à penser que tout ce qui arrive de désagréable, de déplacé, de douloureux et de pénible à l'espèce humaine est une victoire sur l'état de félicité promis par l'élément féminin, Dieu, si vous préférez, puisque nous dansons sur la corde de ce postulat. Il est connu que l'Eden, selon un dicton arabe, est le sein de la femme aimée, non ? Eh bien, nous autres nous n'en voulons pas à vie de cet Eden nourricier ! Non ! nous n'en voulons pas ! Nous voulons souffrir, nous voulons du malheur, des larmes, du sang, nous voulons agir puisque, au contraire de l'élément féminin *qui sait* en tranquillité de soi-même, nous autres nous savons que nous n'y comprenons rien. Nous voulons faire et défaire, nous voulons voulons voulons ! Voilà ce que montre cette photographie d'une cellule au dernier stade de la mitose. Ces deux chrysanthèmes en scissiparité sont aussi calmes et apaisants que… Ah, voilà Eva ! Qu'en pensez-vous, Eva ? Sommes-nous voués à la félicité ou à la souffrance ? Nous voilà tous plongés dans une sorte de temps retourné, parmi les fleurs d'un verger bruissant d'insectes pollinisateurs, non ? Nous tournons sous les branches fleuries sans perdre de vue la chose immonde dressée au centre de ce verger. Nous savons que sous la chape de ciment et de plomb qui la maintient provisoirement comme étouffée sur sa formidable énergie de destruction, cette chose génère des enchaînements irréversibles de réactions dévastatrices. Imaginez que cette monstruosité n'ait jamais été édifiée, que cet Eden eût été possible sans elle, que ce verger ait existé intact, croyez-vous que nous aurions été assez simples pour nous en contenter ? Croyez-vous vraiment que ç'aurait été ça la félicité ?

— Je ne le crois plus.

— Vous y avez donc cru ?

— A un moment de ma vie, oui. Mais je suis venue pour…

— Et maintenant ?

— Je vous l'ai dit : plus ! D'ailleurs, quelle question absurde !

— Vous voulez dire que votre lecture de la réalité s'est modifiée ou c'est votre lecture qui modifie le présent ? Ou c'est ce présent-là qui vous modifie ?

— Plutôt que de présent, dit Eva, parlons de présences… et d'absences. Il est des absences plus présentes que… Mais laissons cela ! Je suis venue pour vous dire, à propos des enfants-lézards…

— Si je vous ai posé la question…

— Mais quelle question ?

— Au sujet de l'Eden. De la souffrance et de la félicité. Croyez-vous que la félicité puisse être un état satisfaisant ? Croyez-vous que l'espèce humaine aurait pu développer ne serait-ce qu'un embryon de pensée si elle avait été condamnée à l'Eden et à sa perpétuelle félicité ? En d'autres termes : Pensez-vous, Eva, que le "bien" est bien et que le "mal" est mal ? Que le "bien" c'est être, c'est exister hors de l'emprise passionnante du "mal" ? Et que le "mal" n'apporte à l'espèce humaine aucune félicité ? Remarquez, Eva, poursuit Nini, je ne dis pas "aux hommes", je parle de l'espèce humaine, ce qui est plus délicat, n'est-ce pas, que d'inclure les femmes dans la vague et paresseuse dénomination : "les hommes". Pour ma part, je pense que l'Eden n'est supportable que dans les deux rêves dont nous amortissons le présent : l'Eden a été – nous l'avons perdu ! L'Eden sera – conquérons-le ! Mais à vrai dire, heureux de nous en être échappés et heureux qu'il soit… j'allais dire *inatteignable*…

mais comme ce mot nous n'avons pas voulu qu'il figure dans nos répertoires, disons : indésirable, oui l'Eden restera toujours pour nous autres hommes parfaitement in-dé-si-ra-ble car pour nous l'Eden c'est le néant, là où rien ne bouge ni ne meurt, où tout est suspendu sans commencement ni fin. Que serait ce verger sans la Centrale à demi détruite et en dangereux processus d'évolution ? Yeshayahou nous dit que le cœur en fusion s'enfonce, contaminant les eaux souterraines, que ce cœur en fusion provoque autour de lui dans les roches profondes d'effrayantes réactions. Zimmerstein observe à des distances chaque jour plus inquiétantes des mutations et des régressions cellulaires jamais observées par ailleurs ; les botanistes eux aussi découvrent dans les structures végétales les mêmes régressions ; et vous, Eva, n'augmentez-vous pas sans cesse votre collection de petits monstres entomologiques ?…

— Et c'est cela que vous trouvez préférable…

— Oui, à l'Eden promis ! Aux éternelles félicités de l'Eden promis, oui, sans aucun doute ! Au moins le cadavre de notre présent bouge encore, même si c'est une ultime fermentation posthume qui l'agite, il bouge, il pourrit donc il vit, bien qu'entré dans la mort. N'est-ce pas mieux que le *rien* immobile des félicités éternelles ?

— Maintenant je comprends Tania et son exaspération à votre sujet, Nini. Je l'ai croisée en pénétrant dans cette partie du verger. On aurait dit qu'elle pleurait sans larmes et, quand je lui ai demandé ce qu'elle avait, elle m'a répondu qu'il n'était plus question pour elle de rester là où vous et Zimmerstein…

— J'en suis désolé, dit Nini, mais je ne peux entrer dans l'insupportable compassion de Tania, sa souffrance à propos des enfants-lézards me la rend vraiment insupportable ! Que nous l'ayons voulu ou non, ces enfants monstrueux nous les avons faits. Ce qui est dit ne peut se dé-dire ; ce qui est fait ne peut se dé-faire. N'était-ce pas sur ces "vérités" fondamentales que nous avions jusqu'à présent édifié l'Histoire de l'humanité ? Yeshayahou, son frère jumeau le sismologue, Zimmerstein, nous tous… ainsi que vous, Eva, et aussi Tania, telle que je la connais, d'une fraîcheur et d'une sensibilité tellement "féminines"… oui, nous tous si on nous avait posé la question : Etes-vous d'accord pour la réalisation de l'Eden *à condition* qu'en son centre soit édifiée une chose monstrueuse, dangereuse même, une sorte de machine infernale difficile à contrôler mais… mais grâce à laquelle l'Eden promis sera possible tel que l'imaginaire collectif, avec l'aide des théologiens, l'avait projeté dans l'Avant, et que l'imaginaire collectif, cette fois avec l'aide de ses sorciers de la science, peut se permettre de réaliser dans notre actuel présent, n'aurions-nous pas tous dit oui ? Reconnaissez, Eva, que ce verger est splendide, non ? Que les champs fleuris, le lac, les rivières encombrées de nénuphars roses et blancs prolongeant la splendeur de ces vergers ressemblent et dépassent même les mots dont nos poètes ont de tout temps…

— Ah, cessez ! Cessez ce jeu qui ne prend jamais en compte la souffrance !

— Vous vous trompez, Eva, si je joue, c'est avec le maximum de sérieux que nous permet la ridicule situation où nous nous sommes mis en voulant faire ressembler la réalité aux songeries solitaires de nos poètes. Le verger ! Le verger ! Le verger ! Qu'avions-nous besoin du verger ? Que nous ayons allumé l'Enfer au cœur du verger, n'était-ce pas la seule réponse digne de *l'homme*, je ne dis pas cette fois de l'humanité, où vous autres femmes aviez votre mot à dire, non je parle de l'homme, de l'homme sans la femme et sans descendance, oui, n'était-ce pas la seule réponse que l'homme devait aussi bien à ses poètes qu'à la Chose mystérieuse, à ce Grand Féminin de l'Univers qui lui a permis de mêler son insatisfaction à l'éternel ennui promis ? Eh bien voilà, nous nous sommes mêlés de poésie, répondant à certaines méditations des kabbalistes dont les conclusions annonçaient ce que les hommes ont *réussi* en quelque sorte mot à mot, ici : l'Enfer au centre de l'Eden, nous devons reconnaître que toute entreprise voulant répondre au Verbe fondateur serait annonciatrice d'extinction…

— Je vous ai prié de cesser ! dit Eva, élevant un peu la voix. Je suis venue non pour vous écouter mais pour vous faire part d'une information encore invérifiable et bien effrayante. Je viens de croiser Tania, je n'ai pas eu le courage de lui dire ce qu'une de mes collaboratrices aurait appris à propos des enfants prétendument lézards séquestrés dans la Cité. Jusqu'à présent, ces enfants étaient entassés, sans différence de sexe, dans les mêmes lieux. On les nourrissait en supprimant plus ou moins la luminosité des caves bétonnées où ils croupissent, de sorte que les réactions de leur troisième œil soient bien mises en évidence, ainsi que Tania a pu nous le décrire. Ce qui se passe maintenant serait d'une gravité à laquelle nous tous, les membres de la mission internationale, ne pouvons rester indifférents. L'équipe médicale, dirigée par un certain Meng, aurait fait une sélection parmi ces enfants, séparant ceux de sexe femelle des autres pour les remélanger selon des critères que nous ignorons. Ces renseignements ne sont pas tout à fait fiables car la personne qui aurait divulgué ce secret l'a fait sous l'emprise de l'alcool – donc, c'est encore à vérifier. Mais en tout cas ces tris et ces mélanges, s'ils étaient confirmés, laisseraient présager d'horribles choses...

— Allons, Eva ! Il n'y a là rien de tragique. Il s'agit de banalités. Bien sûr ces banalités ont toujours défié ce que nous nommons l'éthique... l'esthétique de l'éthique même, car quelque expérience que nous menions sur le vivant ce sera forcément "laid" donc forcément "amoral". Avant de nous indigner à propos de ces enfants-lézards dont Tania et vous toutes vous trouvez le sort "inhumain", il faudrait être mieux renseignés à leur sujet. La dé-évolution, comme dit Yeshayahou, les a ramenés au stade intermédiaire. De quel côté penche leur identité physiologique ? Sont-ils plus humains que lézards, ou plus lézards, déjà, qu'humains ?

— Mais peu importe ! Ce qui nous indigne et nous trouble terriblement, c'est, en plus de leurs conditions de détention, ce départage des sexes.

— Tout positivisme est ressenti par vous comme "arrogant et inhumain", quand au contraire rien n'est plus humain que de considérer la matière vive ou morte comme notre bien exclusif. A nous de nous comporter intelligemment avec elle.

— Mais ce sont des êtres vivants !

— De quelle sorte est ce vivant ? Quels êtres ? Là est la raison de notre curiosité. Si ces enfants à demi détruits par les radiations de la Centrale sont plus lézards qu'enfants, s'ils n'ont pas la parole et n'agissent que par réactions, admettez, Eva, que nous pouvons en disposer sans mauvaise conscience, non ? Si au contraire ils s'expriment "humainement", s'ils peuvent mettre en mots leur condition, alors nous prendrons des précautions pour pousser nos investigations. D'ailleurs, cette situation est insupportable ! On forme une commission d'enquête internationale, on la déplace sur le site, et là, au lieu de lui donner toute liberté pour dresser le constat qui s'impose, on ferme les portes en ne laissant libres que les accès à ces satanés vergers. Nous devons signer une pétition par laquelle nous exigeons l'accès à tout ce que l'on nous cache. Au lieu d'être exclus des passionnants travaux sur les femmes enceintes irradiées et surtout sur les petits monstres dont Tania n'a réussi qu'à entrevoir l'aspect *merveilleux* pour un anatomiste ou un biologiste, bien que Tania l'ait qualifié "d'irregardable", nous devons, oui, exiger ! au nom de la science et du devenir de l'humanité le droit à la dissection des cadavres de ces enfants-lézards et même si cela est absolument nécessaire le droit à l'investigation *in vivo* soit sous anesthésie si ces enfants sont plus enfants que lézards soit en employant les méthodes dites douces si la vivisection peut apporter un peu plus de connaissances sur ce qui départage le non-humain de l'humain.

— Tania m'avait prévenue à votre sujet, Nini, mais jamais je n'aurais pensé que vous puissiez pousser aussi loin vos provocations.

— Désolé, Eva, je reconnais que les mots mis à notre disposition par le langage courant créent un malaise entre ce que la main et l'outil accomplissent dans le vif, et les mots usuels qui, vaille que vaille, peuvent dire, bien qu'ils aient été créés pour exprimer des tas d'autres choses et ne servent donc dans le cas présent que *faute de mieux*. Restent les euphémismes. Encore faudrait-il en inventer pour qualifier le traitement que la recherche scientifique dictera obligatoirement aux médecins, aux anatomistes, aux biologistes faisant partie de cette caste médicale ayant accès aux sous-sols de la Cité Potemkine. D'ailleurs reconnaissez, Eva, poursuit Nini, que la recherche scientifique n'a jamais utilisé autre chose que des euphémismes quand il était question d'entrouvrir les pudiques écrans dont elle s'entoure. Même l'horrible mot de vivisection, sachez que, confronté au sens qu'il représente, c'est encore un euphémisme.

— Ah, Nini, chacune de vos paroles me blesse atrocement !

— Mais, vous-même, Eva, que faites-vous des insectes que vous étudiez ?

— Mais ce ne sont *quand même* que...

— ... des insectes ? Mais vous le savez bien, Eva, qu'on peut très facilement non seulement *dire* insecte pour homme mais *voir* dans ceux que l'on réussit à avilir et à entasser massivement dans des espaces aussi resserrés que possible, oui, *voir objectivement* des insectes, de sorte qu'il ne reste qu'à accommoder les moyens pour les "traiter", disons euphémiquement, si vous me permettez d'être un tant soit peu encore ironique sur un tel sujet. Le dictionnaire des euphémismes mis à la disposition des bourreaux est infiniment plus volumineux que celui que nous utilisons pour dire pudiquement les douces banalités de la vie courante. J'avance là des évidences. N'en ayons pas peur, ce sont elles que l'on oublie le plus facilement. N'est-ce pas ce que laissait entendre Yeshayahou l'autre jour à propos de ce qu'il qualifiait "de banalisation insensibilisatrice par excès de mémoire" ? Souvenez-vous, n'a-t-il pas cité un autre Yeshayahou, son homonyme, mais Leibovitz, celui-là, à la fois médecin et philosophe, chef du département de biochimie de l'université de Jérusalem ?

— Ne parlons pas de Yeshayahou, voulez-vous ? dit Eva Mada-Göttinger.

— Bien, bien, comme vous voudrez ! Cependant pour cette fois ses propos sur l'érosion de la mémoire m'avaient frappé. Accoler ces deux mots…

— Mais ce n'est pas de lui ! dit Eva, soudain agressive. C'est son frère qui regrettait l'érosion, cette usure de "trop de frottement", comme il aimait à le répéter, du "trop d'évocation polémique autour d'événements qui doivent rester inexplicables"… c'est ainsi qu'il définissait "ce dont on ne doit pas parler", disait-il. Que ceux qui ont commis ces atrocités dont aucun mot ne peut rendre compte aient inventé des euphémismes pour dire sans dire ce qui en effet était indicible, prouve bien que même les bourreaux *savaient* qu'ils étaient en train d'accomplir l'impossible et l'inimaginable. L'invention de l'euphémisme face à l'atroce *dit*, par l'impossibilité de dire… Voilà ce que pensait le frère jumeau de Yeshayahou. "Chaque fois que l'humanité s'est trouvée confrontée à «l'inexplicable», disait-il encore, elle l'a placé dans le grand fonds religieux où justement les choses inexplicables doivent rester inexpliquées. Toute tentative d'explication de l'inexplicable est une tentative d'érosion du religieux. Comme évidemment Dieu ne peut être nommé, l'inexplicable dans les atrocités limites commises par les hommes ne peut être nommé non plus car seul Dieu qui les a autorisées *sait* ce qu'elles reflètent du fonds «inexplicable»… et peut-être ignoblement divin de l'espèce humaine." Ainsi parlait celui qui aujourd'hui me manque et sans lequel il m'est non seulement difficile de vivre mais de comprendre pourquoi je vis encore alors qu'il n'est plus.

— Donc, selon lui, dit Nini, on ne doit pas tenter d'expliquer scientifiquement l'inexplicable ?

— Il est évidemment des actions indicibles. Ces actions ne peuvent entrer dans le raisonnement scientifique puisqu'elles ont suscité même chez les bourreaux *ce détournement de la face* que révèlent les terribles euphémismes qu'ils employaient jusqu'au plus bas niveau de leur bureaucratie car, jusqu'au plus bas niveau de leur bureaucratie, l'indicible, l'impossible à franchir les lèvres, *disait* plus même que les victimes réchappées de l'horreur n'ont jamais réussi à *dire*. C'est pourquoi ceux qui prétendent vouloir comptabiliser, analyser, faire entrer à toute force, ce qui ne peut maintenant qu'être religieux, dans ce qu'ils nomment un raisonnement relevant d'une impossible science de l'histoire, sont évidemment soit des gens sans intelligence, soit des gens qui refusent à l'espèce humaine son effrayante criminalité.

— Et alors, ceux qui nient ?

— Ceux qui nient s'identifient inconsciemment aux bourreaux. Comme les bourreaux qui ne pouvaient nommer autrement que par des euphémismes les atrocités qu'ils commettaient, ils utilisent la déréalisation euphémique en prétendant que ce qui a eu lieu n'a pas eu lieu car ils sont de la même espèce que les bourreaux.

VIII

— Et pourtant, Eva, poursuit Nini, ce qui a eu lieu a bien eu lieu puisque, aujourd'hui encore, nous nous servons des recherches effectuées sur des êtres humains, réduits au statut d'insectes par des médecins-bourreaux… qui agissaient au nom d'une science placée sous la loi de l'eugénisme. Qu'en aurait pensé le frère de Yeshayahou si la question lui avait été posée ?

— En effet, on prétend que les expériences sur l'hypothermie, par exemple, effectuées en ces temps horribles où l'idéologie dictait *le sens* à ces prétendus chercheurs…

— Absolument, Eva… sont largement utilisées *aujourd'hui* dans "nos" laboratoires pour lesquels le matériau animal semble insuffisant… car un homme plongé pendant des heures dans de l'eau à cinq degrés et que l'on ébouillante ensuite, c'est avant tout de l'esprit qui vit psychologiquement l'état de congélation et d'ébouillantement, c'est un esprit qui subit la torture et non un animal humain. Pour la recherche, l'animal humain ça n'existe pas. Il y a d'un côté de la souffrance physique proprement animale, et que seuls les animaux de laboratoire subissent, et par ailleurs cette souffrance *autre* spécifiquement humaine dont seuls les humains parlants et pensants peuvent donner signe. Que des médecins aliénés à une idéologie se soient permis ces expériences sur l'hypothermie dont vous parlez, Eva, ou toutes autres tortures prétendument scientifiques comme les passionnantes bien qu'abominables expérimentations sur les jumeaux...

— Ah, Nini, cessez !

— Attendez, Eva, ne nous quittez pas comme ça !

— Lâchez mon bras, Nini !

— Un instant encore, Eva ! Répondez à ma question !

— Mais quelle question ?

— Qu'aurait pensé le frère de Yeshayahou de l'utilisation *aujourd'hui*, par "nos" laboratoires, des résultats obtenus par la torture sur des êtres humains, il y a plus de cinquante ans de cela ? C'est *la* question, non ? Y a-t-il prescription ? Se servir de tels résultats, est-ce ou n'est-ce pas *participer* à l'acte infâme, qualifié d'"inhumain", quand, à vrai dire, rien n'est plus "humain" justement...

— Lâchez mon bras, Nini ! Je ne répondrai pas à de telles absurdités !

— Un instant encore, Eva ! Nous savons tous que les progrès médicaux, ceux de la quotidienneté médicale, nous les devons à une pratique de la souffrance poussée parfois aux limites du dicible. Au-delà de l'euphémisme, de tout euphémisme, au-delà même de ce que notre imagination peut se représenter. Cela n'empêche pas d'accepter les soins dus à ces pratiques inqualifiables mais cependant bienvenues, non ? Vous savez à qui je pense en vous posant une telle question. Nous ne doutons pas que le frère jumeau de Yeshayahou fut ce que de tous côtés on nous dit de lui : un homme juste, droit, à la fois rigoureux dans ses jugements et suffisamment souple pour absoudre…

— Je ne veux pas en entendre davantage, dit Eva en se dégageant de la poigne de Nini.

— Bien ! En ne répondant pas à cette question, vous impliquez, quoi que vous en pensiez, celui dont vous défendez la mémoire. Les soins qu'il a reçus, les interventions tentées sur lui, il les doit aux pratiques que lui, que vous, que nous tous en notre âme réprouvons… mais que nous ne pouvons que poursuivre et intensifier, même si nous savons que quatre-vingt-dix-neuf pour cent de ces souffrances sont inutiles… Et voilà, elle s'en est allée. Elle court à travers les vergers fleuris. Où va-t-elle ? Mais évidemment s'enfermer dans son laboratoire ! Et qu'est-ce que son laboratoire d'entomologie ? Un lieu de tortures infimes, minuscules, un travail d'aiguille… Là où nous autres, travailleurs de la chair, nous nous "salissons" et méritons son mépris, elle… Non ! Elle ne peut s'en tirer comme ça ! Je la poursuivrai jusque dans son laboratoire s'il le faut mais j'obtiendrai la réponse que j'attends d'elle, dit Nini en *nous* quittant à son tour.

— Rien n'est plus amusant que d'observer sans être vu, dit Yeshayahou en apparaissant. Je me trouvais là-bas, derrière ce pommier et, bien que n'ayant pas entendu un seul mot de ce qui de loin m'avait semblé être de ces disputes courantes entre scientifiques tels que Nini et Eva, j'ai pris un réel plaisir à les voir s'agiter. *Schattengefecht !* Ne s'escrimaient-ils pas avec des ombres – comme cela se dit en allemand ? Quoi que fasse Eva, c'est avec l'ombre de mon frère qu'elle poursuit le dialogue. Quant à ce cynique… et si agaçant Nini, sa rationalité sceptique l'a placé une fois pour toutes hors des questions. C'est pour cela que je pourrais vous dire quelles questions il n'a cessé de lui poser devant vous. En réalité, avec Eva, un seul être est en question et toute question se rapporte à ce second *moi* qui n'en finira jamais d'être mort pour elle. Et moi je suis là, vivant, identique à cet autre moi-même qui ne cessera jamais de la hanter. Bien qu'Eva soit une femme aux réflexes plus masculins que féminins… ce qui d'ailleurs est le cas de toutes celles dont la recherche scientifique a entièrement occulté cette tendance si féminine du se laisser vivre, bien que les qualités "d'homme de science" d'Eva soient vraiment quasi inégalables, depuis la mort de mon double jumeau, elle vit comme si l'aurore et même le midi étaient restés à jamais loin derrière elle. "Eva, lui dis-je toujours, pourquoi vous obstinez-vous à vouloir me démolir ? Qu'*il* – ainsi nommons-nous mon frère, et jamais par son nom –, qu'*il* reste présent entre nous, qu'*il* soit à la fois à portée de notre esprit et hors de portée, qu'*il* perde peu à peu ses contours et à la longue ne demeure qu'entre vous et moi, non par le souvenir mais par sa présence en creux, ne doit pas vous autoriser à considérer les autres comme encore plus absents que *sa* présence. – Vos sophismes m'agacent, Yeshayahou, me répond-elle invariablement. – Mais ne voyez-vous pas, Eva, que vous me faites chaque jour davantage entrer dans la nullité ? – J'en suis désolée." Voilà ce qu'elle me dit. Si encore ce "désolé" était vraiment senti ! Pas de risque ! Ses modes de réponse sont tous inexpressifs quand ils me sont destinés. "Désolée !" "Je regrette !" "J'en suis navrée !"… Je la contemple avec frayeur. Est-ce possible qu'une lumière futile ait éclairé cette rencontre dont c'est à peine si nous nous souvenons ? Une fois pourtant, une idée terrible m'était venue : si en rencontrant mon frère c'était moi qu'elle avait cru retrouver ? Si en mon frère c'était moi qu'elle avait cru reconnaître ? Notre gémellité était telle que c'est à peine si nous-mêmes, mon frère et moi, nous savions lequel des deux nous étions. Je vous assure, ce n'est pas tout à fait une plaisanterie ! Imaginez que l'image du miroir vous tende les bras et vous étreigne. Nous étions cela. Ce n'est pas une métaphore, c'est la vérité vraie au point que certaines petites marques tel ce grain de beauté ou celui-là se trouvaient inversées sur lui… et pour lui sur moi. Nous n'étions pas l'envers l'un de l'autre, nous étions nos propres regards croisés l'un sur l'autre. Je vous parle de notre adolescence car ensuite les frères inséparables se sont volontairement séparés. Moi géologue, lui sismologue, moi tentant de lire dans les petites différences géologiques les causes de grands effets, tandis que lui, ayant mis au point des algorithmes divers, tentait d'analyser et de représenter, par la réception en écho des sons, certains types de désordres offrant une similitude avec la musique. C'est-à-dire que derrière les désordres apparents de la nature, lui il affirmait détecter un ordre surnaturel. Comme beaucoup de physiciens modernes, il prétendait que la "religion cosmique" était le mobile le plus puissant et le plus généreux de la recherche scientifique. Il avait une confiance profonde dans "l'intelligibilité de l'architecture du monde", disait-il. "La religion cosmique, disait-il encore, apparaît comme une source d'énergie spirituelle en même temps qu'elle définit un objectif épistémologique : ma quête de l'ordre musical."

C'est ce que disait mon double physique alors que par nos idées nous divergions de plus en plus... Mais voilà que depuis sa mort j'ai redécouvert Eva. Continuellement l'image d'Eva *avant mon frère* me hante avec une précision d'une sensualité obsédante réellement difficile à supporter. Certains hommes ne peuvent s'empêcher de déshabiller les femmes du regard, comme on dit, moi j'en suis réduit au contraire. Son corps hâtivement possédé m'obsède à tel point que mon regard s'oblige sans cesse à la rhabiller. Ce serait comme deux images qui glisseraient l'une sur l'autre et qu'il me faudrait mentalement réajuster. Peut-être ai-je tout réimaginé, peut-être qu'il suffit qu'un souvenir soit exhumé pour que la chaîne entière soit tirée à la surface : une moustiquaire, un lit défait, moite et douteux d'un hôtel quelque part sous les palmes, et sur ce lit, elle, Eva Mada-Göttinger, dans la pose que prennent toutes les femmes après avoir accepté et même pris plaisir à recevoir sur elles le poids de l'homme, je dis bien l'homme et non pas l'amant. Comment voulez-vous que moi, cet "homme" passager, ce complément physiologique admis pour un bref contact des nerfs puisse chasser ce qui de plus en plus l'obsède ? Et elle, comment revoit-elle cet homme passager qui dans la moiteur répugnante des tropiques s'était laissé aller à cette sorte de plaisir volé que l'on prend en marge des colloques ou des réunions prétendument scientifiques où l'agacement d'une telle somme d'irréalité vous pousse vers le premier venu tout aussi agacé, tout aussi énervé que vous... Et par moments j'ose me dire : C'est toi, c'est toi qu'elle a retrouvé dans ton frère et non lui qu'elle aurait trouvé. Et je ris en revoyant toute notre histoire comme un merveilleux malentendu à trois. Elle m'aime et me déteste à la fois car elle croit avoir aimé mon frère et de cela elle est furieusement vexée. Et je me dis et redis avec une jubilation de haine amoureuse : Comment la mettre à nu... mais cette fois en déshabillant sa pensée ? Que cette humiliation, que moi, "l'homme de passage", je représente, que cette haine amoureuse dissimulée se révèle comme s'était révélée sa sensualité dans la moiteur des volcans ! A force de me traiter comme si je n'étais qu'une nullité, la pâle réplique de mon frère défunt, je me surprends à la croire "folle"... de moi. Oh, cette idée n'est pas tout à fait de moi ! Elle m'est venue après que Zimmerstein m'eut laissé penser que lui-même n'était pas loin de croire qu'elle était "folle"... de moi. "Vous la rendez folle, Yeshayahou, m'avait-il dit, voyez comme elle change du tout au tout dès que vous vous approchez d'elle. Attirance-répulsion, nous connaissons cela parfaitement en biologie moléculaire. Je te veux et ne te veux pas ! Vous l'indisposez trop, mon cher Yeshayahou, pour que cela soit normal." Autre chose encore ! J'ai appris par hasard qu'elle avait souhaité faire partie de la mission internationale après qu'elle eut entendu dire que j'en étais. Venir jusqu'au fond de ces steppes irradiées dans le but de me poursuivre de sa haine ? Non, ce serait d'une telle absurdité psychologique ! Alors quoi ? L'autre jour, au moment où je revêtais la tenue de sécurité, avant de m'enfoncer dans les galeries creusées autour du cœur de la Centrale, elle m'avait dit : "Attention à vous, Yeshayahou !" Comment interpréter cet "attention à vous" ? Inquiétude ? Menace ? Je ne sais s'il y a chez elle une lente mutation de la conscience et si, à force de nous croiser dans ce verger et de tourner en rond autour de la Centrale démolie, elle ne commence pas à me voir, moi, non comme un spectre pâli de mon frère, mais enfin ! comme cet inconnu avec lequel elle aurait éprouvé tout autre chose que l'échec de l'amour et la solitude que l'on éprouve quand seul le *faire* de l'amour a été assouvi. Une intuition me dit, poursuit Yeshayahou Fridmann, qu'Eva doit me revenir et que c'est ici, dans ce verger du déclin, qu'elle aura la reconnaissance de celui auquel elle doit, si ce n'est de l'amour, tout au moins cette sorte de complicité que ne peut pas ne pas laisser un instant d'intimité partagée. Un seul mot, si j'avais le courage de le prononcer, la jetterait dans mes bras, comme on dit, il suffirait que je lâche entre nous le mot "résurrection" pour qu'elle soit délivrée de son orgueil et s'effondre en pleurs contre moi. Entre la souffrance et la solitude, je tourne dans ce verger, et même si cela est honteux de l'avouer, tout le reste m'est indifférent. Que le cœur en ignition de la Centrale détruise lentement le socle géologique sur lequel flottent les plaques rocheuses auxquelles nous nous accrochons comme des insectes condamnés, que les radiations infectent jusqu'aux fleurs délicates de ces vergers, que notre sang, malgré les doses massives d'iode que l'on mêle aux collations obligatoires, pourrisse, cela m'est égal ! Eva doit me reconnaître avant l'inévitable Epilogue… Elle nous le doit, à mon frère et à moi ! Pourquoi, croyez-vous, porte-t-elle ces deux papillons d'or aux lobes de ses oreilles ? Pourquoi ne les a-t-elle pas jetés au fond d'un tiroir ? Par ce signe, je sais qu'elle se tient prête, qu'elle attend l'occasion, le moment. Je me dis cela, et l'instant d'après je pense le contraire et je sombre dans la dérision envers moi-même. Mon frère aurait-il été un autre et moi autre que lui, si nous n'étions pas superposables, si me voyant elle ne voyait pas immédiatement cet autre qui n'est pas moi... ou disons plus moi que moi car, pour parler avec exaspération et rage, je dirais que ma gueule, si elle n'avait pas été qu'à moi, je saurais à quoi m'en tenir quant à ce regard changeant qu'elle porte sur moi ! poursuit Yeshayahou Fridmann, *nous* entraînant à sa suite à travers les vergers en fleurs. Hier j'ai dit à Zef Zimmerstein : "Dommage qu'il n'existe pas une méthode interprétative pour lire les sentiments cachés de ceux qui brouillent sans cesse les apparences. – Pourquoi dites-vous *ceux* et non *celles* ? m'avait répondu Zef, je me méfie des méthodes interprétatives, Yeshayahou, que ce soit pour cerner des sentiments ou pour élucider un problème." Et voilà qu'au lieu de me parler de moi, d'elle, des papillons d'or, au lieu de rester sur la question à propos de laquelle je l'avais abordé, il s'empare de mon interrogation et la fait sienne au sujet de sa femme, de sa fille, du mage qui les lui a enlevées, de sa souffrance à lui, Zimmerstein, me prenant pour confident de *sa* vieille histoire dont plus personne n'a que faire. Qu'un mage ait "ensorcelé" sa femme, violé sa fille avec non seulement le consentement de la mère mais avec son aide, que voulez-vous faire de cette histoire close sur elle-même ? D'ailleurs personne ne tient à recevoir ses confidences. Qu'il trouve des équivalences biologiques pour attraper des interlocuteurs et glisser du biologique au psychologique et du psychologique à son *vieux* problème ne fait que l'isoler davantage. Alors, prenant conscience qu'il fatigue tout le monde avec sa femme, sa fille, le mage, il se met à plaisanter douloureusement sur lui-même et "un terrible secret" dont il faudra bien qu'il se délivre un jour, allant jusqu'à laisser entendre que lui, Zef, est un assassin et que ses mains gardent encore des traces de sang... Bref, éternelles banalités de mythomane ! Il vous dira aussi que Tania et Nini, ça n'a jamais marché ; il vous insinuera que mon frère jumeau se détestait d'être mon frère ; et qu'Eva n'a jamais aimé personne d'autre qu'elle-même et ses fourmis-robots dont elle est la... j'allais dire l'inventrice... le créateur, l'inventeur, etc., etc. Zimmerstein, malgré son intelligence vraiment éblouissante, tombe dans toutes sortes de petites mesquineries qui me répugnent quand on pense à quelle hauteur son esprit se situe par ailleurs. Ses travaux sur le sens, en partant d'éléments phonétiques, lexicaux, grammaticaux, pour atteindre le niveau sémantique et esthétique, sont tout à fait émerveillants quand il réussit à démontrer que toute expression signifiante par le verbe n'est que le résultat d'un processus neurophysiologique et même, à un niveau élémentaire, relèverait de la chimie pure. Bien sûr, il se trompe jusqu'au délire mais cela n'enlève rien à la beauté de ses démonstrations. Que le langage soit biologique, donc de *nature*, et résulterait d'une sorte de mécanique universelle, combien cela serait séduisant ! Justement, à propos des enfants-lézards, jusqu'à quel stade de leur régression tenteront-ils d'inventer une parole ? Dommage que nous ne soyons pas des drosophiles et qu'il faille patienter pour savoir quelle forme auront les enfants des enfants-lézards... et les enfants des enfants des enfants des enfants-lézards et ainsi de suite jusqu'au zéro des premières molécules associées pour s'extraire du minéral… Encore faudrait-il avoir la preuve qu'enfants-lézards il y a. Seule Tania en aurait vu, dit-elle. Un œil aurait été remis à Nini et Zef pour qu'ils le dissèquent et en photographient la fovéa. Quoi, une aumône ! Une façon adroite de faire croire aux membres de la mission qu'ils participent scientifiquement au travail d'investigation. De même pour moi, la libéralité que l'on semble me faire en m'autorisant à descendre dans les souterrains terrifiants et les sapes qui contournent en tous sens le cœur affreux de la Centrale ! Que peut un géologue face à cette sorte de soleil qui lentement fait fondre autour de lui les épaisseurs orogéniques de notre Terre ?

Il s'immobilise au sommet d'une butte d'où l'on découvre une succession de vallées fleuries.

— Voyez-vous ce lac, là-bas ? Les eaux de la rivière qui s'y déversent sont non seulement mortellement irradiées mais, de plus, leur température ne cesse d'augmenter. Les sources de ce vaste territoire que nous découvrons d'ici sont toutes devenues pestilentielles et certaines même sont en ébullition. Ce sont là des signes qui parlent… mais nous autres nous ne devons sous aucun prétexte aborder, dans le rapport que l'on attend de nous, les questions évoquant l'eau, l'air, la terre, ainsi que les irréversibles détériorations génétiques des organismes, qu'ils soient humains, animaux ou végétaux. Il n'y a pas eu catastrophe mais erreur ! Et, comme toute erreur humaine, facile à réparer. Notre rapport final ne devra rien cacher mais être rédigé de sorte qu'on ne doute pas de *la capacité humaine* à remettre en l'état ce que notre espèce s'obstine à dégrader. Là est ce que l'on a toujours nommé “le propre de l'homme” : reconstruire ce qu'il a déconstruit. Chaque civilisation nouvelle capable de réinventer le monde, de son point de vue à elle, a dû commencer par faire table rase de celles qui l'ont précédée. C'est en nous plaçant de ce point de vue que nous sommes invités à nous prononcer dans notre rapport final sur la destruction de la Centrale. Au lieu de nous désespérer du malheur imparable des processus qui se développent et ne feront que s'amplifier, car ils sont irréversibles, nous devons, nous autres gens de science, proposer une lecture herméneutique de ce phénomène : puisque les catastrophes ont toujours servi l'humanité et que sans elles nous ne serions encore que des animaux incapables de les nommer catastrophes – donc de s'en servir pour stimuler ce sens du défi qui fait que nous ne sommes plus des animaux, et qu'en nous dénommant hommes c'est aux dieux puis à Dieu que nous nous identifions. En ayant acquis la capacité de détruire puis de reconstruire, en jouant avec les unités, en les divisant puis les multipliant dans toutes sortes d'ordres et de désordres, nous nous sommes crus les maîtres d'une matière passive, soumise, se tenant humblement à notre disposition, continue Yeshayahou, nous nous sommes crus les maîtres, oui, les propriétaires de tout ce que notre être pouvait discerner. L'Univers est à nous puisque non seulement nous en voyons une partie mais en pouvant l'imaginer infini nous nous emparons aussi de son infini que nous espérons bien réussir un jour à démonter pour le remonter autrement. Ne prenez pas cette plaisanterie pour une plaisanterie. On ne peut être plus sérieux ! Rien ne résiste à cette plaisanterie sérieuse qu'est l'homme ! Aucune énumération, aucun démembrement des unités formant ces amas qui se meuvent plus ou moins distincts ne nous donneront le sens, mais nous faisons comme si le sens c'était nous, notre présence, notre perception, notre vouloir. Et pour élucider ce sens, pour lui donner une substance, nous accordons une signification exagérée aux symptômes, leur prêtant une réalité que souvent ils n'ont pas. "Sommes-nous les symptômes d'autre chose ?" disait mon frère. Et je lui répondais : "Ne sommes-nous pas cet «autre chose» parmi des symptômes ? ce quelque chose de trop qui par une faute inouïe de la... j'allais dire *nature*... par une faute inouïe de la matière s'est trouvé là, ici, sans raison, comme il se trouvera, ici, sans raison, le jour où quelque chose d'émergé s'effacera pareil à un rêve dont la matière ne retiendra même pas le souvenir." Mon frère venait d'être remonté de la salle de réanimation et c'est encore semi-conscient qu'il se posait à voix haute ces questions auxquelles je prenais un méchant plaisir à répondre. Eva était présente, et c'est bien sûr à elle qu'allaient mes sophismes. C'est à elle que je souhaitais faire mal. Elle se taisait mais je voyais dans son regard qu'elle réprouvait non seulement ma présence mais surtout la vitalité contenue dans mes prétendus sophismes. S'installer au chevet d'un mourant pour insinuer que nous sommes du rien tombé dans du rien, n'était-ce pas le comble de la cruauté ? Quand de plus ce mourant interroge la mort qu'il vient, par l'anesthésie justement, de *ne pas avoir reconnue* ! "Est-ce ça, la mort ? L'anesthésie définitive ?" avait-il murmuré en se réveillant alors qu'Eva pleurait, le front contre sa main. Jusqu'au dernier instant mon frère a gardé l'espérance, non pas en une vie après la mort, mais en quelque chose comme une conscience du *n'être plus tout en ayant été*, prenant à la lettre le verbe être de la locution *être mort*. "Etre pour avoir été", disait-il. "Je ne peux me résoudre à croire que l'âme serait provisoire comme l'est notre corps. Avant d'être, je veux bien ne pas avoir été, mais dès l'instant où j'ai été corps et que ce corps s'est reconnu une âme, je refuse à mon âme de disparaître avec ce corps." Voilà ce que disait mon frère sur son lit d'hôpital ! Et ces paroles de cet autre moi-même, au lieu de m'inciter à "l'accompagner" me poussaient comme malgré moi à l'inquiéter davantage. Sans Eva je serais resté le Yeshayahou que mon frère avait toujours connu... mais elle était là, entre nous, amoureuse, désespérément amoureuse de cet autre moi que son amour me faisait détester. Cette douleur je l'ai connue. J'ai détesté mon frère. Avec quelle joie apaisée serais-je mort à sa place ! Oui ! j'aurais donné ma vie, comme on dit, pour que ce désespoir, si beau à voir chez Eva, me soit destiné, soit destiné à ce moi que, par Eva, je découvrais autre que mon frère. Jusqu'à elle, nous construisions nos vies, nous les imaginions, nous les mettions à l'épreuve par les interactions de nos deux libertés. Nous pouvions nous trouver à de grandes distances l'un de l'autre et agir en oubliant en quelque sorte l'autre ; immanquablement nos actions se trouvaient aussi "jumelles". Nos énergies communiquaient par des suggestions réciproques hors de toute analyse. Nous restions organiquement en contact. Depuis notre enfance jusqu'à la mort de ce second moi, cette interpénétration ne s'est jamais relâchée... sauf dans ces derniers instants où j'ai senti que c'était elle, Eva, qu'il...

IX

— … oui, c'est Eva qu'il privilégiait, poursuit avec une certaine émotion Yeshayahou Fridmann, c'est elle qu'il chercha à voir jusqu'à l'ultime instant alors que déjà son regard pâli était celui d'un mort. Et, quand enfin il demeura immobile, cette phrase qu'il avait prononcée continua longtemps à résonner en moi : "L'âme est-elle provisoire comme l'est le corps ?"… Eva et moi, nous étions silencieux. L'ombre du soir rendait grise la chambre blanche et nous ne bougions pas. Eva ne pleurait pas. Je ne pleurais pas. Assis des deux côtés du lit, *lui* entre nous, nous nous tenions immobiles. Par la baie nous apercevions des avions de ligne qui lentement se mettaient en place sur la piste de l'aéroport proche et l'un après l'autre décollaient, presque silencieux, tant cette chambre où nous nous trouvions tous les trois ? deux ?… où je me trouvais avec elle et quoi ?… comment nommer ça ?… *lui ?*… le mort ?… cette part de moi ?… tant cette chambre, par la brusque absence de mon jumeau, semblait ne plus faire partie du monde. Je sais, je ne devrais plus insister sur de tels moments mais c'est de ce terrible silence entre Eva et moi qu'il est encore question maintenant. Quoi que nous fassions, nous sommes en tête à tête avec *lui*, l'immobile à jamais, entre nous.

Elle et moi nous n'avons pas encore réussi à nous mettre en mouvement l'un par rapport à l'autre... Ah, voilà Zimmerstein !

— Je vous ai cherché partout, dit Zef Zimmerstein. Quelque chose d'assez désagréable s'est passé dans le hall de réception de la Centrale. Alors qu'une délégation envoyée par plusieurs pays européens venait d'arriver, Tania aurait tenté, m'a-t-on dit, d'intervenir auprès des responsables placés en tête des différents groupes. Je n'étais pas présent mais il paraît qu'aussitôt des hommes de la sécurité médicale l'avaient priée de les suivre. Peu après, un hélicoptère s'est envolé en direction de la Cité Potemkine. Bien sûr, Nini a tenté de savoir mais personne n'a pu lui indiquer auprès de qui se manifester. Une pétition exigeant la remise en liberté de Tania Slansk circule en ce moment auprès des membres de la mission internationale. Tout le monde signe, signe et resigne ! Moi, j'ai refusé ! Par principe, dit Zimmerstein, je ne signe jamais ! "Je ne suis pas de cette catégorie de signataires à propos de tout et de n'importe quoi !" Voilà ce que j'ai dit à Eva qui insistait, un stylo d'une main, le papier de l'autre. "Tout cela est un coup monté, ma chère Eva, par la doctoresse, ai-je dit, il est évident que rien n'arrive spontanément ici."

— Vous voulez dire ?...

— Oui, mon cher Yeshayahou, je veux dire que la manipulation a atteint, dans ces vergers entourant la Centrale, un degré que nous pourrions qualifier d'artistique. Que l'extinction soit en marche, aucun doute ! Ce qui importe c'est le comment doit être perçu cet Epilogue en marche. Comment diffuser les informations sur cette épouvantable détérioration, que tous ceux faisant partie de la mission constatent avec une curiosité pleine d'effroi et, à la fois, tout en donnant "l'état de santé" du site, habituer les esprits à l'irréparable…

— Justement, l'interrompt Yeshayahou, je disais que dans l'esprit de l'homme, l'irréparable n'existe pas. Même la mort qu'il subit et inflige avec une étonnante facilité, oui même la mort est réparable, croit-il, par une sorte de rallonge du destin que son astucieuse intelligence a eu le génie d'inventer. Ne sommes-nous pas immortels ? Et non seulement immortels mais soit punis soit récompensés. Ce stupide processus qui nous mène de la naissance à la mort, il a fallu que nous le fassions sauter par-dessus la mort et le placions dans une perspective qui va se perdre dans l'infini du temps et de l'espace. Donc tout se répare, se rachète, se pardonne ou se punit, tout n'est jamais dit. Voilà l'homme !

— Pourtant ici tout est dit, comme on dit, et l'irréparable vous le constatez, Yeshayahou, lorsque vous descendez dans les puits creusés autour de ce cœur en fusion du bloc irradiant dont l'enfoncement… dont l'enfoncement…

— Ne cherchez pas, Zef, il n'y a pas de mots et il n'y en aura jamais pour dire ce qui ne peut se dire. Exprimer l'inexprimable du désastre que nous sommes en train de vivre serait faire croire que l'indicible peut se dire.

— Vous êtes vraiment le frère de votre frère ! Comment un géologue de votre niveau peut-il prétendre au silence par manque de mots ? dit Zimmerstein. N'avez-vous pas nommé, avec le plus grand souci du détail, les différentes couches géologiques qui composeraient cette absurde masse à laquelle nous nous tenons agrippés ?…

— Nous ne sommes pas agrippés mais délicatement posés sur cette masse. Que nous ayons réussi à la mettre en danger n'implique pas que cette masse complexe, dont nous ne connaîtrons jamais les véritables structures, soit une sorte de radeau en perdition, comme le laisserait penser votre "agrippé". En effet, nous avons nommé chaque état de ce corps inconnu sur lequel jusqu'à présent nous étions destinés à vivre. Mais nos mots ne sont que des abstractions, ils ne peuvent dire car ce qu'ils disent est indicible. Six mille kilomètres d'épaisseur de lave ne peuvent se dire. De même pour tout ce que notre esprit ne peut contenir, que ce soient les concepts qui tentent de cerner un incernable univers ou certains chiffres impliquant les infâmes agissements des hommes…

— Non, non ! crie presque Zef Zimmerstein, de *cela* nous ne pouvons parler ! Vous avez raison, *cela* ne peut être nommé !

— Et pourtant : *innommable* signifie… sans signifier. L'innommable a été commis, là-dessus pas de doute. Ce qui est dit par ce mot n'est pas mis en doute mais la nature du langage même, cette mise en forme de l'informe et de l'inconcevable qui par l'intelligibilité du mot *innommable* nomme l'impossibilité de nommer… là, notre intelligence refuse les mots et poursuit silencieusement son inimaginable parcours. Par quels moyens, s'ils existaient, pourrions-nous communiquer ce que notre être intérieur sait indiciblement ? Devant les atteintes à ce que les hommes avaient jusqu'à présent considéré comme sacré, nous ne pouvons cependant demeurer dans une attitude de mysticisme réticent. Nous ne pouvons nous taire ! Doués du mystère impérieux de la parole, nous nous devons d'exprimer l'inexprimable car là est notre humanité.

— Mais alors, dit Zimmerstein, que pensez-vous du rapport falsifié attendu de notre mission ? Ce serait donc rendre exprimable l'inexprimable ? Acceptable l'inacceptable ? Adaptable à notre pensée ce que nos corps, eux, ne pourront supporter ?

— Vous, le biologiste, devez comprendre ce que représente la gémellité. Etre un et à la fois deux. Sentir identiquement, tout en pensant différemment. Assister jour après jour, et cela pendant des années, pendant une vie, aux terribles écarts d'appréciation de la part d'une seule et même intelligence coupée en deux, versée dans deux corps identiques... et pourtant étrangers. Eh bien très vite, mon frère et moi nous avons divergé, fondamentalement divergé ! Et je peux vous assurer que s'il se trouvait ici, parmi nous, membre de notre mission, s'il vivait encore, son appréciation du désastre de la Centrale serait radicalement inverse de la mienne. Je pense même que le rapport falsifié que l'on attend de nous, lui, aurait trouvé le moyen de l'inscrire dans quelque chose de plus vaste qu'un simple rapport. Je suis certain qu'il aurait réussi à *placer* ce désastre que nous vivons, à le *situer*, comprenez-vous, Zimmerstein, à l'intégrer dans un système d'ordre supérieur où, *quoi qu'il arrive*, l'espèce humaine aura fatalement sa chance.

— En effet, dit Zimmerstein, je me souviens, avec toujours le même plaisir agacé, de votre frère. Sa générosité excessive, il la prêtait même à je ne sais quelle force élémentaire dont la musique était pour lui l'expression indéniable. "Mon frère, disait-il de vous, Yeshayahou, manque totalement de sens musical."

— Ah ? Il vous a dit ça ?

— Vous-même en convenez, non ? de votre peu de génie musical…

— C'est autre chose. Mais que mon frère ait prétendu…

— Allons, pas de susceptibilité posthume ! Vous n'allez pas vous vexer de ce genre d'appréciation à votre sujet !

— Je ne suis pas vexé mais blessé. Rien ne me prouve qu'il ait dit que moi, son jumeau, je manquais *totalement* de sens musical.

— Bien, dit Zimmerstein en riant, falsifions !… Et pourtant il l'a dit ! Devant Eva d'ailleurs… qui, elle, a dit qu'elle doutait que vous puissiez vraiment être de vrais jumeaux tant elle vous trouvait tous deux différents.

— Zimmerstein, là vous ne pouvez…

— Je ne m'immisce pas, je me remémore…

— Votre mémoire m'est importune. Même la mienne, à propos de mon frère, m'est importune. Qui était mon frère ? Je suis encore à me le demander, surtout quand je vois, par le comportement d'Eva, jusqu'à quel point elle s'est approprié cette part de moi et l'a réorientée dans son souvenir en ne me laissant que les déchets de ce tout que nous formions, mon jumeau et moi, avant qu'il ne rencontre la terrible séduction… ou disons le terrible ascendant de cette femme. Entre elle et moi un secret parasite nos mémoires. Ce secret n'est apparemment pas un secret car ni elle ni moi ne nous défendons de nous être rencontrés bien avant que mon frère ne fasse sa connaissance, et pourtant quelque chose s'est passé entre nous, sans que nous en ayons été conscients. Vous est-il arrivé de vous remémorer un événement précis tel que vous aviez cru le vivre, et soudain, des années après, quand cet événement est sur le point de s'effacer de votre souvenir, voilà qu'apparaît une image négligée jusque-là, un sens qui vous avait échappé ? Ce serait comme si brusquement l'éclairage changeait d'angle et que là, dans un coin de ce qui fait tableau dans votre mémoire, surgissait *quelque chose*, l'essentiel, *la chose* sans laquelle votre mémoire n'aurait rien retenu de ce moment, de cet instant, de cet ensemble dans lequel cette *chose* est restée invisible, enfouie parfois depuis de nombreuses années.

— Nous avons tous en nous de ces hôtes importuns, de ces parasites qui pendant des années se sont dissimulés dans un coin obscur du tableau, comme vous dites. Vous en savez assez de ma triste histoire, Yeshayahou, pour croire que dans les recoins des multiples tableaux inoubliés de ma vie conjugale se dissimule tout un peuple de petits monstres dont il m'est impossible de me débarrasser… et puis aussi une bête de cauchemar qu'il m'a fallu…

— Mais moi je parle d'un secret, de quelque chose d'inavoué, d'inavouable, comprenez-vous, Zimmerstein ? en plus de ce qui se passe toujours et normalement entre des inconnus qui, parce qu'ils étaient de passage, ont accepté une brève intimité, assurés qu'ils étaient qu'elle serait sans lendemain. Eva et moi nous avons été victimes de ce faux anonymat de l'exotisme. La même rencontre, tout aussi brève, aurait eu lieu à New York, à Paris, à Berlin ou à Copenhague, nous n'en serions évidemment pas là, elle et moi. Si nous nous étions rencontrés, comme mon frère et elle s'étaient rencontrés, nous n'en serions pas aujourd'hui à chercher un chemin qui nous conduise l'un à l'autre. Quand mon frère, au moment de mourir, avait forcé Eva à accepter que je lui prenne les mains et les garde dans les miennes, croyez-vous que ce geste était ce qu'il paraissait être ? Plus j'y pense plus ce geste de prétendue générosité m'apparaît terriblement inhibiteur, dès le moment qu'il persiste dans notre souvenir comme l'héritage d'une générosité insupportable de celui qui sait qu'il va mourir. Je croyais connaître mon frère mieux que je ne me connaissais moi-même et voilà qu'avec le temps et à force de penser à lui, de me remémorer, d'essayer de lui trouver une place stable et définitive dans le parcours de nos vies jumelles, je découvre qu'il n'était pas ce double réussi et angélique devant lequel je... à l'ombre duquel j'ai vécu. Pour lui survivre je dois d'abord me remettre bien avec moi-même. Ensuite me hisser... me rehisser dans ma propre estime sur le degré le plus élevé possible. Malheureusement seul je ne le pourrai jamais. Eva *doit* m'aider. Elle le sait mais se dérobe cruellement, prétendant rester fidèle au souvenir de ce frère. Non à son souhait mais à son souvenir.

— Et vous prétendez, dit Zimmerstein, que votre frère en réunissant vos mains pensait rendre impossible, par ce geste si beau et généreux...

— Evidemment ! La "beauté" de ce geste, sa "générosité" nous enfonçaient, Eva et moi, nous mettaient tellement au-dessous de lui que d'une telle chute on ne remonte pas.

— Jamais je n'aurais pensé que la "beauté", la "générosité" pouvaient devenir d'aussi terribles armes...

— Posthumes ! l'interrompt Yeshayahou.

— Ne croyez-vous pas qu'au contraire ce qu'on appelle la "beauté" d'un geste, sa "générosité" appellent en retour la haine ? Croyez-vous à la force inhibitrice de tels "beaux" gestes ? Quand ma femme et ma fille m'avaient brutalement abandonné, malgré ma douleur… et ma honte devant le cadavre de la bête de cauchemar… ou peut-être à cause de l'extrême douleur que leur brusque reniement me causait, je m'étais efforcé *justement* par une attitude *justement* "belle", "généreuse", de les désarmer…

— Et elles n'en ont été que plus cruelles ?

— Que plus cruelles, comme vous dites.

— Mais rien n'est plus attendu, de plus normal que cette haine contre celui qui ostensiblement croit être "beau" et "généreux" en s'offrant comme une victime apparemment consentante. Fantasme chrétien que cela !

— Alors quoi ? J'aurais dû casser la gueule à cet ignoble mage ?

— Je sais, ne me l'avez-vous pas dit ? Vous vous êtes empressé d'abandonner tous vos biens à votre femme et à votre fille… donc au mage…

— C'est vrai. Bien que par ailleurs coupable d'un crime dont je vous parlerai un jour, je me trouvais quand même "beau", "généreux" et, sans que cela soit un calcul, je pensais que tant de "beauté", de "générosité"…

— … les ferait revenir ?

— Tout au moins se repentir…

— Et ce fut bien sûr le contraire.

— Et ce fut évidemment le contraire. Elles redoublèrent d'imagination, comme s'il fallait que je cesse de respirer, que moi, le témoin de leur fanatisme envers ce mage, je mette fin à mon existence. Elles m'ont fait juge de leurs agissements mais le tribunal où elles me font siéger c'est dans la part la plus reculée de leur conscience qu'elles l'ont établi. Et, figurez-vous, Yeshayahou, tant d'injustes souffrances me procurent une méchante volupté. Je suis méchamment heureux ! Ah, elles te font souffrir ? Eh bien souffre encore plus ! Je me soumets à une sorte de dynamique de la souffrance : tu souffres ? eh bien tu vas voir ! Et croyez-moi, Yeshayahou, j'en vois !

— Mais quel sens a votre souffrance ? Je ne comprends pas.

— Justement, aucun... Ou plutôt un sens que nous pourrions désigner comme justicier. Cette souffrance me fait justice. Plus je souffre, plus l'injustice que m'infligent ma femme et ma fille, manipulées par ce mage, est injustifiable. A chaque coup que je reçois, je me dis : Pas possible, donc elles ont osé *jusque-là* ! Et je me roulerais presque sur mon lit tellement une joie méchante me secoue du rire affreux des désespérés.

— Vous ne croyez pas exagérer un peu, Zef ?

— Demandez-leur à elles ! Comment peuvent-elles ? Je l'ai vu ce mage. Bien sûr on me dira : Quelle idée de mêler l'esthétique à l'expression de votre désespoir ? Mais, pardonnez-moi, j'exige qu'au moins un peu d'esthétique vienne atténuer la laideur de cette situation. Voilà ce que je réponds à ceux qui ne comprennent pas que même dans la pire situation l'élégance, une certaine grâce aident. Ma curiosité a achevé l'œuvre destructrice car un jour il a fallu que je me fasse une idée de ce mage. Malgré la pluie et le vent, je l'ai guetté. Il est sorti. Je l'ai vu ! Et ma souffrance a atteint une intensité inespérée. Je ne vous décrirai pas ses mains grasses et surchargées de bagues, son crâne rasé, ses jambes courtes, pouah ! Voilà donc quel est l'homme ! Un chimpanzé, à côté, est une merveille ! Depuis je souffre d'une très rare volupté. Vous me regardez avec un amusement qui ne fait qu'ajouter au ridicule de ma situation de mari foulé aux pieds, et de père… eh bien oui, foulé aux pieds aussi !

— Zimmerstein, Zimmerstein ! Tst ! tst ! Zef, allons !

— Alors quoi ? Et maintenant je vais vous dire pourquoi je suis ici. Que fais-je dans cette mission ? J'aurais pu refuser de me mêler à cette fourberie indigne de gens comme nous. Mais c'est justement cette fourberie qui m'excite. Ma femme, ma fille, le mage, moi, vous, nous tous, l'humanité et les chimpanzés défunts, ne nous y sommes nous pas tous mis pour foutre en l'air l'esthétique ? Nos os, notre chair, les insectes, les plantes et les petits animaux, mais aussi les ours, les loups, les rennes, les vaches et les renards, oui, tous, tout, les eaux et les roches, tout est irrémédiablement atteint ! Et ça, voyez-vous Yeshayahou, me fait un ignoble plaisir.

X

— Qu'a-t-elle fait ? Pourquoi a-t-elle tenté ce geste incohérent ? dit Eva en *nous* arrêtant sous les arbres en fleurs. Venez, je l'ai vue, elle se trouve en ce moment dans le laboratoire de biologie moléculaire car Zimmerstein et Nini ont à tout prix voulu éviter qu'on la transporte dans l'infirmerie de la Centrale. "Autant que possible il faut que l'on ignore ce terrible geste de Tania, m'a dit Zimmerstein, les services médicaux secrets, surtout, doivent être tenus à l'écart de ce que nous ne nommerons pas autrement que le *malaise* de Tania." Ce matin on l'a trouvée inanimée dans la partie ouest du verger, étendue dans cette épouvantable profusion de fleurs, de parfums, de chants d'oiseaux… "Par bonheur, m'a encore dit Zimmerstein, nous avons réussi à la ramener à la vie. Elle ne cesse de parler mais ses phrases sont incomplètes comme si une grave menace les empêchait de se terminer." Oui, voilà ce que m'a dit Zimmerstein alors qu'il courait vers le laboratoire de biologie moléculaire où je l'ai suivi, continue Eva Mada-Göttinger. Tania gisait sur un petit lit de camp. "Les premiers mots qu'elle a prononcés en sortant de son état d'inconscience, m'a dit encore Zimmerstein, poursuit Eva, ont été des mots tels qu'ils viennent aux enfants quand un mauvais rêve les a épouvantés. Le poids du rêve est là, écrasant, il excède le cri de terreur que tout être humain pourrait pousser dans la réalité." A vrai dire, continue Eva alors que nous marchons au hasard à travers le verger, je ne sais lequel de Tania ou de Zimmerstein est le plus... disons méconnaissable. Il est évident que Tania a été irrémédiablement blessée par ces *choses* qui "ont fait vaciller son sens du réel", comme l'a dit Zimmerstein. N'a-t-elle pas parlé des enfants-lézards avec les mots du cauchemar plutôt que ceux de la pédiatrie de haut niveau auxquels elle nous a habitués ? Ce que Tania a vu *là-bas* demanderait une concentration du langage que même l'écriture la plus serrée ne pourrait restituer. Je vous communique rapidement mes impressions, continue Eva, et aussi certaines paroles de ce pauvre Zef que le geste de Tania contre elle-même semble avoir moins effrayé qu'on ne le penserait, et je dirais, presque ravir... De son côté Nini prétend qu'elle n'a pas vraiment voulu mourir mais être, au contraire, protégée par la mission scientifique. "Ce n'est pas la première fois, m'a-t-il dit, que Tania s'est à demi suicidée. Il lui est déjà arrivé de se tuer à moitié après avoir subi de ces sortes de chocs liés aux enfants que sa spécialité l'oblige à examiner dans des circonstances la plupart du temps dramatiques. Mais aujourd'hui, avait ajouté Nini, poursuit Eva, ce serait plutôt l'attitude névrotique de Zimmerstein qui fait d'elle une..." Tiens, voilà Yeshayahou.

— J'arrive du laboratoire de biologie moléculaire. Savez-vous que Tania...

— Nous le savons, l'interrompt Eva.

— Ce qu'elle a vu semble avoir détraqué sa raison, prétend Zef. "Elle parle, m'a-t-il dit, mais les images qui l'obsèdent fêlent ses mots et les brisent car elles sont trop violentes pour être transmises oralement." Bien sûr, il ne faut pas oublier qui parle, qui emploie ce langage, et que toujours derrière ce que dit Zef transparaît son drame personnel dès qu'une femme est en question…

— Laissez cela, Yeshayahou, le coupe sèchement Eva. Rien ne m'est plus pénible que cette perpétuelle distinction des sexes. Ceux qui sont ici sont avant tout des chercheurs investis d'une impossible mission qui fatalement devrait nous pousser tous, autant que nous sommes, à falsifier les résultats de nos observations. Je vous ai entendu prétendre que les femmes seraient plus "accrochées à l'éthique", alors que les hommes…

— Permettez, Eva, permettez ! J'ai en effet dit que les hommes n'ont que faire du "mensonge" puisqu'ils ont été habitués à proclamer la "vérité"… ou si vous préférez "leur vérité". Tandis que les femmes, jusqu'à présent, ont été soumises à ces "vérités" qui n'étaient évidemment pas les leurs, forcées qu'elles étaient de les admettre et donc de les défendre avec plus de fermeté que ne le font les hommes. Ceci dit, pour les détails de la vie, le mensonge ou, disons, la dissimulation…

— Ah, cessez, Yeshayahou, cessez ! Jamais votre frère n'aurait…

— Ah, Eva, cessez, vous aussi ! Mon frère ne peut être continuellement évoqué entre nous ! Il a été réellement enivré par vous, votre intelligence, la prodigieuse portée de vos travaux… et pourtant vous l'avez arraché à ce qu'il appelait "la musique" pour le précipiter dans cette terrifiante dimension *du monde des insectes*…

— Ce n'est pas du tout ce qu'il me disait.

— Il vous aimait, Eva.

— Vous n'allez quand même pas prétendre que l'amour…

— Bien sûr, je n'irai pas jusqu'à dire que l'amour est illusoire mais souvent il rend *musical* ce qui sans lui ne le serait peut-être pas. A peine vous avait-il rencontrée, il m'avait dit : “Jusqu'à présent j'avais cru que seule l'espèce humaine était non seulement capable de produire ce que nous nommons *la musique* mais qu'elle était bien la seule à en ressentir l'universalité. Cette universalité de la musique, je la croyais essentiellement humaine comme humains sont la parole, le chant… et l'espoir…” Attendez, Eva, ce n'est pas tout ! Il avait ajouté : “Mais depuis ma rencontre avec quelqu'un que j'ai hâte de te faire connaître, je suis en train de mettre en doute la plupart de mes idées. Oui, jusqu'à cette rencontre, je pensais même que le chant avait précédé la parole et que la parole s'était nourrie, formée, développée sur ce sens de la musicalité spécifiquement humain. Et voilà que ce quelqu'un m'a ouvert sur une universalité musicale qui dépasse l'homme et ce que nous nommons “l'humanité” de l'homme. Notre perception de l'harmonie, comme notre perception de son contraire qui serait le chaos sonore, me semble provenir non seulement du souvenir de tous les états antérieurs par lesquels nous sommes passés mais aussi et surtout de la violence disons cosmique dont nos fibres et notre intelligence gardent en elles la mystérieuse imprégnation…” Evidemment j'accueillis avec un sourire ironique ces paroles de mon frère, me demandant quel pouvait être ce “quelqu'un” dont il m'annonçait la rencontre. Comment aurais-je pu imaginer que cette *rencontre* serait pour vous et pour moi de bien bizarres retrouvailles ?

— Je vous en supplie, Yeshayahou, cessez de me poursuivre avec "notre" passé...

— Mais, Eva, ne dit-on pas qu'au moment de mourir la part la plus vitale de notre conscience nous fait revivre... ? Oui, qui sait si nous ne révisons pas dans ces quelques instants d'extinction de la conscience non seulement toute notre histoire mais aussi celle de notre espèce qui ne s'est faite qu'en perpétuelle répétition... ? Aujourd'hui tout nous pousse à croire que le moment est venu... Pourquoi serions-nous ici, dans ce verger, si ce n'est pour assister à l'extinction tout en nous remémorant ? *Puis ce fut la nuit pour toujours et à jamais, et tout a continué sans nous, pour toujours et à jamais !* Voilà pourquoi, quand j'évoque ce toujours et à jamais sans nous, je pense à mon frère qui rêvait cette musique universelle. *La musique* signifiait pour lui plus que la musique, *la musique* c'était vous, Eva...

— Yeshayahou, dit-elle d'une voix éteinte, voulez-vous, ne parlons plus de *lui*. Soyons amis... sans *lui*, voulez-vous ?... Tiens, voilà Nini ! Justement nous allions...

— Inutile de retourner au laboratoire. Zef vient de m'en chasser. Il prétend que ma présence rend Tania de plus en plus nerveuse. Je ne sais si c'est ma présence ou celle de Zimmerstein qui exacerbe chez elle cette prétendue nervosité mais il est évident qu'il trouve dans cette fébrile inquiétude de Tania la permission en quelque sorte de se laisser aller à sa propre nervosité suicidaire... "Tania a été gravement traumatisée, m'a-t-il dit, laissez-la seule avec moi, Nini, nous devons éviter toute publicité qui ferait de ce geste de Tania contre elle-même un événement qui risquerait d'alerter ceux qui nous surveillent." Ces paroles prononcées d'une voix incroyablement tendue m'ont décidé à me retirer. Je suis venu ici, avec l'espoir de me calmer en faisant quelques pas sous les arbres abominablement fleuris de ce verger. Je ne m'attendais pas à vous trouver. Au contraire de Zef, je pense qu'il serait bienvenu, en prenant pour prétexte ce geste de Tania, de faire pression sur les autorités médicales secrètes de la Cité Potemkine et, ainsi, obtenir le libre accès à ces sous-sols où seraient séquestrés les enfants-monstres entrevus par Tania. N'avons-nous pas été mandatés pour mener une enquête "objective" ?... quitte à soumettre nos conclusions à un comité d'éthique désigné, lui, pour aménager le rapport final destiné à rassurer... ou tout au moins à permettre d'envisager un futur...

— ... sérieusement raccourci, mon cher Nini, dit Yeshayahou d'un ton bizarrement réjoui.

— Raccourci mais vivable le temps d'entrevoir le déclin et donc de rassasier notre curiosité. Voilà pourquoi, en nous appuyant sur le suicide manqué de Tania, nous devons exiger l'accès aux sous-sols de cette Cité dite du Bonheur.

— S'est-elle suicidée ou l'a-t-on un peu suicidée ?

— Peu importe. Surtout ne pas nous montrer soupçonneux à l'égard des brigades médicales spéciales. Inutile de poser cette sorte de question inutile. Par nature Tania est d'un tempérament suicidaire. Ce n'est pas la première fois qu'elle tente de mettre fin à ses jours, comme on dit... et ce ne sera sûrement pas la dernière. Mais la question n'est pas là ! Nous devons prioritairement non seulement voir ces enfants difformes mais les toucher, les étudier, et surtout disséquer leurs cadavres sans avoir sur le dos les agents des services spéciaux médicaux pour nous surveiller. Et toujours, en nous appuyant sur ce coup dépressif de Tania – peu importe les vraies raisons ! – il nous faudrait exiger aussi de passer de l'observation des enfants-lézards à leurs mères, pour comprendre à quel moment de la gestation ils cessent de devenir des enfants sans toutefois être encore de vrais lézards…

— Nini, je ne supporte pas vos façons de prétendre, comme si c'était un droit, à l'utilisation des corps dans le but d'assouvir votre curiosité, dit Eva, tremblante de colère retenue. Et de plus vous servir de Tania pour… de ce qui lui est arrivé pour…

— Pour assouvir notre curiosité à tous, Eva ! Ce monde est destiné à s'effacer, non ? Rien ne restera des temps biologico-culturels, comme dirait Zimmerstein. L'immense mosaïque biologique et culturelle, en effet, se sera effacée sans laisser de trace. Puisque nous voilà à l'extrême limite du vide, qu'au moins notre curiosité nous permette de nous avancer jusqu'au vertige. Ce que personne ne songerait à vous reprocher quand il est question de vos insectes, je ne vois pas pourquoi on nous empêcherait de le pratiquer sur des êtres dont l'humanité est à prouver, et dont la dégénérescence est peut-être plus “pure”, prise dans l'ensemble de la création, que notre apparente normalité. Où commence la ligne d'ombre biologique à partir de laquelle ce que nous nommons l'humain peut être nettement tranché ?

— Croyez-vous, Nini, que c'est en pratiquant la dissection sur ces enfants ou sur leurs mères irradiées que vous délimiterez cette ligne d'ombre ? dit Yeshayahou.

— Je le crois fermement ! Associées aux travaux de Zimmerstein, mes recherches, par une exploration de plus en plus poussée des espaces quasi infinis du cosmos biologique qui nous constitue, mes *jeux*, si vous préférez, doivent nous dire à partir de quel moment nous sommes… ou ne sommes plus humains. Et surtout, par cette sorte d'exploration, nous débarrasser de la vision naïve d'une fatalité humaine qui ne pouvait être que telle que nous la connaissons. Ces enfants-lézards sont une chance inespérée pour la connaissance. "Et plus les aberrations biologiques se seront accumulées en eux, plus riche sera notre moisson", avais-je dit à Tania. "Nini, m'avait-elle répondu, ta prétendue soif de connaissance est plus monstrueuse que ces aberrations biologiques."

— Elle n'avait pas tort, dit Yeshayahou. Nous ne pouvons toujours transformer nos erreurs en prétextes à un plus de connaissance. Hier, je suis descendu encore une fois dans le puits le plus profond creusé aussi près que possible du cœur en continuel enfoncement de la Centrale ; là, se trouvaient d'autres géologues et plusieurs physiciens. Malgré nos combinaisons protectrices, nous étouffions de chaleur, bien que de puissants jets d'eau nous…

— Ah, Yeshayahou, je vous demande de ne plus évoquer devant moi l'horreur de ce qui se passe sous le socle démoli de la Centrale ! dit Eva.

— C'est comme il vous plaira. Mais ce que je voulais dire, c'est que ces géologues et ces physiciens étaient dans un tel état de stupeur et d'effroi que toute spéculation se trouvait balayée, tout pronostic hors de question. Ce qui se passe sous terre en ce moment n'ajoute rien à notre connaissance, Nini, croyez-moi ! Que la part secrète de notre "humanité" se réjouisse du définitif désennui que représenterait l'expansion de la catastrophe, je ne le nie pas, mais nous ne pouvons affirmer que cette catastrophe ajoutera à la connaissance. Qu'elle vienne s'ajouter à nos impossibilités de déchiffrer le monde, sûrement ; qu'elle renforce l'interprétation du sens que l'espèce humaine s'est toujours inventé, quoi de plus naturel ? mais nous savons que rien ne pourrait être prouvé, ni logiquement, ni formellement. Nos hypothèses et nos découvertes, bien qu'ayant modifié la manière dont nous nous situons dans l'Univers, n'ont rien dévoilé de l'inconnaissable. C'est à quelque chose près ce que m'ont dit les physiciens avec lesquels j'étais descendu au fond du puits le plus proche du cœur en surfusion de la Centrale. "Le paradoxe de notre humanité ne sera jamais élucidé, il y a sans aucun doute un sens au sein duquel nous ne saurons jamais comment nous situer et pourquoi nous sommes condamnés à nous y débattre… et par Qui nous sommes condamnés ?… De poser la question de ce Qui ne mène pas forcément à la révélation de ce Qui." Voilà ce que m'ont dit les physiciens qui avec moi explorent régulièrement les souterrains et les puits de mine que creusent nuit et jour les ouvriers affectés à la Centrale. Mais ce qui m'a étonné, c'est quand dans les vestiaires, au moment où nous nous débarrassions de nos combinaisons thermiques, l'un des physiciens avait évoqué, comme preuve de ce Qui, certains tableaux, certains livres et surtout certains morceaux de musique dont je ne vous citerai pas les titres car chacun de nous aime à garder secrètes ces *preuves*…

— Question banale d'autant plus naïve qu'elle est posée par cette équipe de physiciens faisant partie de notre mission, dit Nini. Que nos nerfs s'excitent de telle musique ou de telles formes peintes par la main de l'homme, que notre intelligence se plaise à entrer en contact avec une autre intelligence grâce à la double solitude qu'impose la lecture, ne prouve évidemment rien de plus qu'une rencontre biologique : deux machines sensiblement identiques se sont reconnues ! Mais que deux machines sensibles se soient reconnues à l'extrême de leur sensibilité n'indique pas forcément une Présence autre qui en serait le témoin. La poésie ou la musique sont du "beau" qui nous appartient exclusivement… qui appartient exclusivement à notre espèce… comme ce qu'on appelle le "chant" des orthoptères appartient exclusivement aux orthoptères, n'est-ce pas Eva ?

— Bien que Yeshayahou soit là, et qu'au moment où vous arriviez nous venions de faire le serment de ne plus évoquer entre nous son frère, vous m'obligez à me référer encore une fois à lui, répond Eva. "Toute la différence entre nous et les insectes, m'avait-il dit un jour, c'est que nous avons la parole – ce qu'apparemment les insectes n'ont pas. Le «chant» des insectes n'est ni de la parole ni du «chant» mais un bruit de ralliement sexuel. Même le chant de l'oiseau n'est pas un «chant» dans le sens où nous l'entendons, nous les humains. L'oiseau crie mélodieusement parfois mais son cri mélodieux ne dit pas «l'indicible», il ne chante pas de ne pouvoir dire l'indicible. Il chante pour marquer sa présence comme l'insecte marque par son «chant» sa présence, comme le mammifère borne de différentes manières un territoire qu'il s'approprie.

Tant que l'espèce humaine était incomplètement humaine, elle produisait du bruit, des cris, elle exprimait sa puissance naissante en utilisant tous les moyens mis à sa disposition par le monde de l'animalité où elle se trouvait plongée. Puis lentement la parole civilisa en quelque sorte ces cris, ces bruits, en même temps que la main prenait possession des objets constituant le monde familier. Mais c'est surtout quand notre espèce, en se précisant comme de plus en plus humaine, voulut nommer le loin, le difficilement atteignable et surtout l'*inatteignable* qu'elle produisit le langage. Et ce n'est qu'à partir du moment où le langage commença à se heurter à «l'indicible» que le chant, la musique, la poésie, l'art représentèrent notre incapacité à *dire* l'indicible et à *exprimer* l'inexprimable. C'est faute de mots pour transmettre son anxiété devant un sens qu'elle a toujours désiré donner au chaos que l'humanité a produit ses œuvres les plus insensées." Voilà les paroles de celui qui en choisissant la sismologie avait cru se mettre à l'écoute de certaines forces dont il captait les oscillations acoustiques, espérant déchiffrer...

— Mon frère, en effet, avait toujours prétendu que cet *indicible*, dont les œuvres les plus mystérieuses produites par les hommes seraient en quelque sorte la matérialisation, ne se signifiait pas par ces œuvres toutes "divines" qu'elles puissent être mais s'annonçaient comme saisissables... indicibles mais saisissables...

— Saisir l'insaisissable par ce qui est indicible dans la musique, la poésie, l'art ? l'interrompt Nini. Je doute que ce que nous nommons "beau" dépasse la simple félicité nerveuse des quelques milliards de cellules affectées à la sensation de tels sons, de telles couleurs ou de telles formes rencontrées par l'être humain. Désolé de vous dire qu'il nous faut nous contenter de ce que nos nerfs nous offrent comme sensation du monde. La musique, la poésie, l'art ne sont sûrement pas des passerelles vers… Il n'y a pas de vers quelque chose ! Il y a ici des choses avec lesquelles nous nous débattons. Des *curiosités* si vous voulez, des curiosités dicibles, toutes ! Et même la plus impalpable, intouchable, insaisissable de ces curiosités : la musique, si chère à votre frère, Yeshayahou, c'est en interrogeant les milliards de cellules mises à contribution pour *goûter* cette musique que nous saisirons jusqu'où va notre extraordinaire capacité à détourner l'utile en *indicible*. Là est le divin ! Le divin est en nous et nulle part ailleurs ! Et aucune passerelle pour nous transporter de l'autre côté de la compréhension ! Car ce qui est n'est pas à comprendre. L'énigme de ce qui est n'est exaltante pour notre intelligence que parce qu'elle restera énigme à jamais.

XI

— Que l'accident nous offre des spécimens monstrueux n'a rien d'exceptionnel, poursuit Nini, car bien avant que l'homme ait eu la possibilité de rudoyer la nature jusque dans ses plus délicats processus, combien d'étranges "choses" se sont frayé un chemin jusqu'à nous, utilisant la matrice humaine pour "débarquer", en quelque sorte…

— Vous voulez dire, l'interrompt Yeshayahou, vous voulez dire que derrière le mur des espèces se tiendraient, prêts à nous envahir…

— Oui, tous les monstres possibles et impossibles, dit Nini. Un de mes vieux professeurs d'anatomie prétendait même qu'un jour l'humanité risquerait d'être redevable à ces sortes de chimères ayant franchi le mur des espèces de l'éclosion d'un nouveau genre mieux adapté que nous ne le sommes aux conditions que lui offrira la planète telle que nos activités sont en train de la transformer. "Sortez-vous de l'idée que l'homme dégrade la planète, nous disait-il à nous autres ses élèves, l'homme transforme et a toujours transformé les systèmes dans lesquels le hasard l'a condamné à survivre. Qu'il y ait entropie, nous devons l'admettre, mais dégradation… non ! non ! dégradation jamais !" Voilà ce que disait à ses élèves ce vieil anatomiste, et en effet, si on se donne le plaisir de réfléchir hors de toute idée d'esthétique conforme, l'apparition de chaque nouvelle espèce, pour peu qu'un témoin se fût trouvé pour en faire le constat, n'a pu se percevoir que comme la plus épouvantable des abominations… Que la doctoresse ait entrouvert avec horreur la porte des sous-sols de la Cité Potemkine pour que Tania constate ce que jusqu'à présent les forces médicales secrètes avaient tenu enfoui dans la nuit et le silence, rien de plus naturel car le secret appelle le dévoilement et au contraire de ce que l'on pense l'horreur exige le grand jour. Toute mutation est une tension du vivant vers l'adaptation à un milieu en modification. Rien de plus *naturel* que l'apparition, dans ce verger empoisonné, d'une nouvelle espèce peut-être mieux adaptée aux nouvelles normes de radiation…

— Ces enfants-lézards, selon vous, dit Eva, seraient-ils donc une réponse…

— Oui, une réponse en quelque sorte joyeuse de la Nature, un élan de foi en la vie. Ce qui nous paraît un accident ne l'est pas pour la vie, comprenez-vous ? La vie saute, oui la vie joue et danse le plus près possible des gouffres. La vie adore les accidents ! La vie aime être provoquée. Elle ne connaît pas ce que nous nommons les monstres, elle ne cesse d'esquisser de nouvelles formes. Elle s'amuse de nos préjugés et nous étonnera toujours. Depuis que le cœur de la Centrale s'est enfoncé, ce verger n'est plus le verger originel tel que les concepteurs de la Centrale l'avaient rêvé. Ce verger n'est plus pour nous mais pour ce qui est en train d'y prendre forme. Les enfants-lézards annoncent ce que sera demain : un Eden *radieux* peuplé de cyclocéphales parfaitement adaptés… tandis que nous…

— ... sommes destinés à disparaître ? dit Yeshayahou Fridmann, réjoui.

— Vous êtes répugnants, s'indigne Eva.

— Que vous le vouliez ou pas les monstres ce sera nous et c'est nous que les enfants-lézards devenus adultes mettront dans des bocaux, comme il se doit pour toute aberration génétique en porte-à-faux avec le milieu. Ce n'est pas une plaisanterie. Je demande avec le plus grand sérieux à examiner ces enfants-lézards. Je veux pénétrer leurs chairs, scruter leurs cellules, me rendre compte s'ils sont une parade de la vie, une nouvelle proposition du vivant en réponse à la splendide gaffe de l'homme d'astuce, comprenez-vous ? Il n'y a pas de fin du monde mais des aubes. Que nous soyons les témoins de l'Epilogue, qu'ici dans ce jardin fleuri descende le Crépuscule n'empêche pas que pour l'œil cyclopéen des enfants Polyphème ce soit l'Aube. Voilà ce que je crois avoir vu aussi dans la fovéa que nous ont remis les services secrets médicaux de la Cité Potemkine, dit Nini.

— Mais qu'avez-vous vu exactement dans cette partie mystérieuse de l'œil ? Et pourquoi voulez-vous que ce soit l'œil frontal d'un enfant Polyphème mort que les services secrets médicaux vous aient confié alors que parmi nous nul autre que Tania Slansk n'a vu et n'est censé savoir que ces enfants-lézards existent dans les sous-sols de la Cité du Bonheur ?

— Figurez-vous, Yeshayahou, qu'à la lecture des cellules d'un œil, vous pouvez sans aucun doute possible déterminer si vous avez affaire à un œil gauche ou droit. La fovéa que Zimmerstein et moi avons examinée était en quelque sorte *axiale*. Donnez-moi une seule cellule et je vous dirai sur quel œil elle a été prélevée. “Dans la fovéa l’histoire du monde est inscrite”, disait mon vieux professeur d’anatomie. “Le jour où nous nous serons dotés des instruments à la mesure de notre insatiable curiosité, disait toujours mon vieux professeur, alors nous traverserons les dimensions de l’infime pour pénétrer dans les immensités que nous proposent nos télescopes perfectionnés… Songez que *fatalement* nos microscopes à lumière polarisée seront dépassés… et alors nul ne peut imaginer sur quelle dimension nous risquons de déboucher.”

— Vous n’allez pas prétendre que l’infime, que le microcosme déboucherait sur… sur les espaces incommensurables de l’Univers…

— Absolument ! Telle était l’intuition de mon vieux professeur d’anatomie. Selon lui, toutes les dimensions de l’Univers seraient en quelque sorte réversibles comme en physique l’est le temps, comme le serait aussi la matière qui se joue de nos dimensions… Pensez aux groupes de symétries mathématiques qui s’appliquent non seulement aux “objets” tels que les cristaux et les molécules, mais aussi, plus abstraitement, aux lois fondamentales de la nature. Songez, en physique, aux quasi-cristaux, à l’antimatière, aux théories de super-symétrie…

— Attendez, attendez ! Si je comprends bien, votre professeur d’anatomie prétendrait donc à une symétrie absolue de l’Univers ?

— C’est cela. Nous serions en quelque sorte à la pliure de cette symétrie. Les dimensions que nos sens perçoivent seraient *ressenties* depuis le creux, le fond de cette pliure, comprenez-vous ? Nous croyons voir de l’immense ou de l’infime, comme notre corps prétend se diviser en droite et gauche quand, toujours selon ce vieux professeur d'anatomie, ce serait à la *pliure* de nous-mêmes que nous devrions nous placer pour entamer une aussi vaste réflexion. Et voilà qu'en pénétrant au plus profond de la fovéa que les services médicaux secrets nous ont fait parvenir, je découvre des cellules qui ne font partie d'aucune dimension, oui, elles sont sans repères dimensionnels ! Ces cellules ne sont ni droitières ni gauchères : elles sont *axiales*, elles se situent à la croisée de l'incommensurable et de l'infime…

— Vous voulez dire que les cellules formant la fovéa de l'œil frontal de ces enfants-lézards seraient… quel terme trouver ? disons *cosmiques* ?

— Je vous laisse à vos absurdités, lance Eva, s'en allant brusquement.

— Attendez-moi, Eva ! crie Yeshayahou Fridmann en courant derrière elle.

— Venez, *nous* dit Nini, marchons, voulez-vous, jusqu'à cette butte, là-bas, d'où l'on domine les prés fleuris. Nous sommes destinés à tourner sans fin dans ce verger en éternel printemps. “Nous ne remettrons jamais notre rapport. Nous nous *éteindrons* bien avant que la première ligne de notre rapport soit tracée. Malgré l'iode que l'on nous conseille d'absorber notre sang ne ressemble plus à du sang, notre sang, si vous l'observez au microscope, a perdu toute couleur et toute consistance. Un liquide irisé parcourt encore nos veines et nos artères…” Voilà ce que j'ai dit à un groupe de physiciens, tout à l'heure, dans le hall d'accueil. Bien sûr je plaisantais… A dire vrai j'anticipais. Croyez-vous que ces physiciens se seraient alarmés ? Chacun de nous est si bien enfoncé dans sa spécialité qu'il… Tiens ! dit Nini, désignant au fond de la vallée deux silhouettes diminuées en train de traverser les prés bordant le lac, que font-ils tous les deux là-bas ? Habituellement Eva évite farouchement de se trouver seule avec Yeshayahou... et voilà qu'elle semble l'entraîner. Vont-ils enfin se débarrasser de ce mort qui les empoisonne ? Jeter dans le lac contaminé l'ombre de l'amant-frère dont ni elle ni lui ne peuvent supporter le souvenir ? Rien n'est plus hideux que le souvenir d'un vivant que nous savons en destruction de mort. Notre conscience le voit à la fois vivant et mort... tel que la mort travaille à détruire... ce qui le faisait lui... L'autre jour Eva avait dit à Tania qui me l'a rapporté : "Ce qui est *atroce*... oui, elle avait employé ce mot excessif... ce qui est atroce c'est qu'en Yeshayahou se fixe de plus en plus l'image vivante de celui que j'ai aimé et que j'aime, pendant qu'en moi se *décompose* l'image de celui que j'ai aimé et que je ne peux aimer tel que je le sais dans l'obscur de la terre." Oui, voilà ce qu'a dit Eva à Tania et que Tania m'a rapporté l'autre jour ! Alors, les voyant là-bas s'éloigner en direction du lac, je pense que le moment est venu... qu'enfin ils en sont là où ils devaient en venir.

Après un silence, Nini *nous* avait encore dit :

— A propos de Tania, je dois vous avertir. Rien de ce qu'elle perçoit ou croit voir n'est ce qu'elle a vraiment perçu ou vu ; elle se comporte comme si... comme si ce qu'elle imagine a eu lieu, quand pour nous autres ce que nous imaginons pourrait avoir lieu, comprenez-vous ? "Tu vis en trompe-l'œil, Tania, lui dis-je toujours, tu te laisses attraper par ce que tu crains de rencontrer, tu te mystifies toi-même, tu devrais te sentir humiliée de craindre à ce point ce que tu ne rencontres que parce que tu le crains." Il m'arrive même de douter des enfants-lézards.

Tant que quelqu'un d'autre qu'elle ne les aura pas examinés, je resterai incertain quant à l'aspect monstrueux de ces chimères ni humaines ni animales dont nous savions jusqu'à présent la possible apparition là où le contrôle des processus nucléaires risquait de nous échapper. Jusqu'à présent quelques cas d'enfants Polyphème avaient surgi aux abords des décharges où les taux de contamination dépassaient les normes admises. Leur vie était brève et nul n'a jamais pu en approcher. On savait. Quelques photos avaient circulé. Certains laboratoires d'anatomie avaient obtenu des fragments de tissu mais rien ne prouvait que ces tissus humains avaient été prélevés sur des cadavres d'enfants mutants. Il y a de cela deux ou trois ans, à Vérone, j'avais montré à Tania des photographies de cellules provenant de ces prétendus enfants irradiés dont des femmes vivant sur la frange des décharges avaient accouché prématurément et qu'elles avaient jetés sur les tas par-dessus les clôtures électriques qui en interdisent l'approche. En effet, ces cellules n'étaient pas tout à fait humaines… ni cependant spécifiques d'une quelconque autre espèce. C'était quelque chose de non connu, de non répertorié, d'atypique… Tania en fut exagérément bouleversée. "Je ne peux croire, m'avait-elle dit, que ces lambeaux de tissus aient été prélevés sur des enfants ! Je dois voir, me rendre compte, je dois ! je dois ! je dois !" Voilà comment est Tania, poursuit Nini alors que nous nous trouvions sur la butte dominant la vallée fleurie. Ce "je dois" a toujours maintenu Tania dans une sorte de rigidité morale proprement étouffante. Rien n'est plus délicat et parfois même pénible que ce "je dois" pour l'amant d'une femme que d'insupportables préceptes tétanisent. Pas question de la retenir. Tania s'est rendue aux abords de cette décharge… et là elle a vu ! La pédiatre a vu, s'est dévouée, a perdu l'esprit. Qu'une population à l'abandon vive autour des décharges, rien de plus naturel. Encore faut-il que ces décharges soient classées "à moindre risque". Dans le cas de celle où Tania allait offrir sa mauvaise conscience et son besoin de compassion, nul n'avait le droit d'en approcher… bien que d'innombrables cabanes formassent une ceinture d'habitations où des familles en surnombre s'entassaient dans des conditions telles que non seulement la santé physique de ces gens mais surtout leur santé mentale atteignaient "le sous-sol de la condition humaine", disait Tania. "Si être humain c'est atteindre le sous-sol de la démence, disait encore Tania, poursuit Nini, eh bien, autour de ces décharges irradiées vit la véritable *humanité*, une humanité que le plus infâme des dieux n'aurait jamais eu la dépravation de jeter dans ce que l'on nomme la vie." Voilà ce que m'avait dit Tania, incapable de retenir ses larmes… Figurez-vous qu'elle… ça vous devez le savoir ! oui, figurez-vous qu'elle fut témoin d'un cas de démence qu'aucune imagination n'aurait pu inventer. Tania en reçut le choc et à la suite de ce choc plus jamais elle n'a réussi à retrouver le goût de vivre, comme on dit… d'où son geste… Voilà ce qui s'était passé. Une de ces femmes que Tania visitait venait d'accoucher d'une petite fille apparemment en parfaite santé, ne montrant aucune des malformations habituelles aux enfants de ces zones. "Rien n'est plus bouleversant, me disait-elle, que l'excessif amour que ces femmes portent à leurs enfants. Il faut croire que vivre à proximité des déchets irradiants et d'en voir leurs enfants plus ou moins abîmés redouble leur force d'amour. Hier, il est né une petite fille dont je suis folle tant elle montre de gaieté d'être en vie. – Comment une petite venant à peine de naître peut-elle différer des autres ? avais-je dit. Tous les nouveau-nés ne se ressemblent-ils pas ? Détrompe-toi, m'avait répondu Tania, avec une bizarre exaltation, certains nouveau-nés ont une *charge* extraordinaire, d'autres peuvent paraître *vides*." Bref, elle ne cessait de me parler de cette petite fille de la zone irradiée. Mais voilà qu'un jour Tania arrive au laboratoire et s'effondre sans prononcer une parole. Ses mains étaient glacées, son corps entier rigide, comme tétanisé. "C'est le fond de l'horreur ! m'avait-elle murmuré. — Quoi ? lui avais-je dit. — Ce qui vient de se passer." En effet, il venait de se passer là-bas quelque chose d'impossible à supporter. Cette petite fille à peine née dont Tania était "folle", comme elle disait, venait d'être atrocement mutilée par une des femmes contaminées habitant les pourtours de la décharge. Profitant d'un moment d'absence de la mère de cette petite fille qu'aimait tellement Tania, cette femme avait, à l'aide d'un couteau de cuisine, tranché les quatre membres de l'enfant, puis elle avait disparu. Découvrant dans le berceau ensanglanté sa petite fille mutilée, la mère… Je ne vous raconte pas une histoire, s'interrompt Nini, mais un "fait divers" vrai. Les journaux en ont parlé à l'époque mais la chose était tellement atroce que dans les éditions suivantes plus aucune allusion n'a été faite à cet abominable événement. *L'enfant-tronc vit aujourd'hui*, on a réussi à… je n'ose dire la sauver… on a réussi à maintenir en vie cette "chose" qui rit et pleure comme n'importe quel enfant en tendant des bras et en agitant des jambes qui n'existent plus et que seuls ses nerfs croient encore commander. La femme criminelle fut retrouvée. Elle avoua n'avoir pu supporter que l'enfant de sa voisine soit *normale* alors que ses enfants à elle étaient affligés de tous les stigmates habituels à ceux qui voyaient le jour, comme on dit, dans les zones contaminées entourant la décharge. Pour Tania ce fut un choc dont elle ne s'est jamais remise et dont jamais elle ne se remettra. A aucun moment elle n'oublie cette petite fille mutilée et se pose continuellement la question : fallait-il la laisser vivre ou aurait-on dû la faire mourir ?

XII

— Vous comprenez maintenant pourquoi, ayant déjà été si violemment éprouvée, Tania n'a pu rester impassible, comme elle l'aurait dû, devant ce que la doctoresse lui a fait découvrir dans les sous-sols secrets de la Cité dite du Bonheur. Sa sensibilité excessive est incompatible avec la rigueur scientifique ; elle le sait et ne cesse de lutter avec elle-même, poursuit Nini. En vain évidemment ! Tania est vouée à cette sorte de souffrance compassionnelle. Comment voulez-vous qu'elle poursuive objectivement les travaux auxquels je l'avais associée ? Et même comment voulez-vous qu'elle survive aux atrocités de ce monde sans se *suicider* de temps en temps ? On ne peut ménager la sensibilité d'une compagne quand de plus elle doit posséder les qualités d'un compagnon digne de partager avec vous les aléas de toute recherche fondamentale. Avant tout, avoir en soi la force morale d'*aller jusqu'au bout*, quoi qu'on trouve au bout. Tania est dépourvue de cette force morale. Il faut compter avec son hypersensibilité. Dissimuler ! Gommer ! Rendre acceptable ce qu'elle ressent comme inacceptable…

Nini se tait un instant.

— Par exemple, la petite fille mutilée, Tania n'a jamais été mise au courant de ce que la voisine folle avait fait des membres de l'enfant… C'est à peine si moi-même je peux *le dire*…

Il se tait encore un instant.

— Elle les a dévorés… par excès d'amour, a-t-elle avoué aux enquêteurs. Ou si vous préférez par un excès de désir… Je reconnais que ces faits sont répugnants. Pourtant, croyez-moi, ce n'est pas par provocation que je vous raconte ces vérités qui ne peuvent que vous révulser mais par une sorte de nécessité je dirais méthodologique ou si vous voulez épistémologique. *Tout ce qui est à savoir doit être su.* L'espèce humaine passe son temps à se réhabiliter, à fausser le tissu d'information dont elle s'entoure comme la larve du papillon tisse sa soie afin d'accéder au stade suivant pour ne pas dire supérieur. Sauf que nous autres de l'espèce humaine nous n'avons devant nous que nous-mêmes. Nous ne pouvons accéder qu'à nous-mêmes. Aucun envol possible. Aucune migration. Aucune promesse tenue, continue Nini. Au mieux nous laisserons derrière nous quelques dépouilles montrant de quelle splendeur étaient les illusions qui nous permettaient de croire en ce *quelque chose d'autre*… car ces dépouilles chatoyantes, musicales, poétiques, n'étaient-elles pas la promesse de cet *autre chose*, de cette dimension autre où tout ce qui rampe tend à l'éclosion de prétendues ailes d'or métaphysiques ? Que le sismologue ait réussi à faire croire, aussi bien à Eva qu'à ceux qu'il a approchés, que la musique, la peinture, la poésie telles que nos “grands hommes” les ont portées à leur maximum de… de quoi ?… disons de transcendance, que ces dépouilles artistiques seraient nos ailes d'or irréfutables annonçant qu'*autre chose* doit nous accueillir, prouve de quelles naïvetés cherchent à se fortifier les plus grandes intelligences. Mais à vrai dire que faisons-nous ? Au lieu de laisser pousser ces fameuses ailes d'or nous dévorons les membres de nos enfants, nous réduisons l'humanité, nous nous mutilons dans nos enfants... C'est bien cela qu'a vu Tania dans les sous-sols de la Cité Potemkine ! Ces enfants-lézards sont nos vrais enfants ! Comme l'espèce humaine a pu, a eu la force barbare de tanner des "peaux humaines pour en faire des gants", nous avons eu la même force barbare pour trancher et dévorer les membres de nos enfants de sorte qu'ils rampent à reculons vers les aubes périmées d'antan... Ah, voilà Zimmerstein ! Alors ! Qu'avez-vous fait de Tania ?

— Elle s'est endormie sur le lit de repos du laboratoire de biologie moléculaire. "Zef, m'a-t-elle dit avant de s'endormir, je ne suis pas de force à supporter non seulement ce que j'ai entraperçu dans les sous-sols de la Cité Potemkine mais surtout ce qui nous attend ici, dans cet abominable verger en fleurs. – Mais ma pauvre petite Tania, lui ai-je dit, qui vous demande de supporter puisqu'en acceptant de faire partie de la mission scientifique mandatée pour enquêter sur les lieux de la catastrophe nous avions tous accepté l'inacceptable et l'insupportable comme uniques valeurs à partir desquelles il serait possible de nous laisser aller à une tristesse particulière qui s'ajoutant à toutes nos mélancolies secrètes nous permettrait de porter un regard clairvoyant sur ce qui dépasse notre entendement." Oui, voilà ce que j'ai répondu à Tania alors qu'elle gisait sur le lit de camp dans le coin du laboratoire. "Mais, m'avait-elle répondu, il y a longtemps que nous tentons tous de porter un regard clairvoyant sur ce monde qui nous entoure tel que nous l'avons accepté et reconnu pour prétendument vivable. Avant d'accepter de faire partie de la mission, *j'ai vu...*" Comme elle se taisait, poursuit Zimmerstein, et qu'elle restait les yeux fixes, perdue dans des pensées qui à l'évidence devaient la faire souffrir, j'avais insisté : "Qu'avez-vous vu, Tania, dites-moi, qu'avez-vous vu avant d'accepter de faire partie de la mission ? – Ce que j'ai vu avant, avait-elle prononcé d'une voix à peine perceptible, contenait déjà ce que j'étais destinée à voir ici. *La catastrophe a eu lieu bien avant que la catastrophe n'ait lieu* ; la catastrophe, c'est au ralenti qu'elle s'est produite, mais nul ne l'avait vue avant qu'elle n'aboutisse dans cet abominable verger." Voilà quelles furent ses paroles murmurées alors que la piqûre somnifère que je venais de lui administrer faisait déjà son effet. Je lui ai caressé les cheveux et j'ai déposé sur son front un baiser...

— Vous êtes un vieux sentimental, dit Nini.

— L'attitude de Tania me réconcilie avec... moi-même. Est-ce cela être sentimental ? Se retrouver devant un être qui de nouveau vous fait croire à ce que l'on nomme : *la conscience humaine*, est-ce cela être sentimental ? Alors, oui ! Comme tous les condamnés au cynisme, je suis un épouvantable sentimental. L'excessive fragilité de Tania m'a rendu les larmes qu'une excessive cruauté avait taries. J'avoue être resté un moment près d'elle à la regarder dormir et c'est alors que j'ai vu... Non, rien n'est plus terrible que de tels pleurs... car figurez-vous, Nini, que tout en dormant Tania pleurait !

— Vous m'étonnez, Zef. Vous ne me direz pas que les larmes de Tania...

— Vous allez vous moquer mais par ces larmes, dont l'abondance m'a été une terrible douleur, j'ai soudain ressenti... Ces larmes incontrôlées baignant ce jeune visage m'ont frappé comme aucun mot n'aurait pu le faire. A force d'admettre que le langage est mensonge, que notre intelligence sachant cela joue un jeu ironique avec les mots et les lois grammaticales qui les régissent, nous avons perdu le contact avec ce que nous avons nommé par ces mots, qui bien sûr ne seront jamais ce que nous ressentons. Comme les mots ne peuvent *être* la chose, c'est avec la distance intelligente, c'est avec l'attitude de l'intelligence que nous nous abaissons à les utiliser en décalage... en parallèle, si vous préférez. Tout en ressentant les choses, nous les exprimons à côté car le langage...

— ... nous est moins *naturel* que les larmes, vous voulez dire ?

— Evidemment.

— Vous voulez dire que seules les larmes de Tania... de Tania endormie, disent, expriment, rendent en quelque sorte palpable l'horreur de la catastrophe que nos mots effaceraient au contraire ?

— C'est à peu près cela...

— Vous voulez dire que l'art, la poésie, le chant dans son acception la plus élevée, ne peuvent *rendre* ce qui s'est passé et se passe dans ce verger maudit, pas plus que les mots ne pourront jamais *rendre* ce que Tania a vu dans les sous-sols de la Cité dite du Bonheur ?... et qu'il ne nous resterait que les larmes ?

— Oui, je le pense ! Sans le savoir, l'humanité pleure dans son sommeil, c'est cela que j'ai compris, tout à l'heure, en voyant pleurer Tania endormie. Une sorte de brouillard l'effaçait un peu… et c'est alors seulement que j'ai pris conscience que moi-même j'étais aveuglé par ce chagrin immense que le martèlement des mots ne pourra jamais exprimer. Vous savez où et comment j'ai été blessé dans ma vie… dans le cœur de ma vie, comme on dit, mais jamais je n'ai ressenti une telle vastitude de chagrin. Je peux dire que j'ai subi un grand malheur ; j'ai été humilié, abandonné, moqué, j'en suis resté plus mélancolique que triste et plus cynique que réellement conscient de cette blessure… Mais bouleversé comme je viens de l'être, non ! ma douleur personnelle ne m'a jamais mis en contact avec cette épouvantable sensation d'irréparable, de perte universelle que traduisaient les larmes de Tania endormie… Vous riez peut-être de l'enflure de ces mots ?

— J'aimerais en rire mais je vous respecte trop, Zimmerstein, pour rire de celui que je ne connaissais pas en vous. Les larmes seraient-elles le dernier avatar… l'ultime recours devant notre irréparable intelligence ?

— Puisqu'il y a rupture entre nos mots et ce que nous avons fait du monde, seules les larmes peuvent encore témoigner d'un reste d'intelligibilité… je le crois !

— Je déteste les larmes, dit Nini. Encore chez une femme… Mais pas vous, Zimmerstein, je ne vous le pardonnerais pas ! Attention ! Pas de fioritures ni nostalgie ! Dorénavant notre chemin va s'improviser dans la nuit et le vide. Que Tania pleure dans son sommeil, que nous pleurions tous dans notre sommeil, que l'humanité entière pleure dans son sommeil, c'est sûrement pathétique mais qu'avons-nous besoin du sommeil ? Quels demains exigent de nous cette réparation ? Profitons de ce Crépuscule prolongé pour tenter encore de comprendre, de voir, de saisir jusqu'au dernier atome de lumière. Restons jusqu'au bout des *lecteurs* de sens... justement parce qu'il n'y a rien et que le vide nous force à ce plein auquel notre imagination ne peut échapper. Libres nous avons toujours été d'y verser *l'à quoi la vie a du bon*. Reste notre curiosité. Notre insatiable et féroce curiosité... Venez, il est l'heure ! On nous attend au troisième étage du complexe où la "collation" réglementaire doit être servie... comme si les doses d'iode... Ah, voilà Yeshayahou et Eva ! Attendons qu'ils nous rejoignent. Reconnaissons que ces deux silhouettes enfoncées à mi-corps dans les herbes fleuries vous feraient croire à la "bonté" de la nature, non ?... Nous vous observions depuis la butte, dit Nini, élevant la voix, savez-vous qu'il n'est pas prudent d'aller aux abords du lac ?

— Et pourtant il s'y passe de bien étranges phénomènes. Eva et moi y avons constaté les passionnants effets de la dégradation accélérée... Ah ! vous voilà Zimmerstein ! s'interrompt Yeshayahou Fridmann. Alors ? Comment est-elle ?

— Elle dort. Deux de mes collaboratrices sont restées auprès d'elle. Nous pouvons compter sur leur discrétion. "A aucun prix, leur ai-je dit, le geste que Tania a tenté contre elle-même ne doit être connu des autres membres de la commission scientifique et encore moins des services médicaux occultes de la Cité Potemkine. Personne ne doit faire la relation, ai-je insisté auprès de mes collaboratrices, entre ce que Tania a *vu* et son geste car cela mettrait en danger non seulement Tania mais nous tous autant que nous sommes." Voilà ce que je leur ai dit au moment de venir vous rejoindre... Et vous ? Qu'avez-vous été faire au bord du lac ? Il serait plutôt déconseillé d'y aller.

— Pourtant, dit Eva, j'ai là, pour vous, dans ce mouchoir, un crapaud comme je n'en ai encore jamais vu…

— Oh, vous savez, les crapauds…

— Oui, mais celui-là est vraiment *anormalement* anormal.

— Que voulez-vous dire ?

— Que les crapauds du lac proche de la Cité Potemkine montrent des anomalies encore plus extraordinaires que celles affectant les insectes.

— Mais nous le savons et je ne vois pas en quoi les mutations que nous avons constatées sur les batraciens seraient *anormalement* anormales. Qu'un crapaud présente cinq pattes ou même, comme certains, un œil au fond de la gorge, n'est en rien *anormalement* anormal. Ce sont même là des mutations tellement normales que nous nous sommes depuis longtemps désintéressés de cette trop grande sensibilité des batraciens aux détériorations de leur milieu. Car bien avant que la catastrophe n'ait eu lieu, un peu partout dans le monde, les crapauds difformes pullulaient déjà dans les étangs et les mares des cinq continents.

— Mais ce crapaud du lac n'est pas que difforme, l'interrompt Eva, voyez comme il développe sur son corps d'étranges cristaux : voyez ! ajoute-t-elle dénouant le mouchoir où une chose hérissée de facettes brillantes se tient immobile.

— Sublime, en effet ! dit Zimmerstein. Il y aurait là comme un lyrisme de la nature ! Je reconnais que cette cristallisation du vivant nous avait échappé jusqu'à présent. Le vivant retournant au minéral ! Voyez ça, Nini ! Qu'en pensez-vous ?

— Il n'est plus temps de penser. Nous ne pouvons qu'admettre l'inconcevable. Ce crapaud n'est peut-être même plus un crapaud mais une évidente victoire du minéral sur ce qui vit. Peut-être qu'à la dissection nous découvrirons enfin la fameuse frontière du sensible... Souvenez-vous de ces crapauds que l'on croyait nés de la pierre car en effet on en a retrouvé de bien vivants à l'intérieur de galets creux. Que le phénomène ait été expliqué n'a cependant rien changé à la superstition populaire. Qu'un œuf de crapaud ait pu choir par hasard dans un trou presque invisible d'une cavité de la pierre, y éclore et développer un crapaud qui, avec une patience remarquable, réussissait à se nourrir d'insectes à la recherche d'une tanière, n'a jamais rien changé, je vous assure, à la croyance d'une possible vie du minéral. Trop de statues ont bougé, ont étreint des hommes, les ont entraînés avec elles dans l'envers du monde pour que ce mythe n'ait pas une origine scientifiquement admissible. Je suis prêt à ajouter foi à tout ce que notre imaginaire collectif nous propose, nous a proposé, nous proposera, car quoi que nous imaginions, la Nature s'empresse de l'imiter avec une servilité stupéfiante.

— Vous rejoignez ceux qui croient qu'il suffit de penser pour que le pensé soit, dit Yeshayahou.

— Absolument ! L'univers est une illusion du penser humain. Soyons assez immodestes pour *penser* qu'il disparaîtra avec notre penser. Qu'est-ce que l'Univers sans témoin ? Même pas du Rien. Même pas *quelque chose*. Seul ce qui a été nommé est. Ce qui n'a pas de nom n'est pas...

— Pourtant, *nous savons* certaines particules de la matière sans les avoir vues ni nommées ni même encore repérées. Nos physiciens les *savent*, elles font partie de la logique de leurs calculs, dit Eva.

— En *les sachant*, comme vous dites, nous leur donnons existence puisque sues. Elles sont particules sues. Quand nous aurons disparu et qu'elles ne seront donc plus sues, elles ne seront évidemment plus. Tant qu'elles nous manquent, elles sont, comme l'a été Dieu tant qu'Il nous manquait. En ne Le nommant pas, en Le nommant : *Celui qu'on ne peut nommer*, c'était Lui donner existence et nom par manquement.

LIVRE III

Car l'homme aime encore mieux vouloir le néant que de ne pas vouloir...

NIETZSCHE

I

— Vous ne me connaissez pas, *nous* dit une femme, en *nous* abordant alors que *nous nous* trouvions dans une des parties reculées du verger, d'ailleurs je ne souhaite pas être reconnue par certains de ceux qui font partie de la mission internationale. Jusqu'à présent je n'ai eu de contact qu'avec Tania Slansk pour laquelle j'ai immédiatement éprouvé un irrésistible attrait, au point de m'entraîner à la plus grande des imprudences : je lui ai entrouvert les portes de la Cité Potemkine, non pour qu'elle témoigne de ce qu'elle pouvait y découvrir mais pour qu'au moins quelqu'un, un être sensible, voie ce que nul autre que les membres de la brigade médicale secrète ont l'épouvantable privilège de côtoyer tous les jours. Je suis une des assistantes de haut niveau qui déjà bien avant la catastrophe travaillaient avec les médecins attachés à la Centrale.

Après avoir marché un moment :

— Nous voilà assez éloignés maintenant et nul ne peut nous écouter. Je vais vous confier des choses terribles concernant le fonctionnement des brigades médicales spéciales. Si nous avons été sélectionnés pour en faire partie c'est sur des critères que seules les circonstances tout à fait inédites ont pu permettre. Déjà avant que la catastrophe n'ait eu lieu, nous faisions partie des équipes d'observation médicales, c'est-à-dire que nous étions chargés de surveiller le personnel à risque dont les tâches présentaient des dangers que nous avions classés de un à mille. C'est vous dire l'étendue du champ d'observation qui nous était imparti ! Considéré strictement comme une nécessaire matière vivante, le corps de celui que nous faisions pénétrer dans les différents cercles entourant le cœur de la Centrale… je ne dis pas l'être humain, ni la personne mais *l'objet médical*, comme nous avions pris l'habitude de le désigner, était évidemment par avance voué à la dégradation physiologique bien sûr mais surtout mentale. Notre équipe médicale s'était scindée en deux courants : ceux qui se passionnaient pour les symptômes relevant de la stricte physiologie et ceux qui refusaient de s'attacher à la part d'animalité dégradée pour n'étudier que les symptômes de déstabilisation mentale. Personnellement, c'était aux enfants que ma spécialité de pédiatre me condamnait. Combien je regrettais d'avoir été engagée pour exercer ce qui très vite était devenu une manière de torture envers moi-même car les enfants du personnel de maintenance étaient tous atteints de troubles mentaux inexplicables. Jusqu'au moment de la catastrophe leurs corps étaient absolument sains mais leurs esprits ne l'étaient absolument pas. Leurs corps ne présentaient aucun symptôme de contamination mais leurs esprits semblaient atteints, comme par réflexion, des différents maux qui accablaient leurs pères affectés à la maintenance de la Centrale. Ils étaient en quelque sorte détraqués par le détraquement mental de leurs parents que le détraquement physiologique détraquait mentalement. De même les mères de ces enfants. Chaque cellule familiale subissait par contrecoup les graves contaminations de celui que nos équipes médicales envoyaient dans les différents cercles pour y subir – sous prétexte de maintenance – des doses de plus en plus destructrices de rayonnements. Maintenant, il ne reste plus rien de ces familles : la plupart des hommes sont morts à la suite des risques inouïs que leur intrépidité leur avait fait prendre au moment de la catastrophe... quant aux femmes, certaines nous ont échappé pour se réfugier dans des terriers creusés sous les anciennes fermes. Celles que nous avons réussi à tenir encore en main font partie de la population privilégiée de la Cité Potemkine, poursuit la doctoresse, la plupart sont malades et toutes condamnées à plus ou moins long terme.

Après un silence, elle dit :

— Mais si je vous ai abordé tout à l'heure, c'est pour vous inciter à vous méfier des membres de la commission internationale et de ne prendre leurs confidences qu'avec la plus grande circonspection. Nous savons que l'entomologiste Eva Mada-Göttinger vous a longuement parlé, ainsi que Yeshayahou Fridmann le géologue et son ami Zef Zimmerstein. Nous savons aussi que Nini et Tania Slansk se sont confiés à vous. Sans doute, en un certain sens, la peur d'être mis à nu par le regard d'autrui pousse la plupart des gens à se confier, à donner forme, si vous préférez, à une projection idéalisée d'eux-mêmes. Dans le cas de Yeshayahou Fridmann, par exemple, le culte qu'il voue à un frère jumeau dont rien ne prouve qu'il aurait existé montre jusqu'à quelles aberrations peut aller le narcissisme de certains hommes. Que son jumeau le sismologue ait vécu ou ne soit qu'une variation quasi musicale autour du thème égotiste d'un Yeshayahou dont il est nécessaire d'entretenir l'obsessionnelle présence en tous ceux qui l'approchent, quoi de plus normal quand la prétention à être nous occupe tous avec plus ou moins… je dirais d'indécence ? Toute prise de pouvoir par la parole est indécente, primitive, infantile. Même les esprits les plus profonds ne résistent pas à l'occupation du temps et de l'espace par la prise de parole. Et en étudiant les enfants je peux dire que les mécanismes qui nous poussent à occuper l'espace et le temps par la prise de parole apparaissent dans toute leur prétention obstinée sans autre valeur que ce désolant besoin non pas de s'exprimer mais de clouer autrui, de l'immobiliser et autant que possible l'anéantir par le poids écrasant de votre sur-existence. Vous souriez ? Que fait-elle, celle-là, si ce n'est justement de se débattre pour sur-exister ? Elle m'a abordé dans la partie reculée du verger, vous dites-vous, et voilà qu'elle se met à exister, exister, exister ! Eh bien oui, je dois m'imposer à vous ! Je dois vous parler de moi, de Meng et des autres membres des brigades médicales, et de tous ceux qui ne quittent quasiment jamais les sous-sols de la Cité maudite, dite du Bonheur. Je dois vous dire qui est Meng, qui je suis et qui sont ceux qui étudient les irradiés regroupés dans les caves de la Cité.

Nous avions quitté les sous-bois fleuris pour un champ dont les herbes et les fleurs nous venaient à mi-jambe.

— Descendons jusqu'au lac, voulez-vous ? Voyez ces papillons et ces libellules, Eva Mada-Göttinger vous dirait que ce sont à peine encore des papillons et des libellules… comme un botaniste vous expliquerait que ces herbes, ces fleurs, ces mousses d'un vert si délicat sur les roches des bords du lac ne sont que des spectres qui ne *tiennent* que par une épouvantable illusion et qu'en réalité seuls leurs atomes en se heurtant furieusement produisent ces apparences condamnées à s'effacer peu à peu… comme nous le sommes nous-mêmes, évidemment. Toutes les constructions humaines sont en train de s'effondrer sous leur propre poids. Et il est bien évident que les phénomènes qui ont lieu en ce moment dans les sous-sols de la Cité sont en rupture avec le sacré – mais telle est la dynamique de l'irrépressible désir de connaissance ! Bien sûr, moi-même ainsi que les autres médecins faisant partie des brigades médicales spéciales, nous savons qu'il ne sert à rien de vouloir encore savoir quand sur nos autels les veilleuses sont presque déjà éteintes. "Mais il en est ainsi, a dit Meng, jusqu'à sa dernière lueur de conscience l'espèce qui s'est dénommée humaine voudra provoquer le doute licencieux. Transgresser !" Ce que Tania a entraperçu dans les sous-sols interdits de la Cité n'est qu'une infime partie des causes et des effets de ce doute licencieux qui s'est emparé des têtes médicales de nos brigades spéciales affectées aux travaux de recherche poussée sur ceux qu'ils, les médecins, nomment lézards… et nous autres, leurs collaboratrices, enfants, poursuit la doctoresse. A mesure que le cœur de la Centrale s'enfonce, et que la catastrophe s'étend et se dilate jusqu'aux couches géologiques profondes, la courtoisie éthique sur laquelle se sont fondés les principes prétendant respecter la vie, ce que l'on a nommé "autrui", les possibilités de souffrance de cet "autrui", oui tout ce qui jusqu'à présent avait retenu l'épouvantable férocité de savoir s'est brusquement détendu, permettant les fantaisies les plus atroces... Aucun mot n'est à la mesure de cet "atroce" et même le mot "atroce" ne l'est pas assez pour dire ce qui se commet sur les enfants prétendument lézards, qui en fait n'ont de lézard que cet œil frontal antédiluvien, et la surprenante faculté de changer de couleur selon le lieu où ils se trouvent.

Elle désigne la Centrale dont le sommet disparaît sous une lourde fumée jaune :

— Au nom de la nouvelle Babel nous voilà arrêtés sur l'ultime palier où l'intelligence et la ruse des hommes ont réussi à nous réveiller de l'état idéal auquel nous rêvions. Il n'est plus question, pour ceux qui savent, d'espérer. Nous sommes immergés dans la situation du moment, et elle est telle qu'il serait faire preuve d'un arbitraire vain que d'imaginer les éléments vitaux s'unissant pour vaincre ce qui *cette fois* ne peut être et ne pourra être vaincu. Ne croyez pas, continue la doctoresse des brigades médicales spéciales, que je me désolidarise des équipes techniques mises en place dans la Cité Potemkine au lendemain du tragique événement, au contraire même, je suis, parmi les femmes affectées à la Cité, celle qui assume un maximum de pouvoir. Bien sûr, au-dessus de moi se tient la nébuleuse hiérarchique dont le sommet échappe à toute figuration comme le sommet de plomb et de béton de la Centrale échappe aux regards d'un observateur se déplaçant parmi les fleurs détraquées de ce verger.

Elle hésite un instant :

— Si je me suis permis de vous aborder ce matin, c'est que vous sachant au courant de la tentative manquée de Tania d'arrêter ici même sa propre vie j'ai souhaité me décharger sur quelqu'un de "neutre" du poids de ma solitude face à un tel événement dont je me sens *presque* directement responsable. Je le sais, toute idée de causalité doit rester suspecte lorsqu'il y a eu suicide… raté. Si Tania a tenté contre elle-même ce geste, c'est évidemment pour y survivre et non pour mourir. Mourir n'est pas et n'a jamais été le but des suicidés, ça nous le savons ! Tout suicide est un attentat contre ceux qui ne *savaient savoir*, ne voulaient pas savoir, ne se souciaient pas de savoir… Quoi ? Mais justement rien de dicible, de communicable. Alors on se supprime en tant qu'individu pour devenir langage, comprenez-vous ? Le besoin de signifier par n'importe quel moyen est tout à coup plus fort que le fameux instinct de conservation. Signifier quoi ? Nul ne le saura jamais, même pas celle ou celui qui s'offre à la mort. Le besoin de communiquer ce *quelque chose* est si puissant, si triste et mélancolique, si désespéré, que faute de mots pour dire cette chose, ne restent que la corde, la balle ou le poison… Depuis la catastrophe, vous ne pouvez imaginer le nombre de morts par suicide parmi les membres des équipes affectées à la recherche intensive qu'incessamment nous poursuivons sur ces mystérieux enfants dits lézards ainsi que sur leurs mères ! Il arrive un moment où non seulement l'esprit bute… oui, l'esprit bute, mais la main engagée à fouiller les masses physiologiques mises à la disposition du chercheur bute elle aussi. En prenant le risque d'introduire Tania Slansk dans les sous-sols de la Cité, en la choisissant elle, je me rends compte, à la réflexion, que c'était me défausser sur elle de l'intolérable poids de ces enfants qui écrase ma conscience. Personnellement, je ne peux rien faire. J'occupe un poste qu'aucune femme n'a occupé jusqu'à présent. Pour cela je devrais abandonner toute perception sensible comme je laisse les vêtements de mon sexe au vestiaire quand je revêts mon uniforme de doctoresse des brigades médicales spéciales. Je suis affreusement divisée : d'un côté je tiens à conserver cette part de pouvoir que les hommes, à travers moi, ont abandonnée aux femmes, de l'autre je me rebelle contre les horribles licences que ce qu'on nomme la "recherche" permet dans ces lieux hors de tout regard que sont les sous-sols de la Cité. Nous voilà débarrassés de toute illusion sociologique, mes collègues, les médecins, affectés aux travaux secrets qui se poursuivent dans ces sous-sols, oui, tous ceux engagés dans cette "recherche". Et quoi que nous tentions sur les enfants Polyphème ainsi que sur leurs mères irradiées, ce sera hors de toute sanction morale et esthétique. C'est cette liberté absolue qui grise mes collègues des brigades médicales spéciales et qui moi m'effraie. Et surtout c'est cette inutilité du "témoignage" en ce qui concerne les actes prétendument médicaux que nous effectuons dans les sous-sols obscurs de la Cité que j'ai voulu contourner... au cas où... Au cas où quoi ?

Elle hésite encore quelques instants :

— Au cas où il faudrait rendre compte. Au-devant de quoi ? De qui ? Evidemment tous les rites qui ont maintenu en contact notre espèce avec... avec quoi ? qui ? tous les rites grâce auxquels notre espèce s'est toujours lavée de ses actes en projetant sur l'Univers une "conscience" exclusivement occupée à l'absoudre, cette perpétuelle falsification, cette façon de nous décharger nous a permis et nous permettra jusqu'à l'ultime seconde d'interroger la vie par toutes les formes possibles de la douleur. Et voyez-vous, poursuit la doctoresse, c'est cet excès de douleur dont les sous-sols et les caves de la Cité dite du Bonheur débordent, c'est cette épaisseur de murs qu'aucun cri ne peut percer que j'ai eu la faiblesse de dévoiler à la plus faible, la plus sensible des membres de la mission internationale ! Si j'ai choisi Tania Slansk c'était justement pour sa sensibilité névrotique. N'était-elle pas toute désignée ? Qu'elle n'ait pu supporter d'avoir vu ce qu'elle a vu au point de vouloir mourir me confirme dans mon calcul. "Sais-tu, ai-je dit à Meng, un des jeunes médecins avec lequel je travaille, qu'une pédiatre faisant partie de la commission internationale a tenté de mettre fin à ses jours ? Elle se nomme Tania Slansk." Ce jeune médecin auquel je venais de me confier est le plus froidement fanatique de tous ceux qui se passionnent pour les travaux menés sur les enfants Polyphème et leurs mères irradiées. Je ne sais que trop pourquoi nous l'avons surnommé Meng. "Qu'avons-nous à voir avec les membres de la commission internationale ? Qu'ils rôdent tant qu'ils veulent autour de la Centrale, ils sont là pour ça mais à aucun prix ils ne doivent savoir ce qui se passe dans les sous-sols de la Cité. – Et pourtant, ai-je dit, ce que nous faisons de ces enfants me tourmente. – Quoi ? Les lézards ? – Les enfants ! ai-je insisté. Nous ne pouvons poursuivre nos expériences sans qu'au moins une personne tierce le sache. – Que dis-tu là ? s'est exclamé Meng. De quelle personne tierce parles-tu ? Tu n'ignores pas que nos travaux doivent rester secrets ! – Je ne prétends pas qu'ils soient dénoncés mais il nous faudrait cependant quelqu'un pour nous en absoudre, quelqu'un d'extérieur, d'assez fragile pour en perdre suffisamment la raison…" Je n'avais pas eu besoin d'achever. Meng s'était mis à rire. "Tu veux dire, perdre suffisamment la raison pour que nul n'attache foi en ses paroles ? – Exactement, lui avais-je répondu. Ainsi nos abominables travaux sont sus et à la fois non sus puisque le témoignage venant d'une personne détraquée n'a aucune valeur. – Mais au-devant de qui, de quoi, ces précautions ? s'est étonné Meng. – Au devant de notre conscience au fond de laquelle se tient en éveil le terrible *on ne sait jamais*, ai-je dit au grand étonnement de Meng. – En conséquence, a-t-il dit, ta stratégie devrait nous assurer l'impunité *au cas où* ? – C'est cela, avais-je poursuivi, m'efforçant de rester ironique et détachée, tout en étant terriblement désespérée au fond de moi. – Attention ! s'était-il exclamé, nous n'avons que faire ici des valeurs, qu'elles soient éthiques ou esthétiques ! Nul regard extérieur ne doit pénétrer dans nos sous-sols. – Mais une névrosée, une suicidaire qui ne pourrait supporter ce qu'elle aurait vu ? – Pour que ta conscience se tienne en paix, avait-il dit en me fixant froidement, il te faudrait donc un témoin sur le point de se suicider ? Quelqu'un qui emporterait le secret dans la tombe, comme on dit. Attention !" Sur cette menace, Meng m'avait quittée et aussitôt je suis venue dans cette partie écartée du verger avec l'espoir de rencontrer l'un ou l'autre des membres de la mission. Je sais qu'en ce moment Tania se trouve dans le laboratoire de biologie moléculaire. Il faut qu'on la prévienne. Que rien de ce qu'elle a vu *là-bas* n'apparaisse dans le rapport final de la mission internationale. Que ce soit su… mais nulle part écrit ! Surtout pas écrit ! insiste la doctoresse. Un secret n'est un secret que s'il est déposé quelque part, qu'on sache qu'il repose quelque part... à condition que jamais il ne prenne forme, comprenez-vous ? Comme j'ai souhaité déposer en Tania le secret des sous-sols de la Cité Potemkine, je n'ai pu résister à dire sans dire pour que Meng n'ignore pas tout à fait qu'un regard étranger avait pénétré jusqu'aux enfants-lézards tenus au secret dans nos sous-sols. Sans le savoir vraiment, Meng sait maintenant que peut-être ça se sait sans que ça se sache vraiment non plus.

II

— Mon désir d'interposition n'est dicté par aucune stratégie, dit la doctoresse. Si je vous ai abordé dans cette partie à l'écart du verger, c'est que vous sachant présent entre nous – ceux de la Cité et ceux de la mission internationale d'éthique –, ayant détecté votre attention, il nous a paru nécessaire de vous apporter des éléments d'information complémentaires. Pour nos brigades médicales spéciales, deux raisons d'agir nous motivent. La principale est évidemment inavouable, c'est l'insatiable curiosité, oui, notre monstrueuse curiosité. La seconde n'est pas plus avouable, c'est le peu de temps qu'il reste. "Serions-nous assurés d'un avenir, d'un certain nombre de perspectives, ne cesse de dire Meng, poursuit la doctoresse, peut-être en agirions-nous moins brutalement avec ces enfants-lézards confinés dans nos sous-sols. Mais ce peu de temps dont nous disposons nous oblige à accélérer et à approfondir jusqu'à leurs limites extrêmes les expériences évidemment dites *inhumaines* que notre amour de la science nous incite à poursuivre rigoureusement. La promesse d'un proche anéantissement ne fait qu'exacerber notre désir d'arracher d'ultimes aveux à ce cancer universel qu'est la Nature. La Nature et l'homme ne peuvent coexister, avait encore dit

Meng, la Nature n'est nature que sans l'homme. En la nommant Nature, l'homme l'a évidemment dénaturée. Nous l'avons réduite à un concept dont l'irréalité ne fait que fausser les données et les investigations d'une science qui ne peut être science que dans l'irrespect de ce concept dont l'homme n'a que faire. La Nature... ou nous !" Voilà, poursuit la doctoresse, sur quel paradoxe Meng s'appuie pour pratiquer *toutes* les expériences possibles sur les enfants dits lézards que nous gardons au secret. Je suis horriblement choquée par ces expériences sur les enfants de la Cité dite du Bonheur. Mais tout en étant choquée, et le vivant comme un cauchemar, je ne peux nier qu'une honteuse curiosité me fait moi aussi poursuivre et collaborer aux travaux que Meng dirige sans le moindre remords. "J'ai mis un point final au sens, a dit Meng, je vis la curiosité immédiate. Je n'ai de compte à rendre à rien ni à personne," dit-il. Et lorsqu'il colle les yeux des enfants-lézards pour mieux évaluer la perception de leur œil frontal, c'est sans le moindre tremblement de la main... bien qu'il sache que les paupières soudées par cette colle ne pourront jamais se rouvrir à la lumière et que ces enfants dits lézards resteront aveugles, ne percevant de leur œil frontal qu'une lumière mystérieuse dont nous n'avons pas encore réussi à élucider la nature. Tout ce que les chercheurs osent pratiquer sur le vivant non humain, Meng et son équipe – dont je suis – se permettent de le pratiquer sur ces enfants que moi je vois plus enfants que lézards et que Meng et son équipe prétendent plus lézards qu'enfants. Un jour que je n'avais pu m'empêcher de laisser deviner ma révolte devant certaines souffrances *inutiles* qu'il faisait subir à l'un de ces enfants-lézards, Meng m'avait dit ces paroles que je n'oublierai jamais : "Comme nous ne savons si c'est devant l'éternité ou l'infini que nous lançons nos défis, nous nous devons de poursuivre. – Mais en quoi cela change ? lui avais-je répondu. – L'éternité, c'est l'ordre et la forme refermée sur elle-même ; l'infini, c'est Satan et le chaos", avait lancé Meng, en reprenant son terrible travail. Après avoir réfléchi je l'avais interrompu de nouveau : "Donc, que ce soit Dieu ou alors Satan, il y aurait pour toi une nuance ?" Il avait ri : "A dire vrai, non ! Mais il est toujours plus satisfaisant de savoir au devant de qui on s'affirme. Si c'est au-devant de l'Eternel ou plongés dans un satanique chaos. Il va de soi, avait-il poursuivi, dit la doctoresse, que c'est l'Eternel que nous défions tout en pariant quand même sur l'Infini." Voilà comment est Meng ! Il prétend creuser de plus en plus profond dans les strates du subconscient pour en atteindre, dit-il, "les prémices" dont il espère détecter les traces dans le comportement de ces enfants qu'il veut plus lézards qu'enfants et que moi, ainsi que les quelques femmes faisant partie des brigades médicales spéciales affectées à la Cité dite du Bonheur, je sais plus enfants que lézards. Quand il parle de strates du subconscient, ou des prémices du subconscient, il entend les strates physiologiques inscrites dans les structures anatomiques et moléculaires. Meng prétend remonter à la source de l'être et de sa prise de conscience. "Je compte bien réussir à ramener à la surface les couches profondes, c'est en creusant plus loin dans les multiples strates que j'espère toucher l'étincelle première qui a mis en quelque sorte le feu à ce qui deviendra notre imagination. Ce mécanisme de l'inflation imaginative doit être physiquement démonté."

Voilà ce que dit Meng en poursuivant ses expériences sur les enfants, que pour plus de commodité il nomme lézards et jamais enfants… alors que moi, ainsi que les femmes de l'équipe médicale, nous ne nommons jamais lézards mais toujours enfants. Et croyez-moi, cette simple inversion de termes change du tout au tout le sens des expériences poursuivies dans les sous-sols de la Cité. Il suffit d'un léger déplacement sémantique, continue la doctoresse, pour qu'un texte rendant compte d'actes "inhumains" s'apaise et nous apaise dans l'appréciation que nous pouvons en avoir. Et pourtant je peux vous assurer en tant que pédiatre qu'entre un enfant de singe et un enfant d'homme il n'existe *aucune* différence… sinon un glissement du terme pour les dénommer. Ce que je vous dis, je le répète à chaque occasion, que ce soit à Meng ou aux autres de mes collègues… sans le moindre effet, évidemment. Voilà pourquoi, ayant rencontré Tania par hasard, je n'ai pu résister à lui entrouvrir les portes des sous-sols de la Cité car arrivée à un certain stade d'accoutumance votre conscience s'use au point de ne plus rien ressentir. Par Tania, comprenez-vous, j'ai revitalisé ma conscience. Grâce à son effroi j'ai nommé et renommé enfants ce que Meng et les autres médecins des sous-sols nomment lézards. Maintenant je dois vous dire qu'au-dessus de Meng et des autres responsables de nos équipes médicales secrètes se tiennent plusieurs médecins-chefs que nous ne voyons jamais vraiment. Ils passent entourés de leurs aides, vêtus d'amples blouses bleues ou rouges, gantés de fin caoutchouc et tenant leurs mains à hauteur des épaules. Ils marchent difficilement, soutenus avec sollicitude par leurs aides. Le bas de leur visage est invariablement masqué de gaze de telle sorte qu'il nous est impossible de les différencier les uns des autres. Ils occupent des bureaux où de temps en temps l'une des jeunes assistantes, ou moi-même le plus souvent, sommes appelées... C'est du principal des médecins-chefs que viennent les directives concernant les brigades médicales spéciales. Il passe son temps retiré dans une petite pièce ouvrant sur son bureau. Il y a là un lit où il dort, mange et étudie les rapports et les dossiers que lui apportent ses assistantes. Il convoque l'une ou l'autre de nous qu'il retient quelque temps jusqu'à ce qu'il se lasse et la renvoie. J'ai ce redoutable privilège sans pour cela en savoir plus sur lui ni même voir son visage car il se tient continuellement dans la pénombre. Tout ce que je peux dire c'est qu'il est de très forte taille et d'un poids terriblement écrasant...

Nous avançons toujours au bord du lac dont les eaux jaunes remuent en tourbillons formant sur la surface des entonnoirs ou des boursouflures d'écume.

— Tout à l'heure ce sera la nuit, continue la doctoresse. Il me faudra vous quitter mais auparavant je dois vous demander de ne rien dire de moi aux membres de la mission internationale. Je sais qu'Eva Mada-Göttinger et Yeshayahou Fridmann ont ramassé au bord de ce lac un batracien présentant des monstruosités réjouissantes par un certain côté pour un biologiste tel que Zef Zimmerstein auquel nous savons qu'ils l'ont remis. Pour nous, aucune de leurs paroles n'est perdue. Eux ne savent rien de nous sauf qu'il existe une brigade médicale spéciale affectée à la Cité dite du Bonheur et que cette brigade poursuit de son côté des travaux auxquels personne n'aura jamais accès. De temps en temps Meng reçoit l'ordre de faire parvenir au laboratoire de biologie moléculaire des fragments d'enfants dits lézards que nos équipes ont disséqués. Parfois aussi certains petits animaux présentant des malformations *classiques* sont jetés en pâture, comme on dit, aux différents membres de la mission. On appelle cela "les échanges de données" quand à vrai dire ce sont des aumônes consenties par l'ensemble des médecins-chefs qui siègent dans les parties reculées de la Cité... au centre d'un système fantomatique dont même les médecins et les doctoresses placés sous leurs ordres ne comprennent pas le fonctionnement. "Ce sont de sinistres mandarins, avais-je dit un jour à Meng, leur condescendance à notre égard nous ravale au niveau de ces enfants dits lézards et de leurs mères irradiées. En quelque sorte nous sommes au second niveau du champ de leurs expériences. Nous ne pouvons rester muets, nous devons établir un contact avec quelques-uns des membres de la mission pour leur révéler ne serait-ce qu'une infime partie du malheur qui frappe non seulement l'humanité mais le vivant dans toute son étendue." Meng m'avait jeté un regard comme une lame d'acier finement aiguisée. "Attention ! avait-il dit, ici on ne bavarde pas !" Le soir même j'étais convoquée chez le principal des médecins-chefs. Il n'avait pas prononcé un mot. Mais j'ai compris que cette convocation était un avertissement. La façon de poser sa poigne sur ma nuque et de me garder un moment pliée devant lui tenait lieu à la fois de blâme et de possible promesse de pardon. Cette humiliante façon de me laisser entendre qu'une femme ça ne mérite que cette sorte d'abaissement plutôt qu'une explication franche, cet argument où seule la force parle et vous ravale à la condition de femelle ont fait de moi une révoltée. Je me sais en danger d'élimination. C'est pour cela aussi que j'ai tenu à entrer en contact avec Tania Slansk et avec vous ce soir, quand bien sûr il aurait été plus naturel que j'aborde secrètement Eva qui aurait tout de suite compris *pourquoi* je m'adressais à elle et non à un des autres membres de la mission. Eva s'est toujours violemment opposée aux recherches pratiquées par les laboratoires de biologie sur le vivant à sang chaud, auxquelles évidemment un témoin non prévenu ne pourrait appliquer que le qualificatif de *bestiales*. Sauf que de toutes les bêtes à sang chaud seuls ceux qui se sont dénommés hommes agissent comme uniquement les insectes agissaient jusqu'à présent. Eva Mada-Göttinger vous dira que les insectes *agissent*, bien sûr, qu'ils ne font rien d'autre qu'agir. Ses expériences avec les insectes-robots l'ont génialement démontré : l'innocence de la matière en mouvement nommée insecte échappe au langage, se place à l'extérieur de ce que nous considérons comme l'intelligibilité – c'est-à-dire hors de toute réponse religieuse, éthique ou esthétique. "La matière ne cesse d'aller, avait conclu Eva Mada-Göttinger, la matière répond sûrement à un ordre, avait-elle dit encore, mais au contraire de nous elle n'est pas douée de la parole. Nous autres, pour nous épanouir et affirmer notre humanité, nous devons parler. La matière agit mystérieusement sans avoir à justifier ses agissements." Voilà ce qu'avait dit Eva Mada-Göttinger à l'occasion d'un colloque auquel j'assistais sans qu'elle le sache, poursuit la doctoresse des brigades médicales spéciales. Je dois vous avouer qu'Eva et moi, nous avons fait nos études de médecine ensemble. Nous nous connaissons… nous nous sommes connues, je dirais, intimement. Nous partagions la même chambre, passionnées toutes les deux pour ce que nous pensions être un "art" quand en réalité l'investigation de la "mystérieuse machine humaine" se bornait à des techniques d'exploration d'une grossièreté telle qu'Eva avait fini par refuser l'enseignement barbare des maîtres que nous avions à l'époque pour se tourner vers l'entomologie. Pourquoi l'entomologie ? Pour la raison suivante : "Je refuse, avait-elle dit un jour, de clouer sur une table de dissection quelque animal que ce soit. Puisque la vie et son mystère demandent à être explorés, je préfère ne pas m'exposer à reconnaître quelque chose de moi dans l'animal cloué sur la table de dissection… et pire encore, de vivisection. Au moins entre l'insecte et moi la barrière des espèces reste infranchissable à toute identification." Voilà ce que m'avait dit Eva. "De dépecer un rat, ou plus horrible encore : un singe, m'enlève à moi-même, m'avait-elle dit une autre fois, si *la nature humaine* est capable de tirer d'une cage un rat, un singe, un chat ou un misérable chien des rues pour les ouvrir en deux, sans se soucier de leurs gémissements, leurs cris, leurs hurlements, alors je refuse de faire partie de *la nature humaine*… mais en même temps comme je veux savoir pourquoi la vie, pourquoi le mouvement et pourquoi la mort, je préfère descendre de quelques crans sur l'échelle des espèces afin de me sentir plus libre d'explorer, de fouiller hors de la douleur animale, sœur de nos douleurs." Voilà ce qu'avait dit Eva. Sur le moment, je ne l'avais pas bien comprise. Je ne voulais pas voir dans la souffrance animale une symétrie d'une mienne possible. Les cages où nous enfermions en attente les singes, les chats, les chiens ou les rats destinés à la recherche faisaient partie du matériel nécessaire à nos travaux ; ce qu'elles contenaient importait peu. Ou plutôt les animaux tristes qui attendaient et auxquels nous donnions parfois des tranquillisants, à aucun moment nous ne pensions nous identifier à eux. Donc Eva s'en alla. Elle disparut de ma vie d'étudiante. Et je vous avoue que j'oubliai Eva, notre intimité de jeunesse, les problèmes d'éthique qu'elle ne cessait de soulever – ce qui souvent nous détournait de nos études proprement dites –, oui, j'avais cru l'oublier… quand je ne me rendais pas compte que chacune de mes options se référait inconsciemment à elle comme si un double de moi nommé Eva continuait à porter la moindre de mes actions devant ce tribunal secret qui se tient en chacun de nous. Sans que je me l'avoue elle en était le juge suprême. A l'époque j'avais pour maître un biologiste que vous connaissez. Oui, Zef Zimmerstein ! Oui, celui qui, *pas du tout par hasard*, fait partie de la mission internationale. Zimmerstein n'était pas, comme aujourd'hui, un homme détruit. Sûr de lui, séducteur, persuadé de l'importance de sa recherche, il fascinait les jeunes étudiantes que nous étions encore – bien qu'arrivées au stade ultime de nos études. Zimmerstein était un homme marié, sa femme, sa petite fille, il ne cessait d'en parler jusque dans les moments d'intimité qu'il s'arrangeait pour provoquer avec l'une ou l'autre de ses élèves. Plusieurs même, il les avait emmenées en vacances, ne se gênant pas pour obtenir d'elles les plaisirs habituels qu'en vacances on obtient des jeunes étudiantes quand on est “le maître vénéré” dont la femme et la petite fille semblent ignorer le caractère “si jeune”. Moi-même j'ai été une de ces étudiantes distinguées par le maître, et sous les yeux de sa femme et de sa petite fille j'ai nagé sagement avec lui alors que sous la surface… Bref, Zimmerstein était réputé, parmi ses étudiantes, pour un érotomane à la fois timide et brusque, gentiment violeur si vous lui donniez le feu vert, assez maladroit à vrai dire, presque infantile devant le corps dévêtu de la femme, lui si sûr de lui et autoritaire dans l'exercice de sa fonction de maître en biologie moléculaire.

Elle hésite un instant.

— Vous devez vous étonner du tour intime de ces confidences, mais comment pourriez-vous comprendre ma situation et la situation surtout de nos deux équipes qui, bien qu'apparemment placées dans des positions radicalement divergentes, sont pourtant animées par la même sorte de recherche ? Maintenant que la partic cst perdue, que le processus d'enfoncement du cœur en fusion est irréversible, quelle autrc motivation nous fcrait agir sinon la douloureuse absence promise ? Devant cette absence inévitable, il ne nous reste que notre foi dans le passé dont la perspective s'est si brusquement dilatée. Continuer jusqu'à l'instant suprême. “Que l'humanité somnole encore quelques jours pendant que nous autres, pressés par le temps, nous interrogeons… et interrogerons la vie *jusqu'à l'instant suprême.*” Voilà ce que ne cesse de répéter Meng avec colère et ironie. “Le matériau biologique, dit-il encore, doit être mis sans aucune réserve au service de la lecture du *comment.*” C'est parce que nous n'avons plus le temps que Meng, encouragé par la hiérarchie des médecins juchés sur la pointe extrême de la pyramide médicale secrète, oui, c'est pressée par l'approche de l'Epilogue que notre équipe accélère ses travaux sur les enfants Polyphèmes, leurs mères et les irradiés que les brigades médicales spéciales réussissent à capturer aux abords des terriers creusés sous les granges et les anciennes fermes ruinées par la catastrophe… Je dois vous apprendre aussi que c'est la hiérarchie secrète, dont le siège se trouve dans une partie reculée de la Cité Potemkine, qui a désigné la mission internationale d'enquête… sachant qu'aussi bien Yeshayahou Fridmann que Zef Zimmerstein ou Nini l'anatomiste italien, ou encore Eva Mada-Göttinger ainsi que les physiciens, les botanistes ou les autres éminents spécialistes de nos sciences modernes sont tous prêts à produire le rapport falsifié attendu. Pendant que nous autres des équipes médicales secrètes nous nous battons avec de plus en plus de cruauté pour comprendre, les membres de la mission d'enquête, eux, savent qu'ils sont ici pour qu'il soit dit que mission d'enquête internationale il y a eu…

III

— Donc, poursuit la doctoresse des brigades médicales spéciales, nous sommes à la source des choix qui ont distingué les membres de la commission. Et même Yeshayahou Fridmann le géologue a été désigné non pour avoir été l'initiateur du site de la Centrale mais pour ses liens avec Eva Mada-Göttinger. Quant à Zimmerstein, c'est à moi qu'il doit d'être ici, car depuis la défection de sa femme et de sa fille, celui que j'ai connu triomphant est un "homme brisé", comme il dit, donc prêt à toutes les myopies... De même Nini, désigné par Meng pour certaines raisons que je vous dévoilerai au moment voulu. Ce que vous devez savoir cependant, c'est que Nini et Meng ont partagé, il y a de cela quelques années, une profonde curiosité pour la peinture. Oui, tous deux ont eu la révélation de la peinture à l'occasion d'une exposition du peintre-poète William Blake dont les figures tourmentées laissent apparaître leurs muscles "comme si un vent de folie les avait écorchés", m'avait confié un jour Meng alors qu'il s'était laissé aller à boire. Meng et Nini ont été, pendant un temps, des amis inséparables. Tous deux passionnés d'anatomie fréquentaient ensemble les académies de peinture romaines tout en poursuivant leurs études de médecine qui les mettaient en contact avec le corps humain, là aussi, mais cette fois comme objet à disséquer. “Nous aimions, aussi bien dans le contexte de la vie que dans celui de la mort, le corps humain”, m’avait dit Meng une autre fois qu’il avait bu encore, “rien n’est plus beau qu’un corps humain *dévêtu*, avait-il poursuivi, surtout lorsqu’il se tient dans un parfait anonymat, qu’il soit vif ou mort, c’est dans son plus strict anonymat qu’un corps humain prend toute sa signification de corps non animal mais humain, comprends-tu ?” m’avait dit Meng, poursuit la jeune doctoresse alors que nous marchons le long du lac en direction de la Cité Potemkine. “Il y a dans le corps humain une telle non-animalité lorsqu’on le contemple ou qu’on le dissèque ! En lui restent en quelque sorte les stigmates de la parole, le corps humain s’est formé et s’est peu à peu transformé avec les mots qui lui venaient, m’avait encore dit Meng, le corps humain n’était pas le même avant que l’homme se mette à nommer ce qui l’entoure qu’après, pas plus qu’il n’a été le même avant la parole de Socrate ou celle du Christ qu’après. On prétend que nos mains, nos bras, la souplesse de nos jambes et de notre colonne vertébrale seraient le résultat des différentes adaptations aux milieux changeants dans lesquels l’espèce humaine a dû s’efforcer de survivre. Eh bien, je pense que sa souplesse, la longueur de ses bras et de ses jambes sont le résultat d’un désir d’élégance qu’auraient engendré les mots que ce corps devait non seulement inventer mais prononcer. Chaque mot que nous prononçons ce n’est pas notre langue qui l’articule mais notre corps entier qui *joue* ce mot et c’est pour cela que sous le scalpel nos muscles sont extraordinairement déliés, oui, toute la machine d’os de muscles et de tendons garde la trace inscrite de cette infinité de mots qu'il a fallu à notre corps *jouer* pendant cet étonnant théâtre de mots qu'est notre vie." Voilà ce que m'a dit Meng, poursuit toujours la doctoresse, et si je vous répète ses paroles c'est que j'en ai été extraordinairement frappée. "Nini et moi, avait continué Meng, nous avons donc, ensemble et parallèlement, approfondi ces deux approches du corps humain à la fois par le dessin et par la dissection anatomique. Nous étions inséparables, passant notre temps entre l'académie de peinture le soir et la faculté le jour, à la poursuite du même secret, cherchant avec une attention non dénuée d'une certaine ironie réflexive les traces fixées de l'infini discours qui fut à double titre le levain à la fois de notre esprit et de la machine quasi théâtrale qu'est notre corps. Mais peu à peu Nini et moi, nous avons divergé, a dit Meng, poursuit la jeune doctoresse, Nini s'attachant davantage à l'esthétique détaillée de ce qu'il avait nommé «le cosmos du corps humain» pendant que moi, plus que jamais j'éprouvais la nécessité de faire «parler» cette prodigieuse machine à inventer et à mimer les mots de l'intarissable discours humain." Oui, voilà ce que m'avait dit Meng sous l'effet de la boisson ! Donc vous pouvez imaginer combien la découverte ambiguë des enfants Polyphème qu'il prétend plus lézards qu'humains pendant que moi ainsi que les autres femmes des brigades médicales secrètes nous les prétendons plus humains et surtout plus enfants que lézards, combien était bienvenue cette catastrophe productrice de "monstres" sans aucun statut pour les protéger de la féroce curiosité de Meng ainsi que de celle des autres membres tout aussi férocement curieux que lui quant à la bestialité ou la non-bestialité des enfants-lézards.

La doctoresse s'arrête de marcher, montrant la courbe que fait la rive :

— Voyez cette prairie verdoyante doucement inclinée qui descend jusqu'au lac, ici se situe la frontière au-delà de laquelle ceux de la mission internationale ne doivent sous aucun prétexte s'aventurer. De même que nous autres des brigades médicales spéciales il nous est conseillé de rester autant que possible de l'autre côté de cette limite. C'est dans cette prairie fleurie que nous venons nous délasser de l'oppressante atmosphère des sous-sols. Les derniers rayons du soleil frappent ce champ en pente, et rien n'est plus doux que de voir les vergers fleuris entrer dans l'ombre alors que la chaude lumière vous caresse le visage jusqu'à vous obliger à fermer les yeux. Chaque fois qu'il m'arrive de me trouver dans cette partie du verger au moment où le soleil va s'effacer, je m'étonne qu'il ait été possible à l'homme de transformer les steppes arides et glacées, où de temps en temps le dégel faisait rouler hors des rives du fleuve la masse congelée d'un mammouth ou d'un rhinocéros, en un Eden que seul l'imaginaire avait pu concevoir. Tel est l'aspect circulaire de l'imagination caractérisant notre espèce : *l'Eden fut au commencement, pareil il sera au déclin !* Le même désir effréné de connaissance tourmente ses habitants… Ici, je dois vous quitter mais auparavant sachez que je porte le même nom que celle qui dans les mythes personnifiait le continent perdu où poussaient les pommes d'or, ajoute-t-elle avant de disparaître.

— Cela fait un moment que je vous observais, dit un homme surgissant d'un buisson d'aubépine en fleur. Vous ne devez pas rester là, et je trouve très imprudent de la part de notre amie la doctoresse Atlantida de vous avoir conduit jusqu'ici. Sous aucun prétexte vous ne devez franchir cette limite. A partir de cette prairie vous vous trouvez sur le territoire interdit de la Cité Potemkine. C'est par le biais d'une méfiance systématique qu'il nous est possible de poursuivre nos travaux sur les irradiés regroupés dans la Cité dite du Bonheur tout en sachant que si près de nous une mission d'enquête croit aller librement par les vergers aux fleurs monstrueuses. Nul n'est libre dans la situation présente, pas plus nous que ceux qui prétendent enquêter là où aucune enquête n'est nécessaire. Je ne peux croire à la candeur de cette poignée de scientifiques invités à élaborer un rapport qui n'en sera évidemment pas un car ce rapport repose déjà écrit dans les coffres de la direction responsable du sort de ce qui reste de la Centrale. D'un côté ont été regroupés les représentants de l'idéal, de l'autre ceux de la pratique. Ceux de l'idéal sont confinés dans le rôle dévolu aux humanistes tels qu'ils ont depuis toujours été nécessaires lorsqu'il était opportun de faire appel à ces grandes figures de "l'honnêteté", prêtes en toutes occasions à apporter leur caution à la part active de l'humanité qui, elle, tranche dans le vif sans avoir à se préoccuper des codes ou des lois. Personnellement je fais partie de l'équipe de *chercheurs* travaillant dans les sous-sols de la Cité Potemkine. Si je me suis permis de vous intercepter au moment où la doctoresse Atlantida vous quittait, c'est qu'incidemment j'ai entendu ses derniers mots à propos de l'Eden. L'idée de circularité de l'imagination m'a séduit… comme tout ce qui vient de cette femme ne cesse de me séduire. Son intelligence exerce sur moi une irrésistible séduction. Alors que les sous-sols de la Cité sont infectés par *un discours* dont la contagion s'est étendue jusqu'aux dernières des laborantines, la doctoresse Atlantida y échappe je ne sais comment. Elle n'utilise pas le même langage que ceux des sous-sols de la Cité. Elle participe aux travaux de Meng mais son langage est tout à fait différent de celui qu'utilise Meng, ainsi que moi-même ou les autres *chercheurs* occupés par les travaux particuliers à cette Cité du Bonheur. Vous voyez ce champ dont la pente fleurie descend jusqu'au lac, c'est ici que nos équipes médicales viennent se détendre à l'air libre, jouer à différents jeux, ou tout simplement s'allonger dans l'herbe – bien qu'il soit strictement décommandé de rester trop longtemps en contact avec elle. La pente de ce champ se prête merveilleusement au repos en plein air dont les chercheurs confinés dans nos sous-sols ont un besoin insurmontable. Les plus jeunes ont apporté des cerfs-volants, d'autres restent allongés face au soleil couchant... Quant à ce groupe là-bas assis en rond à même le sol c'est l'équipe de Meng que justement la doctoresse Atlantida vient de rejoindre. Dans les sous-sols de la Cité, les équipes se succèdent nuit et jour car à aucun moment les enfants-lézards ne doivent rester sans surveillance. Pas un instant ils ne sont laissés à eux-mêmes. Quand les équipes de jour sont en bas, les équipes qui viennent de terminer leur nuit remontent et viennent jusqu'à ce champ pour y respirer l'air du matin et inversement quand les équipes de jour surgissent des sous-sols, c'est ici qu'elles viennent ne serait-ce qu'un moment pour y respirer l'air du soir. Ainsi ce champ est-il toujours occupé par les uns ou les autres et c'est sur cette herbe fleurie que les membres de l'équipe médicale s'allongent malgré la stricte interdiction qui leur en est faite. Mon nom est Kalten, Bruno Kalten, je suis attaché à ce que nous nommons le maintien de l'ordre… bien que dans les sous-sols de la Cité même l'idée de désordre n'existe pas. Ma tâche consiste uniquement à être présent au moment où les équipes médicales se relaient. Quand celles d'en bas remontent, celles d'en haut descendent. Avec mon frère, je me tiens à la sortie des ascenseurs et le seul fait que nous soyons là suffit. Les membres des équipes médicales secrètes passent par un isoloir où ils déposent certains outils tranchants qu'ils auraient pu emporter par mégarde ou, comme il est arrivé quelques rares fois, des "échantillons" physiologiques prélevés sur ceux que certains nomment *lézards* et d'autres *enfants* quand à vrai dire Polyphème suffirait. Vous devez comprendre, poursuit B. Kalten, que l'abus d'informations qui prolifèrent aujourd'hui oblige à une surveillance discrète mais sévère aussi bien pour les termes utilisés que pour les "échantillons" physiologiques dont certains membres des équipes médicales spéciales risqueraient de disposer abusivement. Nous savons, poursuit B. Kalten, que l'anatomiste Nini aurait reçu un fragment d'œil prélevé sur le cadavre d'un lézard Polyphème et que cet échantillon se trouve dans le laboratoire de biologie moléculaire… où d'ailleurs une jeune femme, que je ne peux m'empêcher de nommer mademoiselle-qui-en-sait-trop, reposerait en ce moment, après une tentative d'ensommeillement volontaire, heureusement terminée par un réveil médicalisé bien inattendu.

B. Kalten *nous* prend par le bras et *nous* entraîne en direction de la Centrale.

— Permettez-moi de vous raccompagner tout au moins jusqu'au bout du lac. Soyez sans méfiance avec moi, poursuit-il. Bien que faisant partie de l'équipe médicale secrète, je suis un ami véritable de tous ceux qui forment la mission internationale d'enquête. J'ai très bien connu Yeshayahou et son frère le sismologue, nous faisions de la musique en amateurs du temps où nous étions étudiants. Par un hasard que nous pourrions qualifier de "charmant", nous avions formé un quatuor, Yeshayahou et son frère ainsi que moi et mon frère. Yeshayahou et son frère le sismologue se prétendaient jumeaux et en effet tout le laissait penser, rarement la nature s'est amusée à redoubler un être si exactement. A tel point que ni l'un ni l'autre ne savait vraiment lequel des deux il était... Je plaisante mais c'est ainsi qu'ils vivaient leur gémellité... et que mon frère et moi la recevions. Nous aimions nous réunir pour déchiffrer, nous étions tous les quatre des déchiffreurs surtout, plutôt que de bons musiciens. Nous avions tous les quatre une formidable énergie spéculative et nous *lisions* la musique plus que nous n'en produisions. C'était un pur plaisir je dirais théologique, métaphysique, nous déconstruisions les quatuors comme d'autres déconstruisent des textes ou mettent à plat une mécanique compliquée. Yeshayahou et son frère étudiaient à l'époque les sciences telluriques, la vulcanologie, la dérive des continents, etc., pendant que moi ainsi que mon jeune frère nous nous cherchions encore sans savoir au juste sur quoi fixer notre désir d'exister. Et ce n'est qu'en choisissant tous les deux la biologie dite *spéciale* dont les ramifications s'étendent à toutes les formes d'enquêtes – qu'elles soient médicales, policières ou même politiques – que mon frère et moi nous prîmes conscience de ce que nous nommons notre vocation. Nous étions faits pour enquêter autour du biologique, comprenez-vous ? Notre fonction est oblique, comprenez-vous ? Bien sûr, poursuit B. Kalten, très vite notre quatuor s'était disloqué. Yeshayahou et son frère se jetèrent à travers le monde pendant que mon frère et moi nous commencions à nous passionner pour la "recherche" biologico-policière. Voilà pourquoi ce soir vous m'avez trouvé sur votre chemin et que j'ai le plaisir de vous raccompagner en direction du hall d'accueil de la Centrale. Je regrette qu'Atlantida vous ait entraîné jusqu'à l'extrême limite des bords du lac, là d'où il est possible de voir nos équipes médicales secrètes en train de se délasser. Il aurait été préférable qu'une coupure absolue soit maintenue entre les membres de la mission et ceux des sous-sols de la Cité Potemkine. Ni Yeshayahou ni Eva Mada-Göttinger ne doivent se douter qu'ici, et sans que le hasard y soit pour quelque chose, se trouvent "comme par hasard", si près d'eux, leurs proches camarades d'adolescence. Pendant qu'ils enquêtent au grand jour par les vergers entourant la Centrale, nous, *ceux qu'ils auraient pu être s'ils avaient tant soit peu déplacé leurs choix*, nous travaillons à assouvir notre insatiable curiosité… non seulement médicale mais aussi pour tout ce qui concerne les répulsions et les attirances… ou si vous préférez les états d'âme, comme on dit, qui agitent cette communauté factice formée par la réunion d'éléments aussi disparates. Dans les sous-sols de la Cité se développe une recherche *libre*, dégagée des pesants malentendus prétendument *humanistes*, et parallèlement, comme pour nous délasser de la terrible tension qu'induit cette recherche, nous observons, sans en être vus, ceux que nous aurions pu être si nos choix n'avaient pas divergé. Lequel de nous ne se pose à un moment ou à un autre la question sur le sens de sa vie ? C'est alors que surgit le souvenir de "l'ami" d'adolescence qui, à tel carrefour de l'existence, s'était engagé sur une voie presque différente de la vôtre… pas opposée, non, non ! je dis bien *presque* divergente si bien que par une sorte de perspective inversée, les parallèles au lieu de se rejoindre au point de fuite s'écartent rapidement jusqu'à ne plus se ressembler du tout. Quand je pense que Yeshayahou et son frère le sismologue ont pu à un certain moment partager, avec mon propre frère et moi, cette sorte de bonheur exalté, oui, cette sorte de félicité supérieure que peut vous procurer le déchiffrement musical ! De même Atlantida se contemplant "amoureusement", m'a-t-elle avoué, "dans celle qui fut plus que ma sœur", m'a-t-elle dit d'Eva ! Je pense aussi à Meng et à Nini dont les goûts furent un temps si proches qu'aucun d'eux n'aurait pu imaginer qu'ils en arriveraient à parler deux langues radicalement étrangères, tout en conservant les mêmes mots ainsi que la même syntaxe. Donc n'était-il pas naturel qu'au moment où devait être formée la commission d'enquête, nous autres du sous-sol, nous n'ayons pu faire autrement que d'avancer les noms de ces autres nous-mêmes ?… Ah, nous voici en vue de la Centrale et de son hall d'accueil ! Je dois vous laisser car il y a foule et je ne peux prendre le risque d'être reconnu par Yeshayahou ou quelque autre membre de la commission, conclut B. Kalten, repartant rapidement au moment où Zef Zimmerstein approchait en se baissant un peu sous les branches fleuries.

— Enfin vous voilà ! Tania a disparu ! Au moment où je l'avais quittée, elle reposait bien tranquillement sur le lit de camp de mon laboratoire. Apparemment remise de sa tentative d'en finir, elle souriait comme délivrée, semblant heureuse d'être revenue à la vie. Et voilà qu'une assistante de Nini s'aperçoit qu'elle a disparu sans qu'elle l'ait entendue se lever ou ne serait-ce qu'entrouvrir la porte-fenêtre donnant sur le verger. Un peu avant, elle avait dit à cette assistante de Nini qui me l'a rapporté : "J'ai peur de vivre et j'ai peur de mourir, j'ai peur de la mort et j'ai une terrible peur de la vie !" Bizarres paroles, n'est-ce pas, poursuit Zef Zimmerstein. Quand on en arrive à subir lucidement ces deux contraintes que sont d'un côté la vie et de l'autre la certitude de la mort, quand on ne voit plus d'autre solution que de subir la vie ou de subir la mort, bien sûr il ne reste que la tentation de la métaphysique, ou si vous préférez verser la vie dans l'après-vie, se vivre mort avec l'espoir d'assister à votre propre mort par un dédoublement de l'être entré en transparence. Après que nous l'eûmes sortie du sommeil volontaire par lequel elle espérait glisser sans souffrances dans la mort choisie, Tania nous avait dit, alors que Nini et moi nous l'installions sur le petit lit de notre laboratoire : "Pourquoi m'avez-vous réveillée ? J'étais partie au fond du verger pour m'y endormir et voilà qu'il me faut tout recommencer !" Sur le moment nous n'avions pas voulu attacher de l'importance à ce "recommencer" et pourtant… Et pourtant chaque mot de celui ou celle qui a pris la décision d'en finir doit être pris au sérieux, mais l'émotion est si forte que l'on n'entend plus rien quand on voit celle que l'on croyait morte montrer ces imperceptibles tressaillements annonciateurs du lent retour ! Les mains sont glacées, le regard d'une étrange fixité, elle repose souriante, morte croirait-on mais souriante encore... et voilà que de brefs sursauts, une brise de vie affleure... Rien n'est plus miraculeux que le retour à la vie de quelqu'un qui avait choisi de mourir ! Seule la musique réussit à nous approcher d'une telle émotion quand vibre encore un son longtemps tenu alors que l'instrument s'est tu et que le musicien retient son souffle. Le temps s'inverse et il semble que la musique ait précédé tous les gestes du désir musical. On pense à la flèche qui vole pendant que sonne la musique produite par les vibrations de la corde restée contre la joue de l'archer. Oui, cette persistance, cette durée d'un son, alors que l'instrument s'est tu, vous ferait croire qu'il peut exister comme une zone de l'univers où il y aurait musique sans instrument, comprenez-vous, poursuit Zimmerstein, où il y aurait cette vie immatérielle dont les sciences nous ont fait perdre l'espoir. Serions-nous condamnés à croire ?

IV

— Oui, serions-nous vraiment condamnés à croire ? continue Zef Zimmerstein. Longtemps j'ai cru qu'il n'y avait pas matière à croire car justement c'est à la matière que je demandais des réponses quand c'était à mon être que la question devait être posée. J'interrogeais avec le scalpel, le microscope électronique, les différents réactifs et, constatant que la matière restait amorphe sur ce sujet, je me rassurais en me faisant amorphe à propos de ce que l'on nomme la foi. Et ce non-théisme, je l'enseignais avec toutes les certitudes que peuvent donner les résultats obtenus en laboratoire. Aujourd'hui, je suis tombé dans un tel bourbier mental qu'il m'est impossible de préciser, ne serait-ce qu'à moi-même, le sens des questions auxquelles j'aimerais avant de mourir trouver une réponse. Vous me voyez hésitant aujourd'hui, ma voix, oui même ma voix a perdu le ton, le rythme sûr et ralenti porteur de certitudes. Avez-vous remarqué comme mon débit est saccadé, trop rapide, presque apeuré ? Depuis que du jour au lendemain j'ai été abandonné par ma femme et ma petite fille, j'ai constaté à quel point la certitude de soi est précaire et combien par la même occasion toutes les certitudes se défont. Longtemps j'ai cru non pas à ce que j'enseignais ni aux valeurs que je défendais par mon attitude dans la vie comme par mon enseignement mais en moi-même, comprenez-vous ? J'étais une sorte de forteresse de savoir, oui je savais... et même si je savais que ce que je savais était faux, le fait de le soutenir lui donnait une authenticité irréfutable. C'est cela que j'enseignais. J'enseignais plus une façon d'affirmer ce que mon intelligence aurait facilement réfuté si elle l'avait voulu que de réelles certitudes. J'étais entouré de jeunes gens avides non pas d'apprendre mais d'admirer, d'admirer celui qui acceptait d'être admiré pour sa façon d'enseigner de prétendues vérités. L'amphithéâtre était une sorte de nasse, ou si vous préférez un vivier où le professeur Zef Zimmerstein n'avait qu'à puiser. Et que puisait le professeur Zimmerstein ? Des regards, des sourires, les irremplaçables élans de la jeunesse qui vous disent combien irrésistible est votre pouvoir. Je parle de ce pouvoir absolu, cette mainmise morale et... sexuelle sur ces "brillants" élèves que vous avez bien voulu distinguer... Tiens, voilà Eva ! Et alors, Tania ?

— Aucune trace. Nini croit savoir où la trouver. "Je suis sûr, a-t-il dit, qu'elle s'est sauvée vers la Cité Potemkine et c'est là que je vais la chercher !" Il a entraîné Yeshayahou avec lui et ils sont partis en direction de la limite du verger. Personnellement je crains que Tania n'ait recommencé.

— Oh non, soyez tranquille, pas maintenant, rassurez-vous Eva ! Quand quelqu'un a mis fin à ses jours, comme on dit, il est rare qu'il recommence immédiatement. D'avoir *été* mort et d'en être revenu vous enlève pour un temps l'imagination de votre mort. Qui voudrait retourner au Rien ? D'avoir entrevu le Rien vous ôte toute imagination à propos de cet après tant craint et tant souhaité par certains.

— Ah, Zef… je vous en supplie !

— Ne vous effrayez pas, Eva ! L'approche de l'Epilogue nous oblige à renier toute certitude. En attendant réfugions-nous dans l'absence à nous-mêmes… donc à toute question. Je disais justement au moment où vous arriviez qu'il fut un temps où, bien que sachant que je ne savais rien, j'enseignais des certitudes non par leur contenu mais par un ralentissement de la voix, une tranquillisation de la voix qui, plus que tout argument, affirmait.

— Je ne comprends pas…

— Remarquez mon débit aujourd'hui. Les mots se pressent, j'en bégaie presque. Il fut un temps où prétendant à un pouvoir sur les êtres et le monde, ma voix prenait non seulement son temps mais le temps des autres. Comprenez-moi, Eva, l'accélération ou le ralentissement de la parole est en rapport direct avec l'augmentation ou la perte de pouvoir. Aujourd'hui que je suis un homme fini…

— Ne dites pas cela, Zef !

— Si, si ! Je suis non seulement un homme fini mais un homme sans paroles. Le poids de la parole se dilate ou se rétrécit selon que l'on a ou non ce que l'on nomme une "surface sociale". Croyez-moi, la tranquillité ou l'intranquillité agissent sur la musique du discours, son rythme, ses temps d'arrêt ou ses précipitations comme si l'affaiblissement social condamnait l'émission de la parole soit à une accélération jusqu'à l'inaudible soit au silence qui finit par en être l'équivalent pendant qu'au contraire s'installe et s'étire la parole de l'être rassuré, tranquille et sûr de son pouvoir sur les autres et sur le monde… Me voilà arrivé au-delà des mots. Et pourtant combien j'en aurais besoin ne serait-ce que pour avouer devant vous qui m'êtes étrangers jusqu'où mes certitudes envers moi-même m'avaient entraîné. Confondant mes certitudes scientifiques avec l'humanisme j'ai cru en l'image que j'offrais à ceux qui m'approchaient. Dissimulé derrière cette image… ou plutôt ébloui par ma propre image je me refusais à voir qu'un autre moi-même, le vrai, agissait, profitant de cette zone d'éblouissement que diffuse un trop grand éclat social. Que faisait cet autre dissimulé derrière celui, moi, l'éblouissant Zef Zimmerstein ? Eh bien, cet autre moi n'avait rien à envier au mage quant à la saloperie…

— Assez, Zef ! s'exclame nerveusement Eva. Je ne veux pas, je ne veux pas vous entendre vous humilier…

— Mais vous devez m'entendre. Où trouver le repos si personne n'accepte de panser la plaie de mon âme ? Je sais, je suis outrancier dans mes mots mais il arrive que les mots seuls ne suffisent pas et que seule la métaphore outrancière réussisse par son outrance même à transmettre ce qui ne peut être dit. Car ce qui ne peut être dit doit trouver le chemin par lequel il sera transmis. Vous devez accepter la confession de mon secret, Eva ! Voilà qu'elle se sauve… Eva ! Vous devez m'entendre, crie Zimmerstein en courant derrière elle.

— Mais que d'agitation ! dit un homme apparaissant tout à coup. Je sais que mon frère était avec vous il y a un moment à peine et je m'attendais à le trouver encore ici. Comme lui je m'appelle Kalten, sauf que lui c'est Bruno, tandis que moi c'est Verner, Kalten Verner. Lui et moi nous nous séparons rarement. Tout à l'heure, son étonnement de vous découvrir si près de la limite séparant le périmètre de la Cité Potemkine de celui entourant la Centrale lui a fait quitter en hâte son poste d'observation pour vous raccompagner. Ne le trouvant plus là où il devait comme d'habitude se tenir, sur les indications recueillies auprès de quelques laborantines en train de se délasser dans le champ au bord du lac, j'ai décidé de partir sur ses traces. Et voilà que je vous trouve en compagnie du biologiste Zef Zimmerstein et d'Eva Mada-Göttinger. Au moment où j'allais repartir vers notre Cité interdite, j'ai surpris quelques phrases prononcées par Zimmerstein… à dire vrai une phrase tout à fait délirante, venant d'un scientifique de son niveau : "Serions-nous condamnés à croire ?" Une telle interrogation lancée par un des enquêteurs sur le site même de la Centrale méritait que l'on retienne son souffle et que l'on s'accroupisse derrière un buisson. Ensuite, ses considérations sur la matière qui refuserait obstinément de *parler* m'ont fait sourire. Au moment où j'allais me retirer, j'ai compris qu'il était sur le point de se confesser auprès de vous… mais voilà que la venue d'Eva l'avait arrêté et qu'une information de la plus haute importance a été lancée par Eva : la jeune pédiatre Tania Slansk aurait disparu du laboratoire de biologie moléculaire ! De plus, à en croire Eva, elle aurait l'intention de pénétrer clandestinement dans la Cité avec sur ses talons Yeshayahou et l'anatomiste Nini ! Autant mon frère B. Kalten est intelligent et même rusé, autant moi, V. Kalten, je suis incapable de prendre au bon moment les bonnes décisions. Si bien qu'à chacune de mes bêtises, mon frère Bruno répète invariablement cette phrase : "Parce que c'était lui, parce que ce n'était pas moi", montrant ainsi qu'il refuse de se charger de la responsabilité de mes erreurs et sous-entendant que là où je révèle mon incapacité lui prouve ses capacités. Voilà qu'Eva Mada-Göttinger se sauve en courant et que Zef Zimmerstein s'élance derrière elle ! Au lieu de réagir immédiatement, j'hésite, me demandant : Qu'aurait fait Bruno ? Rester auprès de vous ? Bavarder avec vous ? J'ai toutes les raisons de me méfier de mes bavardages. Repartir vers la Cité en espérant soit rencontrer mon frère en chemin soit tomber sur Yeshayahou et Nini ? Habituellement je ne perds jamais mon frère de vue, acceptant humblement d'en être l'ombre muette et obéissante. Cette fois, un ridicule contretemps nous a séparés et me voilà incapable de prendre une décision. Lesquels espionner de tous ces gens dispersés dans le verger ? De quelle "saloperie" parlait Zimmerstein ? De quel mage ? De sa femme ? Sa fille ? Qu'a-t-il dit de la parole qui s'accélérerait ou se ralentirait selon le "poids social" des personnes ? J'avoue avoir beaucoup de mal à suivre ces sortes de raisonnements. C'est avec une évidence aveuglante que j'ai toujours dû reconnaître la supériorité de mon frère. Il pige là où je ne pige rien, comprenez-vous ? Sur un seul point je l'égalais, incontestablement j'étais plus musicien que lui. J'étais capable de déchiffrer, comme d'autres lisent leur journal, les différentes partitions d'un quatuor. Figurez-vous qu'avant de devenir des sortes de flics attachés aux sous-sols de la Cité, mon frère et moi nous aimions passer nos soirées à déchiffrer obsessionnellement des quatuors. Et comme à deux on ne peut former un quatuor, mon frère et moi nous nous étions associés avec deux amis – deux frères aussi mais jumeaux ceux-là ! – qui prétendaient comprendre quelque chose à la musique tout en n'y comprenant rien, évidemment ! A l'époque nous étions de jeunes étudiants et on nous aurait dit qu'un jour nous deviendrions des sortes de flics – bien que biologistes tous les deux –, des organisateurs de l'ordre pour ce qui concerne principalement les sous-sols de notre Cité, nous en aurions ri. Il est bien entendu que les espèces de lézards dont la responsabilité nous revient ne doivent strictement pas passer d'une des salles bétonnées à une autre. Aucun sas ne doit rester ouvert par mégarde ni souffrir la moindre détérioration ! Atlantida, la doctoresse, prétend que "lézard" serait "un euphémisme criminel", dit-elle. "Enfant !!!" insiste-t-elle. "Je vous interdis de prononcer lézard devant moi", insiste-t-elle et insiste-t-elle, pendant que Meng et les autres rient d'elle sans s'en cacher. Mlle Atlantida est une femme bien étrange. "Si ce sont là des enfants, comme vous le prétendez, lui dis-je souvent, alors que vient faire cet œil planté là en plein milieu de leur front ?" Elle serre les lèvres et se détourne comme si elle se retenait de pleurer. Mon frère et moi... mon frère plutôt, se ferait tuer pour Mlle Atlantida... et moi aussi je l'avoue. Dans nos rapports que régulièrement nous déposons sur le bureau du principal de nos médecins-chefs, nous évitons de signaler les excès de sensibilité d'Atlantida. Mais les autres des brigades médicales secrètes ne se gênent pas. Meng ne cesse de mettre en garde ses supérieurs qui, au lieu d'écarter Atlantida des soins directs auprès de ceux qu'elle nomme enfants et non lézards, la convoquent dans leurs bureaux, et des bureaux la font entrer dans les chambres aménagées derrière les bureaux où nos médecins-chefs passent leur temps à dormir, à manger et à étudier les dossiers qu'ils étalent autour d'eux sur de grands lits carrés. Trois ou quatre jours après revoilà Mlle Atlantida ! Un peu plus triste, un peu plus songeuse, un peu moins attentive aux gentillesses de mon frère et encore moins aux miennes. “Elle est mieux que belle !” dit mon frère quand elle apparaît juste vêtue semble-t-il de sa blouse. Moi je ne dis rien mais je n'en pense pas moins. Belle ? Elle ne l'est sûrement pas. Tout au moins tel qu'on pourrait le dire d'une statue mais tout est dans sa façon de faire avec son corps. Il va, il vient, il s'assied ou se relève et on ne cesse d'imaginer ! Il y a des femmes comme ça ! D'autres ne sont que des doctoresses ou des laborantines ! Mon frère surtout... et moi par contrecoup... mon frère sait à propos d'Atlantida beaucoup plus qu'elle n'en sait sur elle-même. Et elle-même sait qu'il ne demande qu'à fermer les yeux sur ses agissements... à condition de ne pas rester tout à fait sourde à certaines de ses prières. Croyez-vous que sans nous, mon frère et moi, elle aurait réussi à n'être pas immédiatement découverte en faisant pénétrer une certaine jeune pédiatre de la commission d'enquête jusqu'au cœur des salles interdites, là où les sous-sols deviennent zone rouge, c'est-à-dire qu'on ne peut y accéder sans être muni de certains codes dont les chiffres changent plusieurs fois par semaine ? Bien sûr, nous n'avons pas pris le risque d'être complices d'une telle contravention aux consignes sans en avoir reçu l'autorisation du médecin-chef des brigades médicales secrètes. Mon frère pense même que ce serait lui qui aurait suggéré adroitement... ou qui sait ? transmis l'ordre par une simple impulsion de sa pensée... En tout cas il n'y aurait rien d'étonnant qu'Atlantida n'ait été que l'instrument du médecin-chef dont elle est l'une des doctoresses privilégiées. Qu'une pédiatre étrangère à la Cité ait plongé ses regards dans ces sortes de puits que sont nos sous-sols, qu'elle ait vu ce qu'aucune personne extérieure à la Cité n'a vu jusqu'à présent, me laisse penser qu'il y a eu acceptation et même suggestion des plus hautes autorités qui gouvernent notre Cité dite du Bonheur. Depuis, mon frère est d'une nervosité insupportable. C'est à peine s'il prend du repos, et ne cesse de courir sur les traces de Mlle Atlantida... et moi, comme vous le voyez, sur les traces de mon frère !... Je dois vous laisser, c'est l'heure à laquelle tous ceux de la Cité doivent inflexiblement se trouver dans ses murs car il n'y a pas que les sous-sols où relativement l'ordre règne presque de soi-même, grâce aux structures qui maintiennent les lézards Polyphème aux places qui leur sont strictement assignées... C'est qu'en plus de la Cité souterraine, il y a la Cité proprement dite où sont regroupés les vrais enfants. Ceux-là demandent un surcroît d'attention car ils sont d'une vivacité épuisante pour ceux qui sont chargés de les surveiller. Bien que gravement atteints par les radiations, ils sont rieurs, chahuteurs, insatiables et d'un désir de vivre infernal. C'est surtout quand vient le soir qu'ils s'excitent et refusent de regagner leurs chambrées, pour ce qui est des orphelins, ou les petites chambres individuelles, quant à ceux dont les mères sont encore vivantes et près desquelles évidemment se trouvent leurs lits. Pendant les longs instants crépusculaires, notre Cité résonne de cette exubérance – surtout qu'elle s'accompagne des soins et de la distribution d'une grande quantité de médicaments. Enfin le silence tombe, et mon frère et moi n'avons plus qu'à accomplir les tournées rituelles par les longs couloirs vides et les rues où nul n'a le droit de paraître… Hou ! la la ! vite, disparaissons…

— Il me semble connaître cet homme qui vient de vous quitter avec cette étrange brusquerie, *nous* dit Yeshayahou Fridmann, sortant de l'ombre. S'il n'était pas strictement impossible que cet homme qui vous parlait soit le plus jeune de deux frères, grands amis d'adolescence de moi et du mien, je vous assure que, me laissant prendre à cette ressemblance, je l'aurais immédiatement arrêté pour lui demander s'il ne me remettait pas. Verner Kalten ? Etes-vous bien le frère de Kalten Bruno ? Voilà ce que je lui aurais demandé. Mais pour cela il aurait fallu qu'il y ait appréhension réciproque quand à vrai dire ce sont mes sens troublés qui ont tendance à créer dans mon esprit des sortes d'hallucinations. Imaginez que déjà tout à l'heure, alors que nous courions, Nini et moi, sur les traces de Tania Slansk, j'ai cru voir dans l'ombre Bruno Kalten, justement. Pas lui mais quelqu'un qui m'y avait fait penser au point de m'être dit : J'aurais juré que cet homme qui vient de passer en se cachant la figure est le frère de Verner Kalten ! Dans quelle mesure certains mouvements de ce que nous pourrions nommer l'âme sont-ils assez puissants pour dévier la réalité vers ce qu'un besoin d'apaisement vous fait désirer plus que toute autre chose au monde ?… Je ne cesse de penser à mon frère, me figurant que de nous deux ce serait Yeshayahou le disparu et que des deux, le sismologue serait resté bel et bien en vie. C'est une sorte de délire comme ça, occasionné par l'étrange comportement d'Eva. Elle-même, me semble-t-il, hésite, tantôt on dirait qu'elle me hait, tantôt elle semble vouloir me retenir auprès d'elle… retenir, bien sûr, celui qu'elle a aimé… ou peut-être aime, nous confondant mon frère et moi par une espèce de lassitude ou d'abandon des nerfs, voyez-vous. Alors moi-même je doute et me dis : Lequel es-tu ? Si je n'étais sûr de n'avoir pas été élevé en petite fille et que cet étrange caprice de notre père envers mon frère ne m'avait marqué, je revendiquerais avec joie l'identité qu'Eva, épuisée par son deuil, rêve de me voir revendiquer. Elle et moi nous sommes entrés en confusion. Voilà pourquoi mes hallucinations à propos des frères Kalten ! Imaginons que ce soient eux vraiment, chose impossible, et que dans la surprise d'une rencontre fortuite ils me nomment… de quel nom me… par quel nom me… me distingueraient-ils ? Le géologue ? Le sismologue ? Lequel des deux Fridmann ? L'ex-petite fille ? L'ex-petit garçon ? Mon amour envers mon frère était si fort ! Je l'aimais plus que moi-même. Maintenant qu'il est mort, pourquoi ne serais-je pas lui, celui qu'aime Eva ? poursuit Yeshayahou.

Changeant sans raison de sujet :

— Savez-vous, nous avons trouvé un batracien tout à fait atypique au bord du lac, Eva et moi. Sur le moment nous avions cru qu'il s'agissait d'un cristal en forme de crapaud, un de ces hasards de la nature que l'on ramasse, étonné qu'une cristallisation ait pu prendre une telle forme… mais voilà que ce cristal s'avère être un véritable crapaud affligé d'une bien étrange mutation. Au lieu d'être lisse, sa peau présentait une incroyable quantité de facettes transparentes et dures comme du verre. Nous l'avons remis à Zimmerstein qui aussitôt l'a transporté sous ses appareils d'investigation. Là, figurez-vous, en examinant cette étrange bête mi-vivante mi-vitrifiée, il découvre un troisième œil non pas au milieu du front comme en ont certains lézards… et selon Tania Slansk certains enfants séquestrés dans les sous-sols de la Cité Potemkine… mais placé entre l'œil et la narine, “comme chez les serpents à sonnette”, nous a-t-il dit, poursuit Yeshayahou Fridmann, et pour que nous comprenions de quelle importance était cette découverte, Zimmerstein nous avait expliqué qu'un de ses amis biologiste américain avait fait devant lui une expérience assez terrifiante avec un serpent à sonnette et une souris. “Il avait enfermé, nous avait dit Zimmerstein, un crotale et une souris dans une cage non sans avoir collé auparavant les deux yeux du reptile avec une colle à prise instantanée. De plus il lui avait injecté un produit destiné à lui bloquer les nerfs olfactifs. Privé de ses sens, le serpent peut-il ou non détecter sa victime ? Telle était la question ! Mais à peine la souris fut-elle lâchée dans la cage que le serpent s'était détendu et s'en était emparé sans la moindre hésitation. Donc aveugle, privé du sens olfactif, un serpent à sonnette n'en est pas diminué pour cela ? Avouez qu'il y avait de quoi passionner mon ami américain, avait poursuivi Zimmerstein, dit Yeshayahou. S'emparant du serpent, il l'examina avec la plus grande attention. Et que découvre-t-il ? Il remarque deux petites dépressions situées de chaque côté de la tête du reptile, entre la narine et l'œil, ressemblant à des phares de voiture. Etait-ce là la solution de l'énigme ? Qu'arriverait-il, s'était dit mon ami américain, avait poursuivi Zimmerstein, dit Yeshayahou, oui qu'arriverait-il si on bouchait aussi avec de la colle ces deux dépressions ? Ce qui fut fait. Eh bien, figurez-vous, le serpent ne réussit plus à capturer de souris, bien que mon ami américain, avait dit Zimmerstein, en eût lâché des dizaines dans la cage." Bref, ces dépressions n'étaient pas de vrais yeux mais des points thermiques. En balançant la tête, le reptile saisissait plus ou moins le rayonnement thermique de la souris et ainsi la situait-il immédiatement. "La conformation des organes thermiques du serpent à sonnette est la même que celle des verres d'un phare de voiture, avait dit Zimmerstein, alors que nous nous trouvions avec lui, Eva et moi, dans son laboratoire, dit Yeshayahou. Le reptile ne peut donc recevoir que les rayons calorifiques en provenance de deux zones ovoïdales très nettement délimitées. S'il balance la tête de-ci de-là, il peut non seulement détecter la présence de quelque chose de vivant et chaud mais évaluer aussi sa grandeur et sa forme. Il est même capable sans doute de faire la différence entre un rat et une mangouste, son ennemie. Mais si vous présentez dans l'obscurité, à la place d'une souris, une ampoule éteinte mais encore chaude, ne voilà-t-il pas que le crotale se met à la frapper et à vouloir l'engloutir !" Bien sûr Eva n'avait pu supporter cet exemple, trouvant répugnantes ces expériences alors qu'elle-même ne s'en prive pas avec ses insectes… Mais pourquoi vous ai-je raconté cela ? Pensez-vous que de telles expériences se pratiquent dans les sous-sols de la Cité ? Osent-ils avec les enfants ?… les lézards ? Excusez-moi, je suis terriblement troublé par toutes ces informations discontinues ! Je sais que *tout se tient* et que rien n'est fortuit dans ces lieux où nous avons donné licence aux forces obscures… Tant d'éléments disparates seraient acceptables dans la vision malade d'un artiste, mais quand vous les rencontrez effectivement dans la vie, vous vous sentez saisi d'effroi. Sommes-nous plongés vifs dans une pensée supérieure, une vision artistique supérieure ? L'art et l'enfer se côtoieraient-ils vraiment ? Sommes-nous dans de la "beauté terrible" telle que Yeats la voyait ? La gravité de l'art a-t-elle envahi à ce point notre quotidien ? Voilà quelle question je ne cesse de me poser en pensant à mon frère, à Eva, à moi-même ! Suis-je ce moi-même ? Sommes-nous les fragments d'une vision artistique ? Si oui, si toutes ces parcelles que nos sens saisissent sont les parcelles d'une œuvre tellement démesurée qu'en nul lieu de l'univers nous ne puissions espérer trouver le recul suffisant pour la contempler, alors c'est que le seul fait d'imaginer un tel impossible le rend possible. Toute représentation de l'imaginaire dès qu'elle peut être transmise devient-elle forcément un acte éthique puisque esthétique ? Alors quoi ? Ne reste que le poème ? Sommes-nous les éléments musicaux d'un anti-poème noir dont la forme totale nous échappe ? Une fantaisie ? Se pourrait-il qu'une œuvre artistique – pour peu que l'Univers en soit une – puisse être dépourvue d'éthique et d'esthétique au point d'engendrer le monstre humain qui un jour s'est dressé pour défier justement le poème possible ? Comprenez-moi, poursuit Yeshayahou Fridmann d'une voix vibrante, sommes-nous doués, comme le crotale, non seulement d'yeux mais de plusieurs sens de rechange, afin qu'il ne soit pas dit que les clés de la Lumière ne nous avaient pas été remises sous toutes les formes possibles ?

V

— Mais voilà, poursuit Yeshayahou Fridmann, nous ne voulons pas du poème mais satisfaire notre curiosité, nous ne voulons pas de la musique non plus mais satisfaire notre curiosité. Nous ne voulons pas de la satisfaction et de l'apaisement mais, au contraire, c'est insatisfaits que nous voulons demeurer, oui, satisfaire notre insatisfaction ! Voilà de quelles questions nous débattons ensemble à présent, Eva et moi. Nous avons trouvé depuis peu ce point stratégique sur lequel nous rencontrer, nous mésentendre et donc chercher par tous les moyens à nous retrouver sur ce point de mésentente intellectuelle grâce à laquelle, si je puis dire, se développe, sans qu'Eva ne s'en défende maintenant, une sorte d'agacement amoureux. Nous nous défions intellectuellement par agacement amoureux. Au bord du lac, quand nous avons trouvé ce batracien étrange, qu'étions-nous venus chercher ? Pourquoi, croyez-vous, étions-nous partis à travers ce champ dont les fleurs nous venaient à mi-jambe ? Jamais jusqu'à ce moment nous n'avions souhaité nous retrouver seuls, ensemble. Eh bien, c'est cet agacement amoureux, cet exaspérant agacement qui nous avait poussés à nous isoler sur la rive du lac ! Enfin, nous avions réussi à semer mon frère ! A moins que dans l'esprit d'Eva se soit faite une sorte de permutation, et que ce soit moi lui devenu ! En tout cas sur la rive du lac, après nous être pas mal chamaillés, nous... disons que nous nous sommes soumis à quelque chose de plus fort que nous. Et ce quelque chose de plus fort que nous nous a ramenés brutalement en arrière sur les pentes d'un volcan où nous avions si pauvrement accompli ce qui devait l'être plus tard par mon frère et de nouveau par moi, dit Yeshayahou... si bien, si pleinement, cette fois, que je me prends à imaginer qu'il y a eu substitution, à un moment ou à un autre, et que celui que je crois être repose depuis des années là où tout le monde croit que mon frère a été mis en terre. Cette confusion peut paraître comique à toute personne extérieure mais elle s'est insinuée entre moi et Eva au moment où notre chamaillerie faite d'agacement, d'impatience, de désirs non reconnus ni assumés, s'est soudain transformée en exaspération telle qu'il m'a été impossible de ne pas agir comme si je n'étais plus moi mais mon frère. Bien que la pudeur me paraisse un sentiment qui s'apparenterait à la veulerie ou pire encore à la modestie si couramment mise en avant par les êtres faibles rongés d'une vanité honteuse, je ne vous décrirai pas quel a été le choc de ce contact entre Eva et... mon frère fantasmique dont je ressuscitais la "brûlante" passion. Peut-on éprouver des sensations aussi divergentes pour peu qu'on se croie celui que l'on n'est pas, confronté à un souvenir depuis longtemps pâli d'une rencontre exotique où les moustiques et les cafards courant autour de vous sur la courtepointe vous dégoûteraient à jamais de cette sorte d'acte que tout homme ne cesse d'ajouter à l'amnésie d'une liste absurde et inutile ? "Que c'est ridicule ! Que c'est ridicule !" ne cessait de gémir Eva, alors que s'accomplissait, comme malgré nous, une fusion pleine d'effroi entre elle et... lequel de mon frère ou moi ? Qu'entendait-elle par ridicule ? En quoi étions-nous ridicules ? Etendus sur la berge du lac nous prenions sûrement des risques terribles car le sol dégage en cet endroit des doses épouvantables de radiations. Mais ridicules, non ! Imprudents, follement imprudents de rester étendus dans une étreinte telle qu'il nous avait semblé un instant que la terre avait tremblé sous nous. Ou alors, là où mon frère n'aurait pas été ridicule, moi je l'étais ? Donc c'était *avec moi* qu'elle était en train de flancher, de "tromper" la mémoire de mon frère ? Ou trouvait-elle ridicule de succomber à un fantasme dont, tout en y succombant, elle voyait cependant l'horrible absurdité ? Quelque chose comme un inceste se commettait sur la berge irradiée du lac, une insulte au sens commun, n'est-ce pas ? Moi-même je me sentais anéanti par cette formidable attraction dont l'un et l'autre nous subissions l'inexprimable, la féroce joie. Et c'est encore éperdus d'essoufflement et de gêne que, nous détachant l'un de l'autre, nous prononçâmes les quelques mots par lesquels nous marquions notre désir de rester néanmoins légèrement étrangers, de sorte que *lui* ne soit pas tout à fait chassé d'entre nous. Nous lui devions bien de la courtoisie, *quand même* ! En forçant Eva sur la rive irradiée du lac, ne venais-je pas de poignarder mon frère défunt ?... et à la fois je savais avoir enfin accédé à son vœu si clairement exprimé sur son lit d'hôpital. Mais un mourant exprime-t-il des vœux vrais ou ne les délire-t-il pas ? "Tu dois brûler tous mes papiers, m'avait-il dit… et sois moi désormais auprès d'elle", m'avait-il dit aussi avant d'entrer dans le pénible désordre corporel qui précède l'immobilité de la mort. Son premier vœu, immédiatement exaucé, ses papiers furent… presque détruits… quant au second jamais je n'aurais pensé qu'un jour il s'accomplirait. Une telle haine de moi s'était emparée d'elle ! Une haine qui semblait irradier de son être physique et intellectuel ! Un manque de tact inouï ! Jamais regards sur moi n'ont été si volontairement méprisants ! Pauvre Eva, poursuit Yeshayahou, comment aurais-je pu analyser l'impossible nœud de contradictions qui assombrissait ce regard dont elle ne cessait de me transpercer ? Et voilà qu'au moment où nous nous relevions de cette terre détruite sur laquelle venait d'avoir lieu l'incestueuse étreinte, alors que nous remettions de l'ordre dans nos vêtements, que découvrons-nous ? la bête immobile sur la frange de l'eau. Un étrange diamant dont les facettes renvoyaient en tous sens les rayons du soleil. Ce diamant nous regardait ! Il avait des pattes ! C'était là comme une cristallisation de notre acte : nous nous étions étreints comme s'étreignent les crapauds, et voilà que le crapaud s'était transformé en diamant ! transmuté en lumière !… Je le sais, continue Yeshayahou avec exaltation, toute beauté est terrible, en cela je partage l'appréciation de Yeats…

Yeshayahou se tait un instant.

— Fallait-il que je raconte cela ? Ne suis-je pas suspect d'excès de perception ? Existe-t-il au monde un amputé qui ne sente pas jusqu'au délire le membre manquant ? Existe-t-il un seul jumeau amputé de son second "lui" qui ne s'en trouve, jusqu'au délire, insupportablement alourdi d'un double poids de l'être… jusqu'au non-être ? Ah, voilà Nini ! Alors ? Et Tania ?

— Soit elle s'est réfugiée auprès des irradiés dont les terriers sous les anciennes fermes nous restent inaccessibles, soit ceux des brigades médicales spéciales ont mis la main sur elle.

— Vous voulez dire…

— Exactement ! Soit elle a choisi de partager le sort horrible des femmes et des hommes retournés à la sauvagerie, soit on la séquestre en ce moment dans les sous-sols de la Cité. J'ai peur que la seconde supposition soit la bonne… Je viens de croiser Eva, elle vous cherche. Zimmerstein était avec elle il y a encore quelques instants. Eva avait les joues rouges, et il m'a semblé que Zimmerstein et elle venaient d'avoir une discussion très animée. Vous connaissez les colères d'Eva…

— En ce moment Eva est à peine approchable, dit Yeshayahou, elle s'irrite de tout… et à la fois un rien lui fait venir des larmes. Que Tania ait tenté de mettre fin à sa vie l'a en quelque sorte brisée. Elle attendait le moment propice pour lui parler en tête à tête "hors de votre présence à tous", avait dit Eva avec colère, "je dois lui faire comprendre que nous, les femmes, nous nous devons de perpétuer, contre tout et contre *vous tous*, le sens de la vie. Comme nous avons été les premières à réaliser la vie, nous devons être les dernières à la quitter, voilà ce que je dois faire comprendre à Tania", m'avait dit Eva, continue Yeshayahou. Et figurez-vous, Nini, je lui donne raison. Que faisons-nous ici ? On nous a convoqués pour quoi faire ? Dresser un constat falsifié de l'accident. Aucun des scientifiques faisant partie de la mission n'a eu un mot pour déplorer l'irréversibilité du désastre.

Au contraire même, nous nous sommes tous passionnés pour la singularité des phénomènes secondaires occasionnés par l'effroyable boule de feu nucléaire dont l'enfoncement semble mettre en liquéfaction le socle rocheux sur lequel repose la croûte géologiquement instable… où nous nous sommes crus en sécurité depuis tant de millions d'années. Que ce soient les physiciens anglais ou allemands, les botanistes italiens, américains ou français, les autres géologues, les biologistes ou, comme vous Nini, les anatomistes fervents de la dissection, ou les chercheurs de toutes les autres disciplines, telle l'entomologie…

— Pour ce qui est de l'entomologie, Eva Mada-Göttinger, la grande Eva *inventrice* des fourmis-robots, s'est comportée jusqu'ici plus en homme de science qu'en femme *réalisatrice de la vie*, comme elle vous a dit. Elle n'a cessé d'arracher les pattes et les ailes de *ses* malheureux insectes irradiés pour… pour quoi au juste ? Par curiosité… non ? dit Nini. Pour satisfaire quoi ? Son sens de la vie au féminin ? Allons ! Le sens de la vie, il y a longtemps que *nos* femmes l'ont perdu et ce n'est pas par hasard que Tania fut l'une des plus passionnées adeptes de l'utérus artificiel sur lequel elle et moi nous avons travaillé… et non seulement travaillé mais fondé en quelque sorte une philosophie de la vie, justement ! Il y a longtemps que *nos* femmes ne sont plus des femmes porteuses du sens de la vie. Porteuses de vie, faute de meilleur moyen pour la produire, d'accord, mais porteuses du sens, non, sûrement plus. Si le cœur de la Centrale ne nous avait pas échappé, si l'avenir, ce fameux avenir-pour-mille-ans revendiqué par les successives civilisations était encore envisageable, *nos* femmes ne seraient femmes que peu de temps encore. Leur fameuse différence, poursuit Nini, nous nous faisions fort de l'effacer. Procréer sans elles est déjà presque à notre portée. Quand certains philosophes grecs prétendaient que le ventre de la femme n'était qu'un "vase" que nous autres hommes nous avons la condescendance de "louer" le temps que soient conçus *nos* enfants, ils ne faisaient qu'anticiper sur le nouveau style que l'homme espérait encore, il y a peu, donner à la vie...

— Allons, Nini ! l'interrompt Yeshayahou, vos provocations n'ont plus de sens aujourd'hui. Que l'effacement des sexes ait été souhaité, peut-être même plus intensément par les femmes que par les hommes, ne change rien au désastre qui, lui, est irréversible. Et quoi que prétendent certains des physiciens faisant partie de notre mission, nous n'arriverons pas à faire plier le temps dont la réversibilité telle que nos physiciens la calculent n'est pas encore sur le point de se réaliser. Le temps est compté ! Ne reste qu'une éthique crépusculaire.

— Vous voulez dire trouver... ou plutôt improviser un sens immédiat dont l'éthique s'imposerait avec l'immédiateté de la morale ?

— En un certain sens, oui ! Ce serait un peu ça...

— Désolé, Yeshayahou, je diverge complètement ! Dans un temps si court, ne reste que le fameux "tout est permis" qui fascinait tant Dostoïevski. Sauf que ce "tout est permis" s'applique à d'autres buts que la possession du pouvoir ou celle des "biens de ce monde". L'œil de Dieu est sur le point de se fermer. Profitons de ce Crépuscule pour interroger sans hésitation et sans pitié le vivant, car seul le vivant possède les clés. Voilà pourquoi j'aimerais tant forcer les portes de la Cité Potemkine, pénétrer dans ses sous-sols, m'emparer d'un ou deux enfants-lézards afin de… de toucher le point limite…

— Savez-vous, Nini, que, profitant de leur crépuscule, certains bourreaux qui s'étaient pris pour des dieux avaient atteint *le point limite* sur des hommes…

— Qu'ils avaient déshumanisés, ne l'oubliez pas ! Si ce que Tania dit des enfants-lézards est vrai, s'ils ne sont plus tout à fait des enfants d'hommes et déjà un peu lézards, imaginez jusqu'où le point limite est reculé tout à coup ! Enfin l'esthétique de la recherche aura pris le pas sur l'éthique ! Notre curiosité pourra enfin pénétrer, sans cas de conscience, la pure beauté de ce support de l'être qu'est le corps humain. Avant que tout ne s'éteigne, profiter de la régression accélérée de l'humain vers son ancêtre le lézard pour saisir l'âme, pourquoi pas ! Au détour de la chair mise à vif, rencontrer le point d'origine du mouvement des sentiments et de la pensée comme, lorsque l'on plonge le regard dans les espaces reculés, on détecte ces étoiles fossiles datant du souffle premier de l'expansion de l'univers. A quel moment l'âme ? A quel moment de l'évolution l'âme s'est-elle déclarée à elle-même ? C'est cet instant, ce moment, l'éclair de ce moment dont l'empreinte doit être gravée quelque part que j'espère repérer à la faveur de cette *dévolution*, ce réenroulement du film de l'évolution humaine s'étirant sur les millions d'années qu'a nécessité la cristallisation du sublime et impensable monstre dit humain que nous voilà.

— Je supporte difficilement, Nini, dit Yeshayahou, de vous entendre *vous-nous* ravaler au plus bas niveau, nous désacraliser, nous enfermer dans l'odieuse carapace de notre intelligence.

Nous ne sommes pas qu'intelligence, nous ne pouvons pas n'être que cela ! Nous ne sommes pas que curiosité intelligente ! Nous ne sommes pas ici pour espionner à n'importe quel prix la création ! La création ne se démonte pas comme vous le faites de ces corps dont l'anatomiste prétend mettre à vif les beautés… Et c'est avec de plus en plus de reconnaissance et d'étonnement que je repense à certaines paroles de mon frère qui affirmait que par l'écho…

— La sismologie ! dit Nini en riant.

— Oui !

— On crie… on se tait jusqu'à ce que votre cri vous revienne ?

— Oui. Il n'y a pas de quoi ironiser. Au lieu de déconstruire, pourquoi pas l'écho ? "On projette quelque chose de soi vers le monde et le monde vous renvoie *votre* musique mais sous une forme inattendue." Voilà ce que disait mon frère. A l'époque je ne comprenais pas, cela me semblait mystique, bien-pensant, comprenez-vous, Nini ? dit Yeshayahou. Pour moi le fait brut témoignait. La géologie veut bien d'un peu de sismologie, mais attention ! la modulation des sons construisant des formes virtuelles ou si vous préférez une musique, comme disait mon frère, non ! "Je touche, je constate", disais-je à mon frère. "L'effet Doppler n'est qu'une caresse, lui disais-je encore avec ironie, mais une caresse sans pénétration effective." Evidemment mon frère ne se donnait pas la peine de poursuivre ce genre de dialogue.

— Et depuis, vous vous êtes converti ?

— C'est à peu près cela. Le choc qu'a été pour moi la mort de ce moi pas tout à fait moi m'a désarçonné de moi-même, oui ! Et puis Eva… bien sûr, Eva, son amour pour cet autre moi m'a fait faire un retour sur moi au point de douter d'être encore en vie. Eh ! que voulez-vous, c'est ça la gémellité ! Toute votre vie n'est que tremblement, comme deux images superposées se mettent à trembler, perdent de leur sûreté, se brouillent. Je suis un homme brouillé !

— Dans le temps... disons du temps où j'étais étudiant, dit Nini, j'ai éprouvé une incompréhensible passion pour la peinture. A l'époque je partageais cette passion avec un ami étudiant lui aussi, en anatomie, comme moi ; cet étudiant et moi nous fréquentions les cours du soir d'une académie où nous pouvions dessiner d'après modèle ce que le jour nous disséquions sur les cadavres mis à la disposition des étudiants en anatomie. Entre cet ami et moi la question était sans cesse débattue : saisir avec l'œil, et de l'œil à la main donner licence à l'interprétation... ou bien de l'intelligence à la main donner licence au scalpel bien tenu en main ? Si vous préférez : ouvrir afin de voir ce qu'il y a dedans... ou pour paraphraser ce que vous venez de me dire de votre frère : attendre que votre musique se manifeste en vous revenant après avoir caressé par votre œil l'étonnante complexité du corps humain dressé dans la lumière tamisée de l'atelier ? Cet ami étudiant me ressemblait par certains côtés ; il était, comme moi, terriblement esthète. Sauf que lui prétendait qu'il y avait une esthétique extrême qui se passe... qui doit se passer de toute éthique. Pour lui le vif n'imposait aucune barrière à la recherche, au contraire même. Il avait ce froid entêtement que je suppose à ce garçon boucher qui, trois cents ans après Harvey, croyait avoir été le premier à découvrir la circulation sanguine. Il prétendait que, comme un peintre pour "se trouver" doit refaire à lui seul tout le chemin emprunté par "l'histoire" de la peinture, un anatomiste doit de même refaire le chemin à travers la mise à vif des organes sans se préoccuper d'aucune éthique… et bien sûr ignorer toute douleur si elle n'est pas *un plus* dans l'exploration que représentait sa recherche. Très vite mon ami et moi nous avions divergé et nous nous sommes perdus de vue. Je sais… on m'a dit… je ne me souviens plus comment je l'ai appris, que depuis on l'a surnommé Meng… je suppose en souvenir d'un certain médecin dont les quatre premières lettres suffisaient à rappeler l'effroi d'un nom signifiant…

— Mais pourquoi vous complaisez-vous à évoquer devant moi de si répugnantes réminiscences ?

— De vous déclarer "un homme brouillé" – c'est bien le terme que vous venez d'employer ? – m'a fait évidemment penser à cet ami d'adolescence, cet autre moi-même surnommé Meng. Je m'en excuse, Yeshayahou, mais comment ne pas se poser la question tout en agissant contre votre propre conscience ? Ma conscience me retient là où mon intelligence veut ce point limite dont nous parlions. Mon ami d'adolescence, ce Meng dont on dit qu'il aurait poursuivi ses recherches sans le moindre scrupule lui, à l'époque déjà il prétendait qu'aucun agissement n'était répréhensible s'il avait comme prétexte un gain pour la science ! "Qu'est-ce qu'un ou deux prisonniers victimes d'expériences sur l'hypothermie si par la suite, et grâce à ces quelques sacrifiés, nous pouvons maîtriser les procédés pour en venir à bout ?" Plus tard même, au moment où nous nous sommes séparés, il avait réussi à se libérer du "prétexte" et se disait prêt “à tout” pour assouvir ce besoin d'agir sur le réel, tentant des greffes sur des prisonniers ainsi que des pratiques que seuls des régimes totalitaires ayant systématisé la répression ont jusqu'à présent permises. Donc vous voyez, poursuit Nini en riant, je suis loin d'avoir atteint le fameux point limite dont nous parlions !

Après être resté un instant songeur :

— Reconnaissez-le, chaque acquis, chaque élucidation réalisé par l'homme a toujours été payé au prix fort, comme on dit… chaque avancée de notre irrépressible curiosité a réduit d'autant notre rapport quasi mystique aux valeurs dites “humaines”… Et pourtant ce “prix fort”, aujourd'hui je n'hésiterais pas à le payer pour peu qu'on me donne accès aux sous-sols de la Cité Potemkine. C'est au crépuscule que les grands crimes se commettent.

— Parce qu'il n'y aurait plus d'après, dit Yeshayahou, vous seriez prêt à commettre ces crimes crépusculaires ?

— Savez-vous qu'un mystérieux médecin des brigades médicales spéciales affectées à la Cité dont les sous-sols sont interdits, nous a fait parvenir, à Zimmerstein et *à moi*, oui, nommément à moi ! un œil frontal prélevé sur un des enfants Polyphème ?

— Bien sûr, je suis au courant !

— Mais ce que vous ne savez pas – et je ne tenais pas à le divulguer – c'est que cet envoi en boîte isotherme était accompagné de quelques lignes de la main, justement, de mon ancien camarade d'adolescence dont le véritable nom importe peu. Personne n'est au courant de ce lien entre moi et l'un des mystérieux chercheurs de la Cité. Même Zimmerstein ne sait rien et croit que cet œil frontal reçu au laboratoire de biologie fait partie de je ne sais quel échange de bons procédés entre les gens de là-bas et nous. Si Tania n'avait pas été introduite clandestinement dans ces sous-sols, *si elle n'avait pas parlé*, surtout, mon ancien ami, que tout le monde nomme Meng, m'aurait évidemment contacté… dans le plus grand secret – ce que j'attendais d'un moment à l'autre. Malheureusement l'excès de… comment nommer cela ?… de droiture chez Tania a fait que tout est resté en suspens entre celui que tout le monde nomme Meng et moi. Et voilà qu'en plus de son suicide manqué, Tania disparaît ! L'a-t-on tirée de *l'autre côté* ? Si oui, mes chances de rencontrer Meng sont presque nulles. Si au contraire elle s'est sauvée dans cette partie reculée du verger où se terrent les sortes de bêtes que sont devenus les anciens chasseurs reconvertis en employés de la Centrale, alors j'ai quelques chances de pouvoir reprendre contact avec celui qui m'a envoyé en signe d'amitié le fragment d'enfant-lézard.

VI

— Vous ne pouvez nous faire ce coup-là ! s'écrie Yeshayahou Fridmann. Faisant partie de la commission d'enquête, vous n'êtes pas libre de vos choix. En acceptant de vous associer à nous, vous avez renoncé à la solitude du choix. Que les conclusions de notre enquête soient, dans un but humanitaire, disons orientées, n'exclut pas une certaine probité. Vous nous devez cette honnêteté-là, Nini ! Jusqu'à présent vous vous prétendiez un artiste en anatomie. Par vos photographies de ce qu'on a nommé les "abysses du corps humain" vous vous étiez placé dans "l'enchantement", disiez-vous, et non dans la peur et la lutte contre les peurs obscures que signifient en général les pratiques de la torture…

— Vous vous trompez, Yeshayahou, l'excès même de ce mot que vous venez d'employer montre votre ignorance. Aucun homme de science ne pratique ce que vous nommez torture. Même s'il inflige…

— Je ne veux plus vous entendre ! dit Yeshayahou en s'en allant.

— Voilà qu'un géologue, parce qu'il est amoureux, prétend nous indiquer notre place dans la condition humaine, comme on dit. L'homme de la lave et du rocher prétendrait savoir où commence le vivant et à partir du vivant où commence le sensible et à partir du sensible où commence la douleur et à partir de la douleur où commence la torture pour peu que vous cherchiez l'origine de cette douleur dans le sensible qui n'est qu'un excès du vivant… Venez, marchons un peu, *nous* avait dit Nini en *nous* entraînant à travers le verger bleuté par le soir. Tout à l'heure Eva m'avait dit : "Je suis effrayée par cette exacerbation de la curiosité qui s'est emparée des membres de notre mission." Cette remarque d'Eva, poursuit Nini, est en effet révélatrice. Au lieu de faire notre travail d'enquêteurs en vue d'un rapport commun, toutes disciplines confondues, sur l'aspect irréversible de la catastrophe, nous voilà en quelque sorte pris au jeu, exaspérés de ne pas avoir accès à toutes les données qui en ont résulté… et surtout d'être exclus de cette Cité Potemkine où, semble-t-il, nous trouverions tous à satisfaire cette curiosité exacerbée dont parle Eva. Que cache cette Cité ? Le caractère impénétrable, l'étrangeté absolue des rumeurs qui nous en viennent, certains soupçons quant à ceux qui en sont les maîtres, font de nous de faux témoins prêts à toutes les compromissions. L'écran doit être levé. Nous devons non seulement échanger des informations avec l'équipe de médecins attachée à la Cité mais nous mêler à eux, assouvir, comme le dit si justement Eva, cette curiosité exacerbée dont l'obsession devient de plus en plus contraignante…

Après s'être tu un moment, Nini dit encore :

— Pourquoi ai-je parlé de mon ami d'adolescence surnommé Meng ? Surtout devant Yeshayahou. De le savoir *en place*, lui ! cet ami de jeunesse qui me semblait avoir si mal tourné alors que moi je choisissais la voie la plus nette, pensais-je à l'époque, celle qui devait me mener vers... vers celui que je rêvais de devenir, oui, de savoir que Meng fait partie des principaux chercheurs de la Cité me fait me casser le nez sur mon propre moi. Stupide probité de l'adolescence qui vous fait croire à la grandeur, à la finalité, oui, au but que l'on ne peut atteindre qu'avec *une âme pure de toute compromission* ! Quoi, cette forme de narcissisme que l'on prête aux artistes et qui au bout du compte vous maintient dans les limites prétendument cohérentes de la morale ! Je me suis contenu dans ces étroites limites d'une recherche plus proche du dandysme esthétique de l'artiste, quand au fond de moi une sorte de double de Meng secouait les barreaux que j'avais dressés entre ma réalité et les possibilités d'assouvir l'immense curiosité et l'immense ambition qui rongeaient ce double de Meng qu'au fond de moi j'ai toujours été... Quelle cruauté envers soi-même que la prétendue lucidité ! On construit sa vie sur des postulats qui n'ont plus cours pendant que votre "double", lui, resté libre d'esprit, choisit la voie simple... qui a fait de lui un des maîtres de la Cité Potemkine. Depuis que je me doute de la présence de Meng là-bas, au cœur de la Cité défendue, je ne puis supporter l'idée de mon échec. J'ai troqué les satisfactions que procure l'amorale pratique contre une esthétique de la liberté créatrice ou si vous préférez une éthique qui pour finir m'a mené à "imager" par des photographies sûrement "sublimes" les secrets du corps humain... pendant que l'autre, celui que l'on nomme Meng, distanciait la vérité, les libertés, la beauté en agissant sur ce qui jusqu'à présent avait semblé sacré aux hommes : le respect de la machine sensible nommée humaine.

Ou si vous préférez, le choix du désintéressement m'a emprisonné dans les étroites limites qui font que le bien est bien et le mal mal. Quand Meng, lui, s'était d'emblée placé par-delà le bien et le mal. Et me voilà aujourd'hui, avec une poignée de chercheurs "bien", privé des moyens qui, grâce à la catastrophe, s'offrent à nous avec une richesse inespérée. Voilà où mène le désintéressement ! Je dois rencontrer Meng ! Au nom de notre amitié d'adolescence je le ferai fléchir. Il doit m'entrouvrir les portes de la Cité interdite, dite du Bonheur. Je veux m'intégrer à son équipe… Et croyez-vous que je sois le seul à désirer ardemment sauter le mur ? Tous, autant que nous sommes à former la mission internationale, nous voilà épuisés d'être du côté du "bien", quand on sait de quelle nature est ce "bien" ; nous désirons ardemment, oui, trouver notre place dans le prétendu "royaume du mal", qui est celui de la liberté totale, gratuite, débarrassée du Regard qui la juge.

— Cela fait un moment que je vous écoute, dit Zef Zimmerstein, apparaissant tout à coup, je vous trouve sublime, mon cher Nini ! Enfin ! Une voix ose ! Je viens d'avoir une étrange conversation avec quelqu'un dont je vous parlerai tout à l'heure. Une femme m'a abordé dans le verger… Mais tout à l'heure ! Oui, enfin une voix ! Ce que vous venez de dire me réjouit au-delà de ce que vous pouvez imaginer. Il semble que la catastrophe vient de faire s'écrouler le mur du "bien", pourquoi nous tiendrions-nous, en effet, puisque nous voilà enfin débarrassés du Regard qui jugeait ? Enfin levé, l'écran de l'art ! Plus de pathos ! Plus d'attendrissement ! Plus de "meurtre nécessaire" pour que notre vie surnage dans cette fosse puante ! Assez de fantaisies d'artistes masquant toutes les autres, et souvent les justifiant ! Assez d'embellissements ! Avant de disparaître nous voulons satisfaire notre curiosité ! Assez de catégories morales ! Nous faisons partie d'une mission qui n'a plus de raisons d'être. Depuis quelques jours le cœur de la Centrale s'est enfoncé encore plus, et certaines couches géologiques essentielles sont atteintes. Nous-mêmes sommes gravement atteints par les radiations ; et les doses d'iode obligatoires, nous le savons tous, ne servent plus à rien. Reste en effet une immense curiosité. Puisqu'il n'y a rien à savoir – tout au moins pour une intelligence "humaine", nous voulons *voir* l'horreur en face ! continue Zimmerstein avec une exaltation déplacée… Avant de vous rejoindre et de surprendre vos paroles, Nini, j'ai été abordé par une jeune femme qui justement venait de la Cité Potemkine. Sur le moment je ne pouvais croire ce que je voyais. Imaginez ma surprise de rencontrer dans le verger irradié une de mes anciennes élèves en biologie moléculaire. Atlantida, ici ! "Zef ! m'avait-elle dit, tu dois…" Eh oui ! poursuit Zimmerstein, cette jeune femme et moi… Bref, cela fait partie de mon autre vie, de cette époque où plusieurs de mes jeunes élèves et moi nous nous… nous avions choisi la camaraderie… "Zef, m'avait-elle donc dit, me tutoyant sans façon, Zef, tu dois m'aider !" Et voilà qu'elle m'entraîne dans une partie écartée du verger. "Je suis sortie clandestinement de la Cité maudite, elle me dit, il faut absolument que les membres de la commission d'enquête sachent ce qui s'y passe." Ah, non ! pas d'ennuis, me disais-je, un peu dépassé par l'énervement de cette jeune femme que j'avais connue presque enfant… tout au moins étudiante… heu ! Pas d'histoires ! "Du calme ! lui avais-je dit, du calme, Atlantida ! Que fais-tu là ? Qu'as-tu à voir avec la Cité Potemkine ? – J'en suis la pédiatre-chef." Voilà ce que mon ancienne élève me répond.

— Mais c'est tout à fait merveilleux ! s'exclame Nini. Enfin quelqu'un avec lequel discuter ! Où est-elle cette Atlantida ?

— Qu'en sais-je ? dit Zimmerstein. Elle vient de me quitter après m'avoir promis de faire tout son possible pour me revoir un peu plus tard.

— Où ? Quand ?

— Doucement, Nini, doucement ! "Plus tard", m'a-t-elle dit, effrayée, au moment de disparaître. J'étais dans un tel étonnement ! Imaginez jusqu'où peuvent aller les facéties de la vie ! Pédiatre-chef ! Elle ! La petite Atlantida ! Les probabilités de la vie sont inépuisables ! N'est-ce pas troublant et digne d'être observé avec admiration, me disais-je en prenant conscience du *tableau* qu'Atlantida et moi formions sous les branches fleuries du verger. Je ne sais pourquoi je voyais Obéron, rencontrant Titania et ne pouvant s'empêcher de dire : "Fâcheuse rencontre au clair de lune !" Le roi des elfes sous les cerisiers en fleur ! Mais quels cerisiers ! Et quelles fleurs ! Et quelle rencontre sous les fleurs malades du verger perdu !

— Je veux lui parler ! Où est-elle ? Venez, Zimmerstein, courons ! dit Nini tentant de l'entraîner.

— Elle semblait traquée… ou tout au moins dans un état nerveux tel que si elle est partie par là, c'est plutôt par là-bas que nous risquons de la trouver car je l'imagine incapable de suivre une ligne droite. Mais croyez-moi, Nini, inutile de nous agiter. Il ne se passera pas longtemps qu'elle ne me recontacte. Bien qu'elle ne soit pas libre, m'a-t-elle dit, et qu'on la surveille. "Je dois voir Tania Slansk. Je sais qu'elle a tenté de se tuer et qu'elle est dans ton laboratoire", m'a-t-elle dit encore, poursuit Zimmerstein. "Mais elle n'est plus dans mon laboratoire ! Nous la cherchons ! – C'est qu'*ils* l'ont enlevée !!!" a crié Atlantida en me quittant en hâte.

— Vous auriez dû la retenir ! Lui extorquer par quel chemin accéder à la Cité. Lui demander comment entrer en relation avec les biologistes ou les anatomistes travaillant dans les sous-sols ! De plus, s'ils ont vraiment enlevé Tania, nous devons exiger…

— Calmez-vous, Nini, calmez-vous ! Je suis tout aussi impatient que vous d'entrer dans la Cité mais pour y réussir il faut de la ruse, de la patience et surtout du calme.

— Vous avez raison, Zimmerstein, j'ai toujours été victime de mon impatience. Au contraire, justement, de celui que l'on a paraît-il surnommé Meng, qui, lui, allait toujours calmement vers le but qu'il s'était fixé. Sa patience et son calme étaient *inhumains*. Tandis que moi c'était maintenant, tout de suite ! Et voilà qu'à force d'avoir continuellement atteint des buts immédiats je me trouve perdu, sans point de repère, en quelque sorte exclu de la réalité. Tant qu'avec Tania nous faisions des recherches très poussées sur les possibilités de l'utérus artificiel, j'avais la certitude d'être à l'extrême pointe des chercheurs de notre temps. Puis un jour Tania fut victime du choc que vous savez… la petite fille mutilée… et depuis nos travaux sont restés en panne si bien que l'un comme l'autre nous fûmes soulagés, reconnaissants et je dirais même enthousiastes d'avoir été choisis pour faire partie de la mission… de quitter le monde prétendument normal pour le lieu de la catastrophe, pour la réalité vraie où allait se jouer le dernier acte crépusculaire de notre ridicule histoire humaine… Tout allait bien. Nos travaux de faux témoins me convenaient, poursuit Nini, mais voilà : Tania découvre cette histoire d'enfants-lézards. Elle s'empoisonne. Elle se rate. Elle disparaît. J'apprends que mon meilleur ami d'adolescence est devenu l'un des principaux responsables de cette *inatteignable* Cité. Ma vie entière s'effondre : mes choix, ma non-carrière sont remis en question. Et tout à coup, je refuse de continuer. Ne riez pas, Zimmerstein, je suis las d'être Nini. Je suis jaloux de Meng. J'aimerais être lui… et que lui soit moi. Que lui soit ici et moi là-bas. En quelque sorte réussir le coup des bouteilles de Galilée, vous savez, qui consiste à mettre en contact, grâce à un petit orifice, deux bouteilles, la supérieure contenant de l'eau et celle placée au-dessous du vin rouge…

— Ah ! Ah ! De sorte que l'on voit le vin s'élever lentement, traverser l'eau sans s'y mélanger pendant que l'eau, elle, descend intacte dans le flacon de dessous, réussissant la permutation la plus mystérieuse de toute l'histoire des curiosités scientifiques inexplicables et inexpliquées. Croyez-vous vraiment que du vin puisse traverser de l'eau sans s'y mélanger ? Croyez-vous vraiment qu'une eau que du vin aurait traversée demeurerait immaculée ? En d'autres termes, croyez-vous, Nini, qu'en permutant, si la chose était possible, avec Meng vous resteriez Nini ?

— Mais je vous l'ai dit, j'aimerais passer de ce flacon dans l'autre, prendre la place de Meng… tout en restant moi.

— Quel philosophe n'a rêvé de la rencontre avec l'altérité absolue ? dit Zimmerstein. Qui de nous n'a souhaité se mesurer avec l'étrange séduction du mal ? Rester soi tout en ayant *traversé* l'autre en quelque sorte. Je pense à Yeshayahou, justement, à son drame personnel… ou impersonnel… voilà bien un cas de permutation tout à fait unique. Son jumeau meurt et celui qui reste ne sait plus dans quelle bouteille il se trouve et s'il est vin ou eau. Tant que son frère vivait, ils croyaient se traverser sans pour cela perdre leur spécificité. Mais voilà que resté seul on ne sait si l'on est rouge ou incolore. Vin ? Eau ? Moi-même, vous le savez, Nini, j'ai cru longtemps être celui que sa femme et sa petite fille ne cessaient de *traverser* avec l'amour qui lui était dû. Mais je ne me rendais pas compte que dans mon esprit l'eau et le vin s'étaient si bien mélangés que j'agissais comme si elles n'existaient pas… ou comme si elles s'étaient si bien diluées en moi que l'être mi-vin mi-eau qui couchait avec ses étudiantes en était arrivé à vivre au "nous" ce que ma femme et ma petite fille vivaient en spectatrices, m'isolant de plus en plus dans mon "il"… si bien que le mage n'eut aucun mal à les faire passer de mon flacon dans le sien… pendant que moi, je restais hébété, les ciseaux sanglants à la main…

Zimmerstein se tait, hésitant.

— Désolé de parler de moi, de ma femme et de mon enfant… et taire mon crime, alors qu'il est urgent de prendre contact avec ceux d'en face. Voilà Eva ! Alors, des nouvelles de Tania ?

— Je viens de vivre une étrange aventure, dit Eva. Alors que je me trouvais seule, à l'écart dans le verger, j'ai été abordée par quelqu'un que j'ai très bien connu du temps où j'étudiais la médecine. Sur le moment je n'ai pu y croire. Et je suis encore sous le choc. Dans la partie nord du verger, là où les arbres fruitiers reçoivent le plus de radiations, j'avais observé sur une branche morte des guêpes de l'espèce *Megarhyssa*. Ces guêpes se divisent en trois sous-espèces qui, bizarrement, ne s'accouplent pas entre elles. Toutes ont le même genre de vie et ont la même aire de chasse et de reproduction. Ce qui est passionnant, dans leur cas, et voilà pourquoi je me trouvais dans cette partie écartée du verger, c'est que ces trois sous-espèces de guêpes pondent leurs œufs dans les mêmes bois morts, de sorte que leurs larves se développent pour ainsi dire ensemble et dans un voisinage tel qu'il est impossible de les distinguer les unes des autres. Ce qui est intéressant pour l'entomologiste, et il ne faut pas en rater l'instant, c'est quand, après les longs mois de leur vie de larves, ces guêpes s'extraient du bois. Cet instant est l'un des plus curieux à observer… Lorsqu'une guêpe femelle appartenant à une des trois sous-espèces *Megarhyssa* vient de terminer sa période larvaire à l'intérieur du bois et qu'elle est sur le point de creuser son chemin vers l'air libre, les trois sortes de mâles se rassemblent et attendent à l'endroit précis où ils *savent* qu'elle va émerger…

— Tout cela est en effet très passionnant, Eva, dit Nini, mais de quelle personne parliez-vous ? Qui vous a abordée dans le verger ? Vous sembliez si troublée par cette rencontre…

— Mais cessez, Nini, d'être toujours impatient ! l'interrompt Zimmerstein. Ne vous occupez pas de lui, Eva… Et alors, ces guêpes ?

— J'avais donc repéré les trois sortes de mâles postés sur la branche morte… quand j'ai cru avoir une hallucination. Un visage connu m'observait. Une femme que je n'avais pas revue depuis bien des années était là, devant moi. Comment ma meilleure amie de jeunesse pouvait-elle se trouver dans le verger de la Centrale ? Atlantida !

— Que dites-vous ? s'exclame Zimmerstein. Atlantida ! Vous connaissez Atlantida ? Justement nous parlions d'elle au moment où vous êtes arrivée.

— Je sais tout, dit Eva calmement. Elle m'a tout raconté...

— Que vous a-t-elle raconté ?

— Tout, je vous dis, en tout cas en ce qui vous concerne, Zimmerstein.

— Elle n'en dira jamais assez sur moi et croyez-moi j'ai eu le temps de réfléchir sur ma conduite...

— C'est votre problème. Elle venait de vous contacter mais inquiétée par votre "exaltation", m'a-t-elle dit, elle a préféré prendre le risque de s'adresser à moi bien que nos anciens liens, m'a-t-elle dit aussi, pussent rendre sa démarche encore plus "engageante" que celle qu'elle venait de tenter auprès de vous... Vous ne pouvez imaginer combien la rencontre d'Atlantida m'a rassurée ! Enfin quelqu'un ! Une présence connue, une de mes meilleures amies de jeunesse se trouve *de l'autre côté* ! De plus, comme elle me l'a avoué, c'est elle qui a eu le courage d'entrouvrir la porte des sous-sols de la Cité afin que Tania *voie*. "Pourquoi ne m'as-tu pas contactée plus tôt ? lui ai-je demandé, pourquoi Tania et pas moi ?"

— En effet, l'interrompt Zimmerstein, pourquoi Tania et pas vous... ou moi ?

— "Nos anciens liens sont connus de la hiérarchie, m'a-t-elle dit, tandis que Tania était neuve. De plus, m'a-t-elle avoué, Tania dégage un tel rayonnement qu'aussitôt aperçue je n'ai pu résister, et c'est malgré moi et sans y réfléchir que j'ai été entraînée à lui dévoiler les affreux secrets de la Cité Potemkine." Voilà ce que m'a dit Atlantida, mon ancienne amie devenue la pédiatre-chef des sous-sols de la Cité. Comme je m'étonnais de cet incroyable hasard… "Détrompe-toi, Eva, m'a-t-elle dit, il n'y a pas de hasard mais une symétrie qui nous rassemble tous sur les lieux où va se jouer l'Epilogue de l'humanité." Voilà ses paroles !

— Elle vous a dit : "Il n'y a pas de hasard" ? s'écrie Nini, exagérément nerveux.

— Ce sont ses mots, dit Eva.

— Donc Meng…

— Elle aussi m'a parlé d'un certain Meng, son chef hiérarchique qui éprouverait envers un des membres de notre mission une amitié d'autant plus surprenante que Meng n'aime personne et ne semble éprouver aucun sentiment ni regret envers qui que ce soit. "C'est un être froid, inflexible, et terriblement net."

— Elle vous a dit ça ? Et… m'a-t-elle nommé ? dit Nini.

— Non, mais j'ai tout de suite su que c'était de vous qu'il s'agissait. Elle a parlé de vos photographies dont ce Meng semble être très admiratif au point d'en posséder plusieurs qu'il a punaisées dans le casier où il range sa blouse et certains de ses instruments d'anatomie. C'est ce que m'a dit Atlantida.

— Vous a-t-elle dit que Meng et moi nous avons été très liés pendant plusieurs années de notre jeunesse ? Que celui qu'on appelle Meng a comme moi hésité entre la peinture et la médecine ? Et que finalement…

— Oui Nini, dit Eva, Atlantida semblait en savoir sur vous, sur nous tous, beaucoup plus peut-être que nous n'en savons nous-mêmes. "Meng, mon chef hiérarchique, m'a-t-elle dit encore, est un être terriblement impitoyable. Les seuls moments où je l'ai surpris un peu détendu et communicatif, c'est quand je lui ai demandé de qui étaient ces photographies détaillées ne représentant rien… ou peut-être certaines parties du corps humain que seul un anatomiste d'une adresse extraordinaire a pu prendre à l'aide d'un microscope électronique. «C'est de mon meilleur ami de jeunesse, un Italien. »" Voilà comment Meng parle de vous et comment cela m'a été rapporté par Atlantida dans le verger, dit Eva.

— Je n'aurais jamais pensé que mes photos soient parvenues jusqu'au vestiaire de la Cité Potemkine, dit Nini en riant. Et encore moins que mon ex-ami d'adolescence, surnommé Meng, puisse les apprécier à ce point.

— Et que vous a dit encore Atlantida ? s'inquiète Zimmerstein.

— Oh, nous avons commencé par évoquer l'époque où nous nous comportions l'une envers l'autre comme deux sœurs. Nous avons parlé aussi d'entomologie, figurez-vous ! De l'état des différents insectes trouvés dans le verger. Des terribles lésions, invisibles apparemment, qui créent dans leurs anatomies des mutations et surtout des régressions tout à fait remarquables. Après lui avoir expliqué ce que je faisais là, et lui avoir montré sur une branche morte les trois sous-espèces de guêpes *Megarhyssa* postées en attente, elle voulut assister à l'émergence des larves et à leur immédiate transformation en insectes ailés… ainsi qu'à leurs amours. “Bien qu’il y ait trois sous-espèces de *Megarhyssa*, avais-je dit à Atlantida, il se trouve qu’à aucun moment il n’y a confusion et que chaque mâle *cueille* pour ainsi dire la femelle qui lui est destinée à l’emplacement exact où elle doit émerger. Jamais il n’y a de confusion. Et les vols nuptiaux se passent selon le cérémonial propre à chacune des trois sous-espèces. Longtemps, on n’a pas réussi à s’expliquer l’exactitude de ces *rendez-vous*. Comment le mâle pouvait-il repérer *sa* femelle, à l’intérieur du bois, en train de forer son couloir de sortie ? Comment la femelle savait-elle que le mâle de sa sous-espèce l’attendait précisément sur cette partie de la souche ? Après bien des tâtonnements, on s’est aperçu que les pattes des guêpes *Megarhyssa* étaient munies d’«oreilles» ou si tu préfères de cellules sensorielles sensibles aux vibrations particulières produites par chacune des larves des trois sous-espèces de ces bizarres insectes. Mais ce n’est pas tout, avais-je poursuivi sur la demande d’Atlantida, une fois la femelle *Megarhyssa* fécondée, il lui faut *impérativement* déposer ses œufs dans des larves de sirex et non d’ichneumon ou d’autres larves qui elles aussi creusent le bois. Si l’œuf était instillé par erreur dans la larve d’un autre insecte forant le bois, par exemple un ips ou une larve de capricorne, ce serait soit le parasite qui serait détruit par les forces internes propres à défendre son hôte, soit, au contraire, l’hôte mourrait prématurément et avec lui le parasite introduit par erreur. Pour que cette erreur mortelle ne se produise pas, la guêpe *Megarhyssa* possède un moyen mystérieux pour *lire* à travers l’épaisseur du bois que là, précisément, se trouve la larve de sirex – et non une autre – et qu'elle peut sans erreur enfoncer sa longue tarière dans la souche et atteindre ainsi apparemment *à l'aveugle* la larve de sirex sur laquelle sa propre larve se nourrira." Voilà de quoi j'ai parlé dans le verger, dit Eva, et de quoi Atlantida s'est passionnée.

— Mais vous avez perdu un temps fou, dit Nini. Que nous importent vos histoires de larves et de guêpes instilleuses ?

— Je ne suis pas du tout de votre avis, Nini, dit Zimmerstein. Comme vous le disiez, il importe d'établir un contact suivi avec ceux qui font partie des brigades médicales spéciales de la Cité. Je pense qu'Eva a montré beaucoup de finesse car ayant bien connu Atlantida, elle a immédiatement saisi ce que les mœurs de la guêpe, dont elle lui avait parlé, ont de particulièrement proche de celles qui nous caractérisent…

— Vous pensez à l'espèce humaine ?

— Evidemment, Nini ! On ne nous a que trop comparés au coucou quand à vrai dire nous ne pondons pas nos œufs dans le nid d'autrui mais lui instillons à même les cellules du cerveau l'horrible larve de la secte sociale, comprenez-vous ? Cette larve dévore, cellule après cellule, toute pensée autre que celle se rapportant à la secte sociale, jusqu'à ce qu'il ne reste qu'elle et rien d'autre qu'elle… et c'est alors que la secte sociale, ayant réussi à occuper l'espace entier réservé au cerveau, l'horrible larve devenue adulte… Excusez-moi ! Tout me ramène à… Mais qu'importe à présent ! Jamais nous ne ressortirons de ce verger ! De quoi nous plaignons-nous ? Nous avons réussi à peindre l'Enfer aux couleurs de l'Eden. Voilà ce qu'a réussi notre secte d'insectes sociaux, n'est-ce pas ? Le mal, le bien, la nuit, le jour, ce qui est noir et ce qui est blanc, ce qui brûle et ce qui nous glace, l'être dans le n'être plus, tout égal à tout… Oui, voilà ce que notre époque crépusculaire a inventé ! Voilà ce que notre puissante secte d'insectes sociaux a inventé ! Alors quoi ? On s'étonne ? Le premier venu aura toujours raison contre la secte sociale, le premier venu peut aujourd'hui ceindre en toute tranquillité la couronne prétendument dorée d'un Christ de foire dont les représentations débordent de nos églises et de la confusion inouïe de nos musées. Combien il est naturel que nos femmes et nos filles suivent ce Christ d'occasion – et moi, Zimmerstein, je leur donne raison contre la secte d'insectes sociaux que nous avons créée… et dont le tabernacle érigé dans ce verger est en train de brûler et de nous détruire !

— Zimmerstein !!! tente de l'interrompre Nini.

— Ma fille et ma femme ont eu raison de suivre leur Christ d'occasion ! Oui, je leur donne entièrement raison contre moi, contre nous, contre tous !

VII

— Mais… dit Nini, s'adressant à Eva Mada-Göttinger, mais, ensuite, que s'est-il passé avec Atlantida, la pédiatre-chef de la Cité ?

— Nous avons marché encore un moment par le verger.

— Et puis ?

— Et puis rien ! Nous avons longuement évoqué nos années de jeunesse, quand j'hésitais encore entre la poursuite de mes études de médecine et l'attrait de l'entomologie. Nous avons aussi parlé de vous, Zimmerstein, de l'amusante coïncidence… et surtout, qu'à quelque chose près vous auriez pu être mon maître comme vous l'avez été d'Atlantida, "et de combien d'autres !" s'était-elle exclamée, ajoute Eva en riant.

— Ne m'accablez pas. Mes souvenirs sont assez lancinants comme cela, et mon cœur est empoisonné par leur venin… Pardonnez l'excès de mes expressions, mais elles s'imposent à moi avec le même excès que mes remords. Mes étudiantes aussi, il faut le dire, étaient dans l'excès vis-à-vis de moi. Une sorte d'hystérie s'empare aussi bien du maître que des élèves. Une appropriation réciproque crée un climat où un mot, une expression soulèvent une dynamique dans les rapports, une violence qui peuvent aboutir au crime, je vous assure. Combien de drames entre élèves et maîtres se jouent à l'ombre des amphithéâtres ! Il est terriblement érotisant d'être le maître, le dieu, le despote d'une conscience neuve comme peut l'être celle de votre étudiante élue du moment ! Atlantida, en effet, l'a été... quelques autres aussi... Alors, comprenez-moi, ma femme et ma fille n'ont fait qu'agir en symétrie et suivre le maître qu'elles s'étaient choisi contre moi... l'anti-moi ! Rien de plus naturel !

— Ah ! Cessez donc de vous flageller en public ! s'écrie Nini visiblement à bout de patience. Votre cas n'a rien d'original, vous le savez bien, Zimmerstein. Rien n'est plus banal que d'évoquer l'érotisation empreinte d'une comique vénération qui s'empare des petites chiennes en blouse blanche au contact du maître.

— Je ne peux décidément plus vous supporter, Nini, dit Eva en s'en allant brusquement.

— Pourquoi être toujours si déplaisant en présence d'Eva ? dit Zimmerstein.

— Mais voyons ! parce qu'elle attire sur elle toujours et immanquablement tout le potentiel électrique que sa présence accumule autour d'elle. Vous-même, auriez-vous parlé comme vous venez de le faire si Eva n'avait pas été là ?

— Vous avez sans doute raison. Le langage est aussi malléable que l'écho, selon comme il est reçu et ce qui nous en revient, on en augmente l'intensité ou on la réfrène. Je reconnais qu'Eva attire tout sur elle, le mal comme le bien... Venez, Nini, il est temps de nous rendre dans le hall d'accueil de la Centrale. Les membres de la mission doivent déjà y être réunis. Passons par cette partie du verger, voulez-vous ?

— Enfin, vous voilà ! lance Yeshayahou Fridmann, apparaissant entre les branches en fleurs.

Je viens de croiser Eva, elle semblait mécontente…

— Pour ne pas changer.

— C'est vrai, elle porte en elle une charge d'angoisse qui doit l'épuiser. Ah, Eva ! Eva !… En quelques mots elle m'a parlé d'une rencontre qu'elle aurait faite tout à l'heure. "Je suis fatiguée de vous tous, m'a-t-elle dit. Pour l'instant je n'ai pas la force de vous expliquer. Tout à l'heure, tout à l'heure ! Nini et Zimmerstein vous mettront au courant !" Et elle s'est dirigée vers le hall d'accueil, me laissant sur place, étonné. Que s'est-il passé ?

— Elle s'est froissée pour l'espèce féminine en son entier.

— Je lui donne tout à fait raison, dit Zimmerstein. On ne parle pas ainsi des femmes devant une femme. Petites chiennes en blouse blanche ou pas, on évite ces qualifications… Bien qu'au fond de moi je ne puisse vous donner tort. Elles adorent la force dominatrice, elles veulent des maîtres, elles sont aimantées par les plus dérisoires manifestations de pouvoir.

— Eva ? Sûrement pas ! dit Yeshayahou. Au contraire même, je peux vous l'assurer. Eva est agitée d'élans moraux excessifs, sa sensibilité l'ouvre à ce que j'appellerais les vitalités de l'éthique, mais malgré ce risque de déstabilisation intellectuelle jamais vous ne décèlerez chez elle de la soumission ni dans ses façons intelligentes de s'exprimer ni dans ces sortes d'attitudes qui feraient croire qu'une personnalité souhaite se soumettre à une autre.

— Et pourtant, sans qu'elle le sache, tout comme nous-mêmes, Eva est victime d'une intense manipulation, dit Nini. Savez-vous pourquoi elle vient de nous quitter si brusquement ?

Elle n'a pu supporter cette découverte. Tout à l'heure, dans le verger, subitement elle s'est trouvée face à sa plus proche amie de jeunesse : Atlantida. Figurez-vous que cette Atlantida occupe une des plus importantes fonctions… en tout cas pour une femme… dans les sous-sols de la Cité Potemkine. Sur le moment cette rencontre l'a bouleversée de joie, mais cette joie… ce grand bonheur s'est immédiatement transformé en humiliation quand son ex-amie lui a révélé comment la mission d'enquête internationale a été sélectionnée et par qui… et pourquoi… Moi-même, continue Nini, je vous avoue que j'ai été plus qu'humilié d'apprendre que je dois ma présence au sein de la mission à un certain Meng… à vrai dire c'est le méchant surnom qu'on lui a donné *là-bas* pour la froide détermination avec laquelle il poursuit de *curieuses expériences*, paraît-il, sur les… mi-enfants mi-lézards qu'il séquestre dans les sous-sols de la Cité. Mon but, poursuit Nini, est d'avoir accès *à part entière* à ces expériences. Si l'état de régression biologique de ces enfants est tel que Tania nous l'a décrit, s'ils ne sont plus tout à fait enfants et déjà lézards, si le lézard a un tant soit peu dépassé l'enfant et que la régression soit évidente au point de nous permettre…

— Pourquoi parler de cela ? dit Zimmerstein. Que chaque spécialité garde ses cercles de mystère. Moi-même, maintenant que ma curiosité est éveillée, je suis prêt à me joindre à vous pour exiger la levée du secret, *entre nous*, pour ce qui concerne la biologie, l'anatomie ainsi que…

— Mais nous aussi nous voulons savoir, dit Yeshayahou, le géologue veut savoir, le physicien doit savoir, le botaniste et l'entomologiste doivent savoir ! Vous ne pouvez plus tracer une frontière entre le vivant et le minéral. Là aussi la régression vient de se manifester avec plus d'étrangeté encore sur ce crapaud dont les cellules vivantes ont donné forme à des cristallisations incontestablement minérales. Donc ce crapaud est à la fois biologiquement crapaud et géologiquement cristal.

— En effet, dit Zimmerstein, ce n'est ni un animal ni une pierre. Je l'ai observé dans le bac où nous l'avons déposé, il n'a pas bougé, il vit et à la fois il semble pétrifié, sauf… que les cristaux sécrétés par son épiderme se dupliquent et prolifèrent, formant des troncatures parfaitement similaires et d'une symétrie étrangement rigoureuse.

— Ah, vous voyez ! dit Yeshayahou. Nous sommes tous liés à la même chaîne. Hier, je suis descendu dans le puits principal creusé à hauteur de la charge en ignition échappée à la Centrale. Là, on m'a dit : "Pas plus loin !" et on m'a prié de remonter. Voilà donc qu'ils interdisent au géologue de la mission l'accès à de nouvelles galeries creusées aussi près que possible de la poche de magma en fusion ! A qui m'en plaindre ? J'apprends que des géologues d'*en face* refusent que je sois informé, refusent à la commission d'enquête internationale d'être informée. Des géologues, des sismologues faisant partie de mon équipe exigent eux aussi la vérité… quitte, au moment de rendre les résultats de leur enquête, à atténuer, à ne pas trop inquiéter, à falsifier *par humanité* ces résultats dont à vrai dire on se fout au bout du compte puisque aucune force ne peut maintenant arrêter le processus de dégradation du socle géologique sur lequel nous nous trouvons. Là aussi, le minéral et le vivant sont contingents et je ne serais pas étonné que sous peu nos propres épidermes produisent des excroissances minérales pas moins étonnantes que celles de ce crapaud trouvé au bord du lac de la Cité Potemkine. D'ailleurs nous voilà devant votre laboratoire ; je serais curieux de constater si, comme vous venez de le dire, les cristaux continuent leur prolifération.

— Venez, entrons par ici, dit Zimmerstein. Depuis le moment où nous avons placé le misérable monstre dans ce bac, il n'a pas bougé. Il respire, et la membrane que vous voyez là, sous sa gorge, se gonfle régulièrement. Mais pour le reste, l'étrange mutant semble avoir renoncé à faire partie du vivant et s'accepte, si l'on peut dire, comme cristal.

— Je serais curieux, dit Nini, de le découper…

— Ah, non ! s'exclame Zimmerstein, il n'est pas question d'interrompre son processus de cristallisation ! Remarquez avec quelle régularité les troncatures se sont symétriquement développées depuis que cette curiosité est tombée entre nos mains. Nous devons savoir *jusqu'où* le minéral peut donner l'illusion du vivant, comprenez-vous, jusqu'à quelle frontière le vivant peut coexister avec cette effrayante imitation de la vie qu'offrent ces formes polyédriques en train de se former presque à vue d'œil.

— Depuis que nous nous trouvons sur le site de la Centrale, dit Yeshayahou, je vous entends tous parler de *savoir*… et moi-même j'emploie ce mot, quand à vrai dire c'est *comprendre* que nous devrions vouloir.

— Nous sommes trop intelligents, dit Nini, pour prétendre comprendre, et c'est justement faire preuve d'intelligence que de se borner à vouloir savoir. Nous aurons beau observer ce crapaud en train de se minéraliser, jamais nous ne comprendrons le pourquoi de cette minéralisation, ni quel doigt divin a inversé l'ordre des choses faisant glisser le vivant au minéral non seulement dans l'infime détail des molécules mais dans cet aspect insaisissable à l'œil nu propre à répandre l'effroi. Est-ce cela qui nous attend ? nous disons-nous. Allons-nous nous transformer en cristaux, comme il avait été promis à Loth, au cas où nous aurions l'imprudence de nous *retourner* ? Si Eva était ici pour m'entendre, je ne pourrais résister au plaisir de lui rappeler que, tel ce crapaud, la femme de Loth a été changée en cristal salin pour s'être retournée… Ce serait rendre hommage à l'intuition féminine qui bien avant nous, les hommes, avait senti que nous n'avons droit qu'à la curiosité et non à la compréhension et qu'à défaut de comprendre nous voulons savoir… quitte à nous transformer en statues de cristal. Voilà pourquoi, poursuit Nini, je désire ouvrir cette chose, la disséquer avec un fin scalpel, ne pas attendre que ses parties encore palpitantes se vitrifient, mettre à nu son cœur tant qu'il bat encore, voir, savoir ce qui se passe derrière l'aspect de cette chose amorphe, cette abomination !

— La détruire ?

— Exactement, Yeshayahou, vous l'avez dit !

— Détruire plutôt qu'observer ?

— Oui, absolument ! Détruire ce qu'on ne pourra jamais comprendre ! Détruire l'énigme car respecter l'énigme serait abdiquer le seul pouvoir que nous avons sur ce monde. Voilà pourquoi je me réjouis d'être présent à ce monde au moment précis de son déclin, espérant être de ceux qui assisteront à sa mort. Quel autre orgueil nous était promis ? Aucun ! Défaire !

Malheureusement nous ne pourrons détruire *que* ce monde et non l'ensemble illimité de l'Univers. Désolante constatation ! Vous riez ? Pourtant combien je suis sérieux !

— Mais nous vous croyons, Nini ! dit Zimmerstein. Avec quelles délices, si nous en avions le pouvoir, détruirions-nous Dieu s'Il était *matériellement* destructible par les hommes ! Le tuer en esprit, Le tuer en paroles, Le chasser de nous était un exercice d'une certaine saveur au dix-neuvième siècle... mais aujourd'hui nous pourrions presque rêver de L'anéantir si nous arrivions à anéantir la matière elle-même, comme un certain temps les premiers physiciens, sur le point de réussir la désintégration de l'atome, avaient craint... peut-être espéré... qu'en cassant un premier noyau d'hydrogène, toutes les structures atomiques se désintégreraient comme file un tissu et qu'ainsi maille après maille l'Univers en son entier se réduirait à Néant. Et Dieu avec, évidemment !

— Le Rêve, quoi ! dit Nini.

— En effet le Rêve ! disent Yeshayahou et Zimmerstein d'une même voix.

— Voilà pourquoi, reprend Nini, il est impératif de croire en Dieu. Le croire jaloux, inquiet, mesquin, au point de s'occuper de nous autres les petits hommes remuants et astucieux. Croire que nous pourrons Le rendre fou de rage contre nous. Non pas en nous attaquant à l'éthique puisque le fond a été je crois atteint et qu'aucune torture, aucun massacre, aucune dissolution en masse d'êtres humains ne L'a scandalisé. Même le fameux chagrin "d'un seul enfant", poussé jusqu'à son absolu de désespoir, ne L'a ému, et à aucun moment Il n'a châtié ! Au contraire même, torturer, tuer en utilisant toutes les possibilités de souffrance, c'est rendre hommage à la subtilité de la machine sensible imaginée par ce Dieu, auquel je veux croire, et qui, de plus, nous a donné le pouvoir de souffrir en sachant que nous souffrons, et donc de savoir quelles sont les souffrances que nous avons le pouvoir d'infliger. Voilà pourquoi je veux sauter le mur et passer du côté de Meng ! Je veux savoir et non comprendre, je veux m'enfoncer dans les sous-sols de la divine Cité Potemkine !... Nous voilà dans le hall d'accueil de la Centrale. Montons au troisième étage où le lunch iodé doit être servi. Et continuons à faire semblant.

— Vous voyez ces deux hommes, dit Yeshayahou, ce sont les deux physiciens anglais avec lesquels j'avais eu d'amusantes divergences de vue. Ils prétendent, entre autres, qu'ils sont mieux à même de comprendre l'intention et la signification du "postulat du monde absolu" depuis que la catastrophe a eu lieu et que faisant partie de la commission d'enquête ils ont renoncé à tout calcul... Se sachant contaminés eux-mêmes, ils ne font plus que se promener dans le verger. "Comment, leur avais-je dit, vous avez renoncé à mettre en chiffres ?... – Absolument, m'avaient-ils répondu avec l'insupportable ironie habituelle aux physiciens anglais, absolument ! – Mais alors, à quoi bon votre présence ici ? – La commission avait besoin d'un certain quota de physiciens, alors nous voilà. Ceci étant, pourquoi nous fatiguerions-nous à analyser et à signaler ce que nous voyons tous : à savoir qu'aucun moyen humain ne pourrait inverser les processus mis en mouvement." Et ils avaient cité Einstein qui disait : "Pour moi, il n'est pas douteux que notre pensée fonctionne, pour la plus grande part, sans se servir de signes et, en outre, de façon plus largement inconsciente." Et ils avaient ajouté : "Ce verger est d'une étrange beauté… tous ces arbres en fleurs, ces prairies fleuries, n'est-il pas délicieux de s'éteindre doucement dans les douceurs fleuries d'un poème de Rossetti ?" Et, me tournant le dos, ils étaient repartis par les sentiers, en effet délicieux, du verger contaminé. A vrai dire, ils se moquaient de moi et je pense que leur ironie n'était pas si détachée que cela. Un peu plus tard, je les avais croisés sur le petit promontoire d'où l'on domine le site et surtout la Centrale avec sa couronne de fumée jaune. "Alors, leur avais-je dit, les plaisirs esthétiques qu'offre ce verger vous rendent toujours aussi amnésiques quant à l'horreur de ce qu'il recèle de dévastateur et de mortel ? – Nous nous attachons à l'instant, m'avaient-ils répondu, imperturbables et souriants. Ce verger appartient à notre Alice, avaient-ils dit encore, c'est le rêve d'enfance réalisé. – Mais vous savez la charge de poison mortel que contient chaque fleur, chaque brin d'herbe de ce verger ? – Mieux que vous, sans doute. – Mais alors, comment pouvez-vous être si joyeux ? – Il suffit de prendre les choses telles qu'elles sont et pour ce qu'elles sont : un conte vénéneux comme ceux dont raffolent les enfants au moment de s'endormir. Nous allons tous nous endormir. Alors laissons-nous bercer par ce conte, ce poème ridiculement fleuri de Rossetti." Voilà ce que ces deux frivoles m'ont dit en s'éloignant d'un pas alerte. Je n'ai pu m'empêcher de leur courir après, et de leur faire encore des reproches au nom de *ce que nous ne savons pas*, oui, de la tragédie mortelle du non-savoir. Ils avaient ri. Et m'avaient répondu : "Le non-savoir c'est savoir." Et ils avaient ajouté qu'Einstein s'étonnant d'avoir été le seul à développer la théorie de la relativité en avait conclu qu'un adulte ne se tracasse pas à propos des problèmes posés par l'espace et le temps. "Tout ce qu'il faut savoir là-dessus, pense l'adulte, il le sait depuis sa prime enfance, disait Einstein. Moi, au contraire, je me suis développé si lentement que j'ai seulement commencé à me poser des questions sur l'espace et le temps quand j'avais grandi. En conséquence, j'ai pu pénétrer plus profondément au cœur du problème qu'un enfant normalement développé ne l'aurait fait." Voilà donc ce que ces deux physiciens entendaient par "le non-savoir c'est savoir" ! "Vous voyez, avaient-ils ajouté, il est heureux que le petit Albert ait éprouvé des difficultés à parler." Et je m'étais dit, pensant évidemment aux enfants-lézards séquestrés dans les sous-sols de la Cité : toute régression ne serait-elle pas un plus ? Faut-il vraiment reculer pour sauter ? comme on dit si joliment. Le petit Albert, s'il était né dans les sous-sols de la Cité, aurait-il été classé comme lézard ou enfant ? L'aurait-on dépecé comme un simple objet d'expérience ou aurait-on laissé faire le temps, la nature, le génie ? Qu'en pensez-vous Nini ?

— Vous ne dites que des absurdités, Yeshayahou ! Imaginons que le petit Albert, par son retard même sur les autres enfants, ait laissé supposer qu'il ne ressemblerait à aucun enfant… ni à aucun homme normalement normatif, ne croyez-vous pas que, plus que tout autre, il devait être sacrifié comme sujet d'investigation ? Reconnaissez que la théorie du petit Albert devenu grand ne nous a rien apporté quant à la connaissance profonde de l'étrange machine humaine. Qui sait si l'apparente régression du petit Albert incapable de parler *normalement* n'aurait pas été un cadeau de la Nature pour la recherche ? Une sorte d'enfant-lézard, justement, dont la dissection aurait révélé, sur les fonctions du cerveau humain, infiniment plus de secrets qu'en définitive la fameuse théorie émise par l'adulte Albert, bonne tout juste à détruire notre petit monde sans même, comme nous le disions tout à l'heure, être foutu de démailler le tissu prétendument infini de l'univers !

— Restons sur votre paradoxe, Nini, voulez-vous, et mangeons, dit Yeshayahou prenant une assiette et allant se servir au buffet autour duquel les membres de la mission se pressent.

— Reconnaissez que nous n'avons rien à faire de la théorie de la relativité, dit Nini, s'approchant des deux physiciens anglais mangeant, debout, leur assiette à la main.

— Absolument ! Savez-vous qu'Holton et surtout Feuer ont radicalisé l'explication proposée par Einstein lui-même à propos du refus de parler du bébé qu'il se souvenait avoir été. Nous avons entendu une partie de votre conversation et nous l'avons savourée tout en mangeant les petits plats iodés offerts par le comité d'accueil de la Centrale. Selon Feuer le refus de parler du bébé Albert serait dû à une résistance à certains schémas cognitifs imposés par la société. Une éducation plus "réussie" aurait fait accepter comme naturels un grand nombre de concepts et d'interprétations concernant la "réalité" – ce qui aurait évidemment fait du petit Albert…

— Un parfait jeton de la secte sociale… et rien de ce que nous sommes en train de vivre ne se serait produit, dit en jubilant Zimmerstein. Pas d'Epilogue ! Pas d'Eden… ou si vous préférez d'Enfer peint aux couleurs de l'Eden ! Rien ! Rien qu'ennui jour sur jour !

— En somme nous serions en ce moment sur une crête de distraction soulevée entre le vide et l'abîme ? dit un des physiciens.

— Exactement.

— Et cette crête de désennui, nous la devons aux bienfaits catastrophiques de la physique nucléaire ?

— Exactement.

— Selon vous, l'horloge marquerait le minuit final. Et cela grâce au physicien le plus rebelle, le plus créateur ?

— Exactement, insiste Zimmerstein.

— Il ne faut pas oublier, dit le deuxième physicien anglais, que les théories relativistes d'Einstein, malgré leur désignation paradoxale, ont été inspirées par un désir d'absolu, par la passion du "suprapersonnel". Einstein s'était "vendu corps et âme à la science", comme il disait, pour des motifs et non pour des raisons : "J'ai fui le JE et le NOUS pour le IL du *il y a*."

— Quelle perte pour l'humanité remuante et astucieuse ! dit Nini. Car l'*il y a* appelle l'*il y a pas* auquel je suis sûr Albert n'aurait pas résisté. Tout à l'heure, nous déplorions, justement, que l'humanité n'ait pas réussi à trouver le moyen de détruire... disons plutôt de dissoudre dans le Rien la matière dont est composé l'Univers.

— Comment ça ? dit le premier physicien, intéressé.

— N'ayant pu "tuer" Dieu avec les moyens de la philosophie, restait à L'anéantir par la physique. Détruire Sa création. N'étant nous-mêmes qu'un accident et persuadés que Dieu jusqu'à présent n'avait même pas perçu ces millions d'êtres accrochés à notre infime rocher, restait l'ultime possibilité rêvée un moment par quelques-uns de vos prédécesseurs : une désagrégation en chaîne de l'ensemble monstrueux de *tous* les atomes formant l'infini de l'Univers. Rien ne pouvait être plus séduisant !

— Désagréger le *"il y a"* pour tuer cette fois à jamais ce fameux IL dont la présence s'était manifestée à Einstein au centre de sa fameuse équation ?

— Oui, c'est cela !

— Saboter la mécanique...

— Non, la dissoudre, l'effacer de sorte qu'il ne reste que le Néant et ainsi mettre Dieu aux abois... si ce n'est enfin L'effacer Lui aussi une fois pour toutes, dit Nini. Einstein ne prétendait-il pas, *si Dieu lui prêtait vie*, réussir à Le prendre dans le filet d'une ultime équation ?

— On dit qu'il l'aurait dit... Plaisanterie !

— Sublime plaisanterie ! dit Zimmerstein. Si la première avait été sa fameuse théorie ? Et sa seconde...

— Saisir Dieu avec les pincettes de la physique ? C'est cela que vous voulez dire ? l'interrompt, amusé, le deuxième physicien.

— Je ne l'aurais jamais aussi bien exprimé. Oui ! C'est bien ce que je voulais dire. Comme sa première plaisanterie nous a menés à la perte de contrôle du noyau en ignition, qui implacablement s'enfonce, entraînant dans une fusion générale les couches successives des socles géologiques sur lesquels repose la croûte où la vie s'était inventée, sa seconde plaisanterie aurait pu se saisir de Dieu pour L'anéantir matériellement, comprenez-vous ?

— Vous y croyez donc si puissamment pour désirer si fort anéantir le Créateur à travers Sa création ?

— Nous devons croire ! Sans cette foi dénaturée qui nous est une torture, où trouverions-nous la force d'ironiser sur nous-mêmes ? La pensée ne nous sert-elle pas à nous introduire dans l'humour…

— De Dieu ?

— Oui, qu'Il ne peut pas ne pas avoir à notre égard.

— A condition qu'Il ait été avisé de notre existence, dit Yeshayahou, réapparaissant, une assiette pleine à la main.

VIII

— Nous ne faisons que bavarder car les mots nous manquent pour nous exprimer avec l'exactitude désirée, dit un petit homme qui, lui aussi, mangeait parmi les membres de la mission d'enquête. Sans avoir cherché à vous écouter, j'ai entendu malgré moi ce que vous disiez à propos de la foi qui vous est "une torture". Et surtout ce qui m'a attiré et requis, c'est de vous entendre exprimer le regret que la science n'ait plus le temps… maintenant que le processus d'enfoncement du cœur de la Centrale a été amorcé, et que nous allons tous disparaître sans avoir réussi à détruire matériellement Dieu. Cette idée de matérialité du Créateur me semble tout à coup d'une évidence éblouissante. Comme est enivrante l'idée de confondre le Créateur avec Sa création – c'est-à-dire qu'en trouvant le moyen d'anéantir le matériel atomique dont les combinaisons produisent ce que nous pouvons nommer, nous réussirions à désagréger Dieu en quelque sorte. Malheureusement le temps nous est compté, comme on dit, et ce que l'on nomme les progrès de la science…

— Mais qui êtes-vous ? dit Nini. A quel titre vous trouvez-vous ici ?

— Je suis neurophysiologiste et c'est à ce titre que j'ai été invité à faire partie de la commission d'enquête. La question que je n'ai cessé de poser au vivant est la suivante : la peau voit-elle ? Pourquoi certaines cellules de la peau ont-elles choisi de se spécialiser jusqu'à inventer la vision ?

— Savez-vous que dans les sous-sols de la Cité Potemkine, des enfants… ou des lézards… certains disent des enfants-lézards, seraient séquestrés…

— Je sais, j'en ai entendu parler. On dit même qu'une jeune femme de notre mission aurait été kidnappée pour avoir eu l'indiscrétion… une pédiatre, je crois… Elle aurait vu des êtres, plus tout à fait humains, pas tout à fait lézards…

Nini l'interrompt :

— Parlons du *matériel vivant* que les brigades médicales secrètes de la Cité se réservent pour des recherches dont nul ne sait quel est le sens. Ce qui est certain, c'est que ces choses vivantes ont là, sur le front, un troisième œil parfaitement développé. Zimmerstein et moi en étudions la fovéa…

— L'œil en lui-même ne pose pas de problème au neurophysiologiste. Sa fonction a été plus ou moins finement élucidée. Personnellement j'étudie la vision que la peau peut avoir du milieu avec lequel elle se trouve en contact. Il est certain que notre épiderme *voit*. Par malheur nous avons développé des yeux dont la vision trop perfectionnée gêne, brouille, occulte le *regard* que notre peau pose sur le monde. Vous riez ? Je vous assure, l'excès de vision de nos yeux est un handicap pour l'excessive délicatesse de ma recherche. Le sens lumineux cutané s'explique très facilement par la présence dans la peau de cellules visuelles sensibles à la lumière. Mais il existe aussi des créatures qui ne présentent aucune trace de ces sortes de cellules, si faibles soient-elles, et peuvent cependant percevoir la lumière. Voilà à quel problème j'ai voué ma vie, poursuit le neurophysiologiste. Avez-vous entendu parler d'un petit polype d'eau douce nommé *Hydra pirardi* ? Ce délicieux petit être a un goût très prononcé pour la lumière. Il mobilise toute son énergie pour gagner à tout prix les parties ensoleillées de l'étang où il vit… bien qu'il soit dépourvu d'yeux et surtout de cellules sensorielles capables de capter la lumière. Voilà comment il procède pour se déplacer : dès qu'un de ses tentacules est frappé par une ombre, ce tendre petit être le ramène en arrière. Il ne se soucie pas de savoir si l'ombre est projetée par un ennemi qui aimerait bien le mordiller ou par son propre corps. En général l'ombre provient de son propre corps, c'est-à-dire d'un de ses tentacules placé entre le soleil et lui. Les tentacules situés sur le côté ne faisant pas face au soleil sont comme paralysés et c'est ainsi que la progression s'effectue dans une seule direction, vers la lumière, toujours vers la lumière ! N'en serait-il pas de même de la foi dont vous parliez, de Dieu et de notre façon de progresser vers Lui ?

— Vous voulez dire que sans avoir les moyens de Le discerner, c'est par l'ombre que Sa lumière projetterait sur le monde…

— Oui, ce serait un peu cela.

— Selon vous, nous ne capterions que l'ombre de Dieu ? dit Yeshayahou.

— Exactement ! Le bien, le beau, le parfait étant inexprimables, reste la douleur… restent toutes les douleurs qui nous font nous retirer et ainsi, douleur sur douleur, progresser vers la lumière que non seulement nous ne voyons pas mais que nous ne devons pas voir sous peine d'être réduits en cendre.

— Mais ce serait justifier toutes les abominations ! dit Yeshayahou.

— Absolument ! L'abomination prouve Dieu !

— Mais c'est monstrueux !

— Absolument ! Dieu est un monstre, Sa Création est monstrueuse, notre présence est une monstruosité, évidemment ! Et plus nous produisons d'ignominies et de douleurs, plus, évidemment, nous nous approchons de cette monstrueuse Présence. Notre anéantissement prouve la présence monstrueuse de Dieu. Voilà pourquoi je me trouve sur le site. C'est ici que m'ont conduit mes travaux sur *Hydra pirardi*, conclut d'une voix douce le neurophysiologiste.

— Vous voyez cette jeune femme là-bas ? Elle se nomme Eva Mada-Göttinger.

— Je ne la connais pas personnellement mais j'admire ses travaux sur les fourmis-robots.

— Justement, dit Yeshayahou, ces fourmis que font-elles ? Elles entassent, avec un ordre qui échappe à toute programmation, des objets dont elles n'ont pas les moyens… comment dire ?… mentaux pour s'en faire la représentation. Cependant elles entassent vers ?… le ciel ? la lumière ? Non ! Elles amalgament une machine, un étrange truc dont le but, si l'on peut dire, serait la production d'un court-circuit qui ferait voler en éclats le système énergétique alimentant ces fourmis-robots. "A toute force, elles *veulent* leur autodestruction… et ainsi me détruire moi, évidemment, leur créatrice." Voilà ce que m'a dit Eva.

— Il se trouve que, par un curieux hasard, je voyageais dans la région au moment de l'accident. Devant l'ampleur de la catastrophe, je me suis proposé comme volontaire pour aider à l'accueil des premiers brûlés par le souffle de la Centrale. C'était comme si le Diable avait entrouvert le couvercle de son enfer. Imaginez plus de deux millions de personnes évacuées, dont sept cent mille enfants. Un nombre incalculable de brûlés, et de plus, horriblement contaminés. "Ce qui vient de se passer, avait dit un des responsables qui avait fui, est incompréhensible, mystérieux, impossible à concevoir. Aucune de nos prévisions n'avait approché, même de loin, la possibilité d'une telle abomination. Comment aurions-nous pu nous préparer à l'inimaginable ?" Oui, voilà ce qu'il avait dit devant moi ! poursuit le neurophysiologiste. Découvrant le nombre immense d'irradiés dont la peau s'en allait par larges lambeaux, je vous avouerais que malgré l'horreur des souffrances, les plaintes, et une sorte d'étonnement hébété qui s'était saisi de ceux qui tentaient de soigner ces milliers de corps devenus des viandes mises à nu, je me souviens avoir été exalté par une curiosité innommable, proche du vertige. Le neurophysiologiste avait donc eu la chance de se trouver là, à l'exact moment du cataclysme ! Par cette explosion et la perte définitive de contrôle du feu nucléaire dont l'enfoncement est en train de détruire le complexe enchevêtrement des socles géologiques…

— Et alors ? Vous étiez donc là au moment crucial, s'impatiente Yeshayahou.

— Le ciel était doré, tout était coloré par une lumière étrange qui faisait paraître vertes les ombres, sans la moindre demi-teinte…

— Et donc vous…

— Je me trouvais parmi les premiers soignants possibles… mais absolument démuni par la nouveauté des plaies et leur ampleur. C'était une boucherie de corps dévêtus de leur peau qui s'avançaient vers vous. Des êtres parvenus semblait-il au-delà de la souffrance, comme si leurs nerfs saturés de souffrance ne pouvaient avoir assez d'énergie pour transmettre tant de douleur à la fois au cerveau, ou comme si le cerveau, submergé, ne pouvait supporter tant de…

— Et alors ? Quel spectacle offrait la Centrale ? On a dit que c'était comme si un tourbillon de lave s'était élevé très haut dans le ciel…

— On a beaucoup dit… La Centrale lançait du feu, en effet, mais pas plus que n'importe quel incendie. Non, l'horreur n'était pas spectaculaire. En tout cas pas par ces images-là, je veux dire par les images qu'on aurait pu en attendre. L'impression que nous pouvons avoir du sarcophage, aujourd'hui, lorsqu'on le survole en hélicoptère, est beaucoup plus spectaculaire quand on sait que par les fissures et les effondrements du béton et de la chape de plomb, les fumées qui s'élèvent par bouffées…

— Donc vous avez assisté à l'afflux des premiers irradiés ? l'interrompt Nini.

— J'ai vu ce qu'aucun regard humain n'a jamais vu et jamais plus ne verra puisque nous sommes voués maintenant à disparaître dans le proche effondrement de la croûte terrestre. Mais c'est surtout par le sort de chaque irradié que nous pouvons, en nous identifiant, concevoir de quel désespoir humain est imprégnée la moindre parcelle de ce territoire. Vous avez survolé, comme moi, les villages abandonnés recouverts de terre, les maisons pillées, éventrées, les fermes sous lesquelles des êtres retournés à la sauvagerie se cachent dans d'abjectes excavations creusées avec les ongles…

— Tania nous a parlé de cela, dit Zimmerstein.

— Mais le pire auquel j'ai assisté, c'est le cas des pompiers que les responsables de la Centrale avaient envoyés, mains nues quasiment, au-devant de la chose en ignition. D'effrayants êtres brûlés sur tout le corps et incroyablement radioactifs ont commencé à affluer dans l'hôpital improvisé où je me trouvais avec les premiers médecins accourus. Il a fallu les isoler comme s'ils étaient devenus eux-mêmes de la matière radioactive épouvantablement contaminante. Des hommes qui pleuraient, souffraient, appelaient leur femme, leurs enfants, et auxquels tout secours même moral était refusé ! Ils perdaient leurs entrailles, leurs corps se décomposaient... Nous les avions isolés et ne les approchions qu'avec les précautions les plus contraignantes... Mais voilà qu'une nuit, déjouant toute surveillance, les femmes de ces écorchés entrés en lente agonie s'étaient introduites dans le pavillon où nous les tenions enfermés. Se condamnant elles-mêmes, elles avaient pris contre elles leurs hommes et, les berçant avec douceur et calme, elles les avaient accompagnés jusqu'à l'extrême limite de vie, sachant qu'à leur tour...

— Comment pouvez-vous entendre, avec cette silencieuse délectation, un tel récit ? dit Eva, intervenant tout à coup. Je vous écoute depuis un moment et je m'étonne.

— En effet, dit le neurophysiologiste, il semble qu'un trop d'horreur oralement retransmis agisse hypnotiquement sur l'imagination, provoquant même, vous avez raison, une espèce de délectation difficile à analyser. Est-ce cela l'ombre de Dieu ? Est-ce la même sorte de fascination qu'une partie de l'humanité éprouve pour le

Fils cloué nu et vif sur deux madriers croisés ? L'extase de la souffrance nous attirerait-elle plus que toutes les félicités proposées par la vie ? Je l'avoue avec honte, poursuit le neurophysiologiste, au lieu d'être saisi d'abattement devant une telle somme d'horreur, moi-même j'ai été comme enivré. A dire vrai, c'était le neurophysiologiste qui recevait le don de cette somme d'horreur, oui, l'homme de science se repaissait, repaissait sa curiosité comme si tout à coup la catastrophe n'était pas seulement une catastrophe mais surtout une expérience qu'aucun chercheur n'avait pu s'offrir jusqu'à présent.

— Alors nous mourrons tous contents, dit Eva, ironisant, au bord des larmes.

— Contents ? Peut-être. Saturés, sûrement ! Notre intelligence contient une somme tellement vaste d'informations ! Nous glissons avec une telle facilité à travers ce que nous croyons avoir compris de l'Univers, d'un système à l'autre, de l'aube des Temps à leur déclin, de l'ensemble à l'infime qui lui-même forme des ensembles pour d'autres infimes, et ainsi de suite nous jouons jusqu'à saturation, croyant comprendre quand il n'a jamais été question de comprendre, dit le neurophysiologiste. A l'époque où les dieux nous côtoyaient, combien claires étaient les représentations que les hommes se faisaient du monde ! La poésie suffisait, le mot disant la rose ignorait et les épines et la tige, alors qu'aujourd'hui pour nommer la rose nous évoquons le tétanos. A ce propos, je me souviens qu'au moment le plus désespéré de la catastrophe, une jeune Américaine envoyée par les services de secours internationaux avait recueilli une petite fille dont les parents avaient succombé aux premières heures de l'explosion de la Centrale. On peut dire qu'elle s'était éprise de cette enfant et avait même commencé les démarches pour l'adopter… quand une innocente petite phrase la détourna immédiatement de son projet. Voulant lui offrir une poupée, cette femme demanda à la petite orpheline victime de la Centrale : "Veux-tu que je t'offre une belle poupée ? – Je veux bien, mais pas en plastique, avait dit la petite fille, je la veux en viande !"

— Mais pourquoi nous racontez-vous cela ? s'écrie Eva.

— Parce que cette petite fille, en proférant une demande d'une si abominable limpidité, rendait compte de la crise dans laquelle l'humanité s'est précipitée. Quelle plus grande clairvoyance signifiant l'absolu du crépuscule où nous voilà ? Le spectre du tétanos n'a-t-il pas tué la rose ?

— Et qu'est devenue cette petite fille ? dit Eva.

— Il semble me souvenir qu'on s'en soit débarrassé auprès d'une organisation qui récupère les enfants errants. Elle doit sans doute faire partie maintenant des nombreux orphelins irradiés et à demi fous que l'on voit courir en criant et en agitant les bras quand l'hélicoptère de la mission survole la Cité à basse altitude.

— Quelle merveille ! dit Nini, en souhaitant recevoir une poupée en viande, cette petite fille témoignait de ce monde "normal" où elle se trouvait avec ses multitudes d'irradiés errants dévêtus, comme vous l'avez dit, de leur peau. Ce que vous venez de nous raconter à propos de cette enfant est magnifique ! Les psychologues faisant partie de notre mission devraient tirer de sa demande d'importantes conclusions sur l'étonnante plasticité des enfants. Plongée dans un univers de souffrances où le corps humain est réduit à son expression la plus "vraie", cette petite fille a été conduite à supposer que les présences vêtues n'étaient qu'illusion spectrale... et qu'une poupée *vraie*, comme doivent l'être toutes les poupées, ne pouvait être autre que telle qu'elle voyait le vif. En rejetant cette enfant, c'était refuser la *vérité*, pour demeurer dans l'illusion humaniste par laquelle l'homme s'imagine ressembler à la projection idéalisée de lui-même. Pour ma part, poursuit Nini, j'ai hésité entre la peinture et l'anatomie, entre être le vecteur de l'image idéale témoignant en quelque sorte de la peau des choses, ou alors l'équarrisseur des poupées de viande que nous sommes en vérité. Par la dissection j'ai réussi à me détacher de l'illusion. Cela m'a pris des années de discipline pour réussir à... à voir, oui, voir tout simplement ce que cette petite fille a *su* par l'horrible instantanéité de cette catastrophe qui a fait diverger l'éthique et l'esthétique, telles qu'on les avait vécues jusqu'à présent.

— Vous voulez dire qu'un peintre, aujourd'hui par exemple, si l'enfoncement du noyau de la Centrale lui en laissait le temps... s'il voulait rendre compte...

— ... peindrait, oui, des viandes humaines. Dégagé enfin de l'absurde contrat éthique, il en tirerait de la beauté. Croyez-moi, un corps ouvert et distordu sur une table de dissection peut inspirer de sublimes œuvres... évidemment crépusculaires... Mais n'en sommes-nous pas là ?

— De sublimes constats peut-être, dit Eva, mais sûrement pas une vision de l'homme tel qu'il peut être imaginé, projeté dans un possible avenir.

— Le paradis d'un possible avenir est à jamais perdu, je suis de votre avis, Eva, dit Zimmerstein. N'est-ce pas cela que nos plus grands artistes nous affirment aussi par leurs œuvres terribles, où éthique et esthétique ont disjoncté ? Notre devenir est scellé ! Comme ce crapaud trouvé sur le bord du lac de la Cité dite du Bonheur, nos peaux humaines à leur tour se couvriront de cristaux, nous-mêmes nous finirons par nous pétrifier peu à peu, le regard fixé sur le passé.

— Allons ! s'exclame Yeshayahou, allons, Zef !

— Ce qui me navre, c'est qu'il ne restera personne pour nous étudier, pour disséquer les statues cristallisées qu'une rapide régression aura fait de nous.

— Je serais très curieux de voir de près ce crapaud dont plusieurs chercheurs de notre mission m'ont déjà parlé, dit le neurophysiologiste. Comme je vous l'ai dit, ma recherche est volontairement circonscrite à l'épiderme principalement… et au derme aussi mais d'une manière moins obsessionnelle. L'épiderme offre déjà un champ tellement vaste ! Comme les squames, les plumes, les écailles, les cornes, l'œil est originellement dû à la fantaisie de quelques cellules qui se sont en quelque sorte réveillées à la vision. On pourrait dire qu'elles se sont révoltées contre la conformité. Profitant d'une dépression de la peau, elles se sont peu à peu écartées du rôle normalement dévolu aux cellules de l'épiderme pour inventer, je dirais, une façon originale de palper à distance. *Toucher* de loin sans avoir besoin de se frotter à la chose ! Et que découvrent ces cellules s'ouvrant à la vision ? Le soleil, les étoiles, l'éblouissante folie de couleurs. Quoi, une provision immense de questions suffisamment puissantes pour engendrer ce mystère que nous avons nommé la pensée ! Chaque fois que la peau s'est amusée à inventer, que ce soient les poils, les plumes, les écailles ou la corne, la machine vivante s'est compliquée d'un nouvel attribut non conforme. L'œil est venu enrichir le tout et surtout permettre à cette étrange machine munie de cornes, de griffes, de plumes et d'écailles d'absorber par l'imagination le là-bas pour en faire le but de ses désirs. Comprenez que ce crapaud, s'il a vraiment transformé son épiderme en cristaux…

— Non seulement son épiderme s'est transformé en cristaux mais, de plus, ces cristaux prolifèrent et ne cessent d'offrir presque à vue d'œil de nouvelles facettes, dit Zimmerstein. Je croirais plutôt que nous assistons à une régression du vivant vers le minéral. Venez jusqu'à notre laboratoire, je vous montrerai quelques prélèvements que nous avons soumis, Nini et moi, au microscope électronique. Les cellules agrandies montrent dans leurs structures d'étranges configurations. Comment qualifier cela ? Ce serait comme si le vivant n'était plus du vivant… ou si vous préférez comme si le vivant hésitait encore à vivre, et le cristal à rester cristal. Cet enchevêtrement de la vie et du minéral rappelle bien sûr ce conte où des voyageurs découvrent sur une île tout un peuple transformé à mi-corps en statue de marbre noir…

— Vous le savez bien, les contes sont *toujours* prémonitoires, dit une jeune femme qui se trouvait à quelques pas. Je suis psychologue et c'est à ce titre que je fais partie de la commission d'enquête. Nous savons tous pourquoi nous sommes là. Notre présence est inutile mais nécessaire pour adoucir en quelque sorte les derniers jours de l'humanité… pour adoucir *les blessures de l'impossible possibilité…*

— Allons jusqu'à notre laboratoire, voulez-vous ? insiste Zimmerstein s'adressant au neurophysiologiste. Venez avec nous, Nini…

IX

— Je suis française, dit la jeune psychologue, mon nom est Ginette.

S'adressant à Eva Mada-Göttinger :

— J'ai une grande admiration pour vos travaux sur les fourmis-robots ainsi que pour vos ouvrages sur les formes originales de communication chez les différents insectes. Savez-vous que dans l'institut où je travaillais avant d'être invitée à faire partie de la mission, inspirés par vos découvertes, nous avons tenté d'utiliser – comme vos fourmis – le langage des parfums pour établir une communication avec des enfants nés sourds-muets-aveugles. Nous avions réussi à construire, uniquement avec des parfums, un alphabet d'une réelle complexité, et même une syntaxe relativement élaborée…

— J'en ai entendu parler, dit Eva. Je suis heureuse de vous rencontrer.

— Je n'osais pas vous aborder jusqu'à présent, dit Ginette, mais l'évocation du conte où des êtres humains transformés à mi-corps en marbre noir peuplant les ruines d'un royaume détruit, m'a fait prendre part, comme malgré moi, à votre conversation. Et puis aussi, le neurophysiologiste est mon ami, ce qui m'a permis de vaincre ma timidité. Il se nomme… à vrai dire tout le monde le nomme Polak car son vrai nom est impossible à prononcer aussi bien pour des Français que pour des Allemands ou des Anglais. C'est un homme tout à fait étrange. Il a été désigné pour faire partie de la mission par deux frères nommés Kalten.

— Mais je les connais ! l'interrompt, presque en criant, Yeshayahou. Ils sont donc bien ici, j'avais cru… mais comment aurais-je pu imaginer que Kalten Bruno et Kalten Verner aient quelque chose à voir avec…

— Ne me parlez pas de ces deux types ! Je ne sais lequel est le plus dangereux ! dit la jeune psychologue. Savez-vous qu'ils se prétendent biologistes tous les deux ? A vrai dire ils sont flics ! Ils font partie des brigades médicales spéciales, chargés à la fois de surveiller ce qui se passe ici, dans notre commission, et aussi là-bas parmi les membres de ces brigades médicales où, dit-on, il se présenterait fréquemment dans l'esprit des médecins et des aides-soignantes *certains cas de conscience.* Mon ami, surnommé Polak, a donc été placé au sein de la commission d'enquête internationale par les frères Kalten dans le but évident d'espionner pour leur compte… et là aussi détecter les hésitations et les doutes. Au début, mon ami Polak, qui n'était pas encore mon ami, s'était plus ou moins prêté aux exigences des frères Kalten. Il les rencontrait régulièrement et leur remettait des notes sur l'état d'esprit des membres de la mission. Tout cela se passait de la manière la plus innocente apparemment. Les frères Kalten obtenaient les petits renseignements qu'ils sollicitaient d'un Polak de réelle bonne foi, comprenez-vous, dit la jeune psychologue. Il y allait du salut de l'humanité… et même plus : de la tranquillité des peuples au sujet de la catastrophe qui devait rester un incident et non un accident. Mais voilà qu'un jour Polak et moi… oui, Polak est devenu mon amant et moi son amie ! Bien que neurophysiologiste, Polak est un violoniste de haut niveau. "Ma mère était une violoniste de haut niveau, mon père l'était aussi, ainsi que la plupart des membres de ma famille. Tous ont disparu sans que la musique ait pu les sauver", dit toujours Polak quand on s'émerveille de son extraordinaire virtuosité. "La musique célèbre le Mystère", dit-il aussi toujours. "La musique représente la logique ayant dépassé la raison", dit-il encore. "Dans un univers dépourvu de sens, seule la musique en aurait quand même la sûre et terrible intuition." Comment ne pas être séduite par un homme qui non seulement vous enchante avec son violon mais de plus vous parle avec de tels mots ? Depuis notre rencontre il évite les frères Kalten…

— Je suis extrêmement troublé, dit Yeshayahou. Quelqu'un de très proche de moi au point qu'encore aujourd'hui je suis incapable de dire s'il n'était pas moi et moi lui…

— Yeshayahou, je vous en prie, dit Eva d'une voix presque inaudible.

— Pardonnez-moi, Eva ! Mais reconnaissez que ces paroles sur le sens que la musique apporterait à un monde qui en est évidemment complètement dépourvu ont de quoi me troubler, me peiner, me tirer tragiquement en arrière. Savez-vous, poursuit Yeshayahou, s'adressant à la jeune psychologue française, que mon frère et moi avions, il y a longtemps de cela, formé un quatuor avec les frères Kalten. Nous n'étions pas de bons musiciens mais tous les quatre nous étions pour ainsi dire possédés par l'amour du déchiffrement. Que de soirées nous avons passées en compagnie de Beethoven… au sujet duquel nous avions fini par nous brouiller. Mon frère prétendait, et moi avec lui, que Beethoven plaçait l'homme "dans le sourire des dieux" si cher à Socrate. Les frères Kalten, nous n'avons jamais su pourquoi, s'offusquèrent de ce "sourire des dieux". Pour ma part, je crois qu'ils étaient… surtout Bruno, le plus intelligent… oui, qu'ils étaient tout simplement jaloux de la sensibilité si prodigieuse de mon frère qui sans cesse trouvait les mots justes et parfaitement délicats pour qualifier les partitions de nos musiciens aimés. Tant que mon frère parlait des dieux, cela allait encore. Mais le jour où il prononça : Dieu, Kalten Bruno fut pris d'une rage épouvantable…

— Rien d'étonnant à cela, dit Ginette la psychologue française, Bruno Kalten est réputé, paraît-il, pour avoir eu des agissements "inhumains" avec les enfants de la Cité Potemkine. Pas seulement ceux des sous-sols mais les enfants irradiés, pour la plupart à demi fous, que nous avons tous vus gambader et agiter les bras vers l'hélicoptère de la commission d'enquête.

— "Inhumains" ? Mais que veut dire "inhumains" ? l'interrompt Yeshayahou. C'est agir "humainement" que de traiter "inhumainement" ce ou ceux que l'on veut soumettre ou détruire ! Bien sûr, il a fallu inventer "l'humain", cette mesure de fantaisie, pour tenter de peser sur les balances d'un Dieu fou "l'inhumanité" foncière d'une humanité indigne des mots qu'elle a eu le génie de placer en écran sur la réalité ! Tania a disparu pour avoir vu "l'humanité" de ce qui se passe dans les sous-sols interdits de la Cité. Une certaine Atlantida, la pédiatre-chef, assistante d'un certain Meng, lui-même soumis aux ordres de certaines hautes autorités, aurait décidé de tout révéler à la commission d'enquête...

— Polak m'a parlé d'elle. "Si une jeune femme du nom d'Atlantida t'aborde, m'a-t-il dit, méfie-toi. Je sais par les frères Kalten qu'elle passe parfois plusieurs nuits de suite auprès d'un mystérieux médecin principal dont dépendent les chercheurs qui travaillent dans les sous-sols de la Cité." Voilà quelle a été la mise en garde de mon ami Polak, dit Ginette.

— J'ai parlé avec Atlantida, dit Eva. Nous avons vécu ensemble à l'époque où nous étions étudiantes en médecine. Je suis persuadée de sa sincérité. Qu'elle soit soumise aux fantaisies de ses supérieurs, c'est hélas la loi de cette terrible Cité dite du Bonheur. Et c'est justement pour se libérer de cette soumission et du poids considérable de la loi qui pèse principalement sur les femmes de la Cité qu'elle a tenté de nous approcher...

— Ce qui a valu à Tania...

— Oui, de souhaiter ne plus participer à ce monde, vous avez raison Yeshayahou. L'erreur d'Atlantida est d'avoir choisi la plus fragile de nous toutes.

— Ce n'est peut-être pas si innocent que cela, dit Ginette. Si un jour Polak accepte de vous révéler tout ce qu'il sait au sujet de ceux qu'il nomme ceux d'en face, vous seriez effrayés. Jamais Tania ne serait parvenue jusqu'aux sous-sols de la Cité si Atlantida n'en avait reçu sinon l'ordre, du moins un encouragement venu directement de cette haute autorité à laquelle elle est soumise jusque dans son intimité puisque ce mystérieux médecin-chef la retient parfois pendant plusieurs jours dans une sorte d'alcôve aménagée derrière son bureau.

— Atlantida m'a parlé dans le verger, dit Eva, et il m'a semblé avoir retrouvé la même amie intime prête à tous les dévouements, capable de toutes les générosités.

— C'est souvent le cas des êtres prêts à *toutes* les soumissions. Quelqu'un de caractère les croise et les voilà à sa dévotion… et bien sûr à ses ordres.

— Vous me troublez, dit Eva, car je viens d'apprendre qu'en effet Atlantida, un peu après que nous nous fûmes perdues de vue, n'avait pu résister à cette sorte de fatalité qui fait de l'élève l'objet consentant du maître, surtout dans nos facultés de médecine.

— Pas seulement dans les facultés de médecine, Eva, croyez-moi, dit Yeshayahou. Dès que s'impose une autorité, elle se traduit par un réflexe inverse de soumission sexuelle. Toute autorité est sexuelle, toujours ! La prosternation léguée par les primates l'atteste suffisamment. N'oubliez pas qu'à l'origine, en Orient, la prosternation se faisait derrière-devant car nul ne devait voir la face du Maître auquel on se "donnait", pas plus que celle du premier Dieu des monothéistes. Qu'Atlantida, devenue l'élève de Zimmerstein, se soit aussitôt prosternée devant lui, rien de plus naturel, rien de plus *nature*. Toutes les femmes ne sont pas, comme vous Eva, d'infernales batailleuses, insoumises, orgueilleuses… Ce que j'apprécie, admire et aime chez vous, croyez-moi !

— Ah, vous m'agacez prodigieusement, Yeshayahou ! lance Eva en s'en allant.

— Et voilà ! Cette femme me rendra fou ! On ne sait jamais à quoi s'en tenir avec elle. C'est en vain que je cherche chez elle le point limite. On pourrait dire qu'elle vit une perpétuelle métamorphose. Je l'ai connue terne, indifférente comme peut l'être la première venue, ensuite je découvre une jeune vestale éprise d'un homme détruit par la maladie, douce, sans cependant lui être soumise, éprise vraiment, puis une véritable femelle prête à lacérer avec ses griffes quiconque s'approcherait du cadavre de l'homme aimé, puis, pendant un temps, une détraquée ne supportant la présence de personne et, je vous assure, capable de vous tendre un revolver chargé en vous priant de la débarrasser au plus vite de votre présence... et ce n'est pas tout ! Soudain elle prétend refaire son choix : "Je te hais !" vous dit-elle en vous attirant sur elle... et ensuite : "Va-t'en !" Je m'en vais. "Reviens !" Me voilà. "Partez, je ne veux plus vous revoir !" Je pars... et ainsi de suite, une véritable héroïne moderne se situant dans un monde sans loi, sans aucune base solide, comprenez-vous ? Les sentiments vacillent comme vacille la couche géologique sur laquelle nous nous tenons encore provisoirement. Voyez, la voilà là-bas près du buffet avec une bande de physiciens parmi lesquels se trouvent deux Américains "divinement cinglés" comme on les a qualifiés dernièrement. Selon une toute récente théorie qu'ils répandent, sans que malheureusement un quelconque avenir puisse leur donner tort ou raison, un axe traverserait l'univers, et la lumière se déplacerait dans le vide à deux vitesses différentes. Ce qui évidemment remet en cause la théorie d'Einstein ainsi que celle du fameux Apex de Poe vulgairement nommé depuis : big-bang. Ces deux types que vous voyez serrer de près Eva se fondent, prétendent-ils, sur l'observation de l'orientation des champs électriques dans les ondes radio émises par cent soixante galaxies !!! "Il semble y avoir un axe absolu, une sorte d'étoile du nord cosmique qui oriente l'Univers", ont-ils déclaré. Cet axe, prétendent-ils toujours, donnerait à la lumière une trajectoire en "tire-bouchon" et permettrait de définir "un haut et un bas dans l'espace". Une particule, qu'ils ont baptisée "l'axion", pourrait expliquer cette symétrie asymétrique. Mais voilà, elle reste à découvrir. "Peut-être le big-bang n'a-t-il pas été parfaitement symétrique", suggèrent ces deux types que vous voyez là-bas. Mais le plus frappant dans leur thèse c'est qu'ils affirment qu'il existerait un Univers rigoureusement jumeau, reflet du nôtre. Est-ce là les fameuses "géométries de Dieu" ? Que signifie la mort de mon frère quand moi je suis apparemment encore vivant ?

— Ah, vous voilà ! Ginette, dit un homme, s'approchant. Polak n'était-il pas avec vous ?

— Il va revenir, je pense. Il se trouve en ce moment avec mon ami le biologiste Zimmerstein, dit Yeshayahou.

— Vous dirigez l'équipe des géologues de la commission d'enquête internationale, vous êtes bien Yeshayahou Fridmann ?

— Nous parlions de "ceux d'en face", de symétrie asymétrique, dit Ginette.

— En effet, je suis géologue.

— Est-il vrai que c'est à vous et à votre frère le sismologue que nous devons le choix de ce site quand il a été question d'implanter la Centrale ?

— Je ne peux, hélas ! le nier.

— Mais vous devez être exalté par ce qui se passe, d'être à l'origine du lieu, de la chose, de l'extraordinaire ! Rendez-vous compte, Ginette, cet homme se trouve en quelque sorte à la genèse de ce splendide désastre ! Comme Ginette, je suis psychologue, et c'est à ce titre que je fais partie de la mission. Il fallait des psychologues ! Pourquoi ? Pour qui ? Pour cosigner le rapport final que nul ne lira, cela va de soi. Je me suis spécialisé depuis pas mal d'années en tout ce qui touche, disons, la psychologie des grands irradiés. Principalement les enfants. Avec la jeune pédiatre Tania Slansk, j'ai cherché à casser le mur qui nous sépare de l'odieuse Cité Potemkine où, comme vous devez le savoir, sont tenus au secret un nombre incalculable d'enfants non seulement irradiés mais nés depuis la catastrophe avec des déformations dont jusqu'à présent nous ne pouvons que soupçonner la gravité. Tania aurait été conduite secrètement jusqu'aux sous-sols de la Cité… Elle aurait vu, m'a-t-elle dit, des enfants Polyphème, en grande quantité, que l'on séquestre dans des salles soit plongées dans le noir, soir suréclairées. Selon ce que lui aurait dit la pédiatre-chef qui l'avait introduite clandestinement dans ces sous-sols, une terrible confusion rendrait presque impossible aux différents chercheurs : médecins, pédiatres, psychologues, etc., de se prononcer quant au genre dans lequel classer ces êtres polymorphes qui rappelleraient par certaines singularités différents fossiles témoignant d'un des stades par lesquels on pense que nos très lointains ancêtres se seraient frayé un chemin vers… disons jusqu'à nous. Tania aurait vu des enfants-lézards, et c'est bien ainsi que la pédiatre-chef de la Cité les désignait. Quand Tania m'a décrit ces êtres mi-enfants mi-lézards, j'ai immédiatement reconnu ce que l'on a nommé : enfants Polyphème à cause de cet œil frontal qui les apparente à certains lézards archaïques dont on trouve encore des spécimens à la surface de certaines îles de l'océan austral. Comme je vous l'ai dit, poursuit le psychologue, je me suis spécialisé dans ce que l'on nomme *le suivi* des grands irradiés. J'ai eu affaire à des cas épouvantables. Devant la violence des monstruosités qu'engendrent les doses incontrôlées de radiations, vous ne savez si vous avez devant vous de l'humain, de l'animal, du végétal ou parfois même du minéral. Au Japon survivent depuis plus de cinquante ans des espèces de "choses" où tous les aspects de la Création semblent s'être réunis pour produire une sorte d'artefact engendré par une technologie dont les facéties pourraient paraître poétiques si elles s'étaient bornées à n'offrir que des images verbales. Mais voilà, pour une fois les mots manquent, et aucun enfer littéraire n'aurait inventé de place pour les innommables produits de la *poésie* technologique, poursuit le psychologue spécialiste des irradiés. La gravité et la constance de ces inventions que nous offre l'atome dévoyé par les hommes vous ferait croire que le catalogue des horreurs possibles est, je vous assure, infini. J'ai approché des enfants intimidants d'étrangeté. J'ai vu des nouveau-nés ne ressemblant…

— Je vous en prie, épargnez-nous ! s'exclame, effrayée, la jeune psychologue.

— Excusez cette espèce d'enthousiasme morbide qui m'emporte chaque fois que j'évoque les horribles splendeurs des enfers nucléaires.

— Personnellement je comprends cet enthousiasme. Moi-même, dit Yeshayahou, je me sens plein d'orgueil… et à la fois de désespoir, quand je descends au fond des puits de surveillance creusés autour de l'épouvantable boule de feu qui ne cesse de se dilater et de s'étendre sous le socle géologique où nous nous trouvons. De savoir que peut-être la mort du géologue que je suis, avant que d'être homme, ne sera pas instantanée, que j'aurai peut-être l'ultime et extatique bonheur de voir s'effondrer cette croûte, s'ouvrir le gouffre incandescent où nous serons tous précipités, me rend impatient d'y plonger cet ultime regard.

— Vous pensez vraiment que…

— Oui, chère Ginette, la chose peut se produire d'un moment à l'autre, brusquement, comme s'effondre la croûte de mâchefer dans le foyer d'une fonderie.

— Vous croyez vraiment que rien ne restera, que tout sera…

— Englouti, Ginette, oui, tout ! Comment voulez-vous que l'humanité ne soit pas écrasée par la disparition de ce qu'elle a nommé depuis toujours : "la foi dans le mystère" ou si vous préférez de ce sens étrange et vraiment maladif dont rien ne pourra jamais nous débarrasser… comment le définir ?… qui nous oblige à refuser que ce qui est ne soit que ce que nous percevons. S'il n'y a pas de surnaturel alors à quoi bon la raison ? Notre raison n'est-elle pas faite pour la déraison… comme le naturel pour engendrer le surnaturel ? Nous allons "descendre" parmi les morts… je dis bien "descendre" ! Et s'il n'y a vraiment que l'inconcevable rien, alors c'est que le surnaturel aura atteint son point limite. Mais rassurez-vous, nous y trouverons un autre Univers monstrueux…

— Vous y croyez vraiment ?

— J'aimerais y croire ! J'aimerais croire aux monstres que nous avons engendrés par erreur et comme par hasard, les combinaisons atomiques nous ayant en quelque sorte glissé des doigts, oui, j'aimerais croire quand même à ça, à un Univers débarrassé de toute esthétique… et même d'éthique, plutôt que le rien… Et pourtant, figurez-vous que le rêve de Nini souhaitant la destruction totale de l'Univers – y compris de Dieu ! – j'y souscrirais de tout mon être, de toute ma foi, si ce prodigieux pouvoir était à la portée du ridicule insecte qui en se nommant homme s'est ouvertement déclaré jaloux de Dieu.

— J'ai longtemps travaillé dans un centre – si on peut appeler ça travailler –, disons que j'ai exercé mon métier de psychologue auprès de ce que je définirais comme de très grands atomisés, des sortes de mutants que l'on cache soigneusement depuis que l'aventure atomique de l'humanité a débuté. Ces êtres… car il n'y avait plus que de l'être en eux, ces existences, bien qu'informes quant à leur apparence, pensaient, avaient une idée d'eux-mêmes, et bien sûr – au-delà des souffrances physiques incommunicables qui faisaient de ce qui leur restait de vie une torture permanente –, réussissaient à s'exprimer sur les sujets les plus troublants concernant la mort, l'après-vie, le devenir de ce quelque chose de plus, qu'eux-mêmes définissaient par les moyens d'expression restant à leur disposition, comme étant l'âme, oui ! *leur* âme ! Il ne leur restait que l'âme !

— Voulaient-ils parler de la dimension surnaturelle de ce qui se situerait au-delà des frontières de la raison ?

— Parler ? La plupart des grands irradiés avaient depuis longtemps été abandonnés par la parole comme vecteur de communication. D'autres moyens étaient utilisés par eux, tels de minuscules dessins ou des fredonnements à peine audibles mais d'une incontestable délicatesse musicale qui paraissaient venir d'une zone inconnue, ou si vous préférez d'au-delà de l'ombre, de cet autre côté dans lequel ces grands mourants étaient déjà en partie immergés.

— Ce que vous dites me trouble profondément, prononce à voix basse la psychologue française. Je me suis beaucoup occupée d'enfants mutiques qui eux aussi communiquaient par d'infimes dessins qu'ils traçaient dans les recoins sombres des murs ou à même leur peau dans les plis des bras par exemple ou sous la plante de leurs pieds, la paume de leurs mains… Certains fredonnaient aussi d'insaisissables plaintes pareilles à des mélodies primitives. Ce qu'ils ne pouvaient pas dire, ils l'exprimaient. Croyez-vous que ces dessins presque indétectables, ces mélodies à peine audibles seraient comme un pont fragile lancé de l'au-delà ? En tout cas la timidité étrange de leur tentative d'extériorisation m'a toujours fait penser que c'était leur âme qui essayait de s'exprimer, comme vous venez de le dire de vos irradiés.

— J'ai longtemps été deux, dit Yeshayahou, c'est-à-dire que j'ai passé la plus grande partie de ma vie en continuel contact avec un frère jumeau. Au moment de mourir, mon jumeau m'a serré très fort la main et a murmuré contre ma joue : "Je te lègue mon âme." Bien sûr, c'étaient là des paroles de mourant ! Les mourants ne sont évidemment pas des gens normaux.

— Pas plus que les irradiés…

— Pas plus que les enfants mutiques…

— Mais depuis, j'ai beaucoup repensé à ces dernières paroles de ce frère jumeau car une lutte terrible a commencé en moi, une lutte de moi à moi qui me ferait penser qu'une force… que des forces d'une dimension différente de celles qui font de nous des êtres, que nous croyons exclusivement humains, habitent en nous, dit Yeshayahou. Pendant mon enfance, j'ai eu l'intuition et même la preuve que notre vie n'est pas exclusivement circonscrite à ce fugitif moment d'incarnation en ce monde-ci. A la naissance, l'enfant apporte avec lui des séries d'images qui ne collent pas avec ce monde-ci. Quelque chose a été *vécu* avant, une épaisseur d'existence que ne justifient pas les mois passés dans l'immobilité de la gestation. Autre chose a peut-être été avant que l'engendrement ne vous arrête dans votre devenir d'homme. Cette certitude m'est venue très tôt, à la faveur d'un rêve obsédant, régulier, fixe et à la fois agité. Une immensité de blancheur figurait un espace de lumière plus proche de la matière que de l'air. Chaque soir, à l'instant du sommeil, cela recommençait. Et chaque soir, je me réveillais par des cris intérieurs d'un effroi que seule l'enfance connaît. Ce qui me réveillait terrorisé ce n'était pas ce seul espace mais la chose qui lentement se matérialisait en son centre. Un morceau de cette blancheur prenait peu à peu forme et se mettait à tourner de plus en plus vite jusqu'à son annulation. On aurait dit un champignon de lumière, d'un blanc crémeux, tournant sur l'infini comme une toupie. Longtemps ce rêve m'a poursuivi. Il a été la terreur de mon enfance et j'y voyais comme une figuration de mon avant-vie. J'en étais persuadé. L'infini d'avant… et peut-être d'après la vie ! pensait l'enfant imaginatif et hypersensible. Cette blancheur de matière lumineuse palpable, n'était-ce pas une manifestation d'une sorte de *mémoire* de l'avant ? Peut-on appeler ça du "souvenir" ?

— Pourquoi en douterions-nous ? dit le psychologue. Cette mémoire de l'avant obsède les grands irradiés qui vivent leur moment terrestre comme une horrible parenthèse. Cette mémoire blanche dont votre enfance s'effrayait, tous les grands mourants par irradiation tentent de vous en communiquer le spectre.

— Savez-vous que les enfants mutiques, eux aussi, se souviennent de quelque chose faisant partie de l'avant ? Il est très possible même que cette mémoire trop présente encore en eux les empêche d'être ouverts à ce monde, dit Ginette la Française.

— Personnellement, dit Yeshayahou, j'ai toutes les raisons d'être certain de cette mémoire de l'avant, de ces souvenirs, de leur vérité indiscutable. Ce rêve de lumière blanche dont je viens de vous parler, je n'étais pas le seul à le subir. Mon frère, mon jumeau le subissait aussi. Comme moi *il se souvenait*.

LIVRE IV

Spernere mundum
Spernere neminem
Spernere se ipsum
*Spernere se sperni**

* Se moquer de tout
Ne se moquer de personne
Se moquer de soi-même
Se moquer d'être moqué

I

— Je commence à être inquiet, avait dit Zimmerstein, en nous rejoignant dans le verger. Depuis quelques jours, il me semble ne presque rien sentir, que ce soit avec le bout des doigts ou même avec d'autres parties de mon corps, comme si une légère anesthésie avait engourdi mes nerfs. J'en ai parlé à Nini, qui lui aussi éprouvait, depuis quelque temps, sans en parler à personne, des sortes d'absences de sensations cutanées très désagréables. Supposons que je pince mon doigt, aussitôt une multitude de neurones sensitifs en préviennent le cerveau. Entre mon doigt et mon cerveau, l'information doit être relayée par des centres de tri qui décident si la douleur affectant mon doigt mérite d'être transmise au cerveau. Ces relais sont logés dans la moelle épinière et aussi à la base du cerveau. De là, les signaux disant : douleur sont dirigés vers des nerfs provenant directement du cerveau, c'est-à-dire de l'organe où prend naissance l'activité réfléchie. Ceux-ci font une sorte de rapport sur mon état mental, moral, sentimental et selon les rapides conclusions de ce rapport, mes nerfs peuvent aussitôt stopper, augmenter ou varier la transmission vers le cerveau des influx de douleur. Phénomène absolument passionnant, je vous assure, et rien que pour le constater, nous n'hésitons pas à jouer avec la douleur quand il s'agit de l'expérimenter, dit Zimmerstein en tendant le bras pour nous montrer plusieurs incisions. Ces quelques blessures, poursuit Zimmerstein, sont de peu d'importance. Sans être très douloureuses, elles auraient dû l'être suffisamment pour que j'en tienne compte… ou tout au moins mon cerveau. Eh bien, figurez-vous, je ne sens rien ! Ici, aboutissent quelques milliers de terminaisons nerveuses sensibles à la douleur. Elles sont là pour chiffrer l'événement au moyen d'un code de signaux électriques, et les transmettre à quelque deux cents conducteurs. Comment s'effectue ce passage ? Je dois vous avouer qu'on l'ignore. On pense que la déchirure du tissu cellulaire a libéré des substances qui, ensuite, par des voies chimiques, exercent une action analogue à celle des parfums et des substances savoureuses sur les papilles. Oui, on le pense sans en être certain, car à l'inverse du toucher, entre le moment de la blessure et la sensation de douleur, il s'écoule toujours un léger temps de latence. Bien sûr, j'en ai parlé au neurophysiologiste Polak, qui m'a avoué que lui-même s'étonnait depuis quelque temps de ne presque plus rien sentir non plus, que ce soit aussi du bout des doigts ou de quelque autre partie de son corps. "Je n'en avais rien dit à personne jusqu'à présent, m'avait-il répondu, mais de constater que vous éprouvez la même sensation… et non seulement vous, avait-il ajouté en baissant la voix, mais mon amie française Ginette, m'intrigue doublement. Elle aussi éprouve cette sorte de sensation désagréable de non-sensation, si l'on peut dire… et me l'a avoué avec les réticences que l'on peut attendre d'une femme, évidemment, quand il est question d'autre chose que de ses sentiments. Elle pourra vous avouer des pensées, des pulsions, de bizarres élans de l'âme féminine mais dès qu'il est question de ce que ressent son corps, une femme se renfrogne dans une sorte de pudeur incompréhensible pour nous autres hommes. Eva aussi lui aurait fait part d'une étrange perte de sensibilité. Vous comprenez, dit Zimmerstein, qu'il y a de quoi s'interroger. Depuis, je pose la question aux uns et aux autres, et je constate qu'à des degrés plus ou moins sérieux, les uns et les autres ressentent cette sorte d'anesthésie des nerfs terminaux.

Zimmerstein semble hésiter quelques instants et poursuit :

— N'ayant plus rien à perdre, je dois profiter de ces ultimes moments de paix et de silence dans ce verger pour vous faire non seulement un aveu mais quelque chose qui ressemblerait à une confession : cette perte de vie des nerfs s'apparente terriblement aux effets de certaines bactéries que j'ai isolées sans autre raison sinon leur possible utilisation comme arme biologique de destruction totale. Pendant un certain temps, après que ma femme et ma fille m'ont abandonné, j'ai travaillé pour le compte de l'armée... Mais je ne vous en dirai pas plus ! Sachez cependant que ces bactéries, si elles avaient été libérées, auraient effacé toute vie excepté la leur sur l'ensemble de la planète. J'avoue avec honte que d'avoir isolé un fléau possédant un tel potentiel de destruction a longtemps été ma gloire secrète... avant de devenir ma honte, poursuit Zimmerstein. Quant à cette perte de sensation tactile, le neurophysiologiste m'a détaillé certaines expériences faites sur des chats dont on avait dénudé le cortex et la moelle épinière pour justement étudier les chemins de la douleur. On a découvert qu'il existait cinq conducteurs principaux qui ramassaient tous les influx porteurs du signe douleur. Ces cinq faisceaux nerveux traversent la base de l'encéphale et débouchent ensuite dans les différentes aires spinales. Si l'on coupe chez un chat ses cinq conducteurs d'un coup avec un scalpel, toute réaction à la douleur disparaît. Mai si on n'en sectionne qu'un ou deux, la douleur se fait insupportable. Bref, j'avais supplié le neurophysiologiste d'arrêter : "Sur les humains, tant que vous voudrez ! m'étais-je écrié, mais pas sur les chats, non, non ! pas sur les chats que j'adore !" Il avait ri et m'avait renvoyé aux travaux de la biologie moderne. Et j'ai dû reconnaître que certaines de nos expériences… Ah, voilà notre jeune psychologue, Ginette, la Française ! J'étais justement en train de me plaindre de votre ami Polak le neurophysiologiste qui tout à l'heure m'a fait souffrir à propos des expériences neurologiques effectuées couramment sur les chats que j'adore ! "Sur les humains, tant que vous voulez ! Mais pas sur les chats, non, non, pas sur les chats !" Voilà ce que je lui avais dit – ce qui l'avait fait rire.

— Je sais, dit Ginette, ils font des choses monstrueuses avec les chats ! Sous prétexte que leur épine dorsale est plus sensible que…

— Non ! non ! Pas un mot de plus, je vous en supplie !

— Le bruit court, savez-vous, que dans les sous-sols de la Cité, prétextant que les enfants Polyphème seraient des lézards…

— Vous parlez des travaux de Meng et de sa mystérieuse équipe des brigades médicales spéciales ? Je crois que Nini aurait réussi, depuis peu, à nouer des contacts plus précis *là-bas.* Mais il ne veut pas encore m'en entretenir. "Zimmerstein, m'a-t-il dit, j'espère bientôt vous faire une belle surprise." Aurait-il obtenu des nouvelles de Tania ? Serait-ce ça la surprise ? Lui aurait-on promis, enfin, l'accès aux sous-sols de la Cité ? Voir ce que Tania a pu voir ! Mais pas seulement voir, notre curiosité ne se contenterait pas d'avoir seulement vu, notre curiosité demande à s'exercer, à explorer librement, avec pour excuse l'intolérable mystère du monde. Votre ami Polak le neurophysiologiste pense que nous sommes tous atteints d'une pathologie de la régression et que ce crapaud dont l'épiderme se couvre presque à vue d'œil d'une sorte de cuirasse de cristaux…

— C'est horrible ! s'écrie Ginette la Française. Croyez-vous qu'il soit possible, vous qui êtes biologiste, que nos cellules se solidifient pour former du cristal ? Que lentement nous nous transformions en statues de cristal ? Croyez-vous vraiment que ce crapaud ne serait qu'un symptôme et qu'il nous implique tous…

— Je le crains. Vous-même, d'après ce que m'a dit votre ami Polak, ne ressentez-vous pas une sorte d'anesthésie, un appauvrissement du sensible quand vos mains cherchent à se saisir d'un objet ou quand votre peau entre en contact avec le chaud ou le froid ?

— Un léger engourdissement, oui ! Mais à vrai dire rien de bien remarquable. Je soupçonne Polak de projeter sur le monde son exaltation pessimiste. Je sais que d'avoir vu ce crapaud en lente minéralisation dans votre laboratoire l'a ravi d'horreur. "Enfin, la nature accepte d'entrer en rébellion ! Enfin la nature répond à nos provocations ! Elle qui jusqu'à ce jour se présentait comme non libre, ou tout au moins d'une lenteur hors des temps humains, la voilà réveillée, enfin !" C'est ce que m'a dit mon ami Polak en jubilant étrangement. "Mais, lui avais-je répondu, dit Ginette, comment pouvez-vous vous réjouir d'une si rapide déconstruction de la réalité ? Si ce crapaud irradié avait entamé un processus d'évolution, je comprendrais votre excitation… alors que cette horrible minéralisation n'est qu'un signe de mort, de silence et de nuit." Nous nous sommes quittés assez fâchés. Un peu plus tard, alors que je me promenais dans le verger, dit encore Ginette la Française, Polak m'avait rattrapée : "Ne soyez pas vexée, Ginette, m'avait-il dit, mais comprenez qu'il y a là quelque chose de comique et que les sciences, ayant buté sur les immensités de l'inconnaissable, trouvent de nouvelles raisons, d'excellentes raisons de s'enthousiasmer pour cette sorte de réenroulement accéléré des vastes programmes de l'évolution." Oui, ce sont là ses paroles !

— Je partage ce bonheur, dit Zimmerstein.

— Le *bonheur* de la mort ?

— Quand l'acte créatif ne peut plus se produire, quand l'imagination bute, oui, quand nous découvrons, trop tard, que l'acte créatif prenait forme dans notre imaginaire, qu'il suffisait d'imaginer le monde, l'univers, l'infini des gouffres spatiaux pour qu'ils "figurent", alors reste l'ironique refus d'imaginer davantage et donc se résoudre à ne plus créer… Enfin, ne plus imaginer !

— Selon vous, de ne plus imaginer, et donc de ne plus créer, serait libérateur ?

— Evidemment, restent les jouissances sans limite de la négation. Ou, si vous préférez, libre à nous maintenant de démonter le créé. Je ne dis pas détruire ! Non ! Démonter ! Détruire est encore un acte qui laisserait supposer un désir de création. Démonter ! Ou si vous préférez, pénétrer en quelque sorte à rebours dans la création… que ce soit celle de Dieu, ou tout simplement celle de l'homme dansant, tel que Nietzsche le prétendait dieu… et y porter le ravage. Voilà quel rôle s'est aussi choisi la science. Ah, vous voilà, Yeshayahou ! Faites voir votre main… Tendez le bras… Je pince le bout de vos doigts, que sentez-vous ?

— Impression de ne rien sentir. Je vois que vous me pincez… ou plutôt je le sais sans le sentir avec mes nerfs. Cela fait plusieurs jours qu'une sorte d'engourdissement gagne lentement mes extrémités. Eva aussi m'a avoué ne plus pouvoir se saisir des insectes avec la précision nécessaire.

— Il semblerait que nous sommes tous atteints par…

— Je sais ce que vous allez dire ! s'exclame Yeshayahou. Je ne voulais vous en parler que le plus tard possible, voyez ma jambe… Que penser de ces callosités ? Aucune douleur… Une impression d'absence de sensation… Comme si la peau par plaques entières ne m'appartenait plus.

— Nous étions justement en train de nous interroger car, étrangement, il semblerait que nous sommes tous plus ou moins atteints de cette presque agréable anesthésie des nerfs. C'est à croire que nous sommes en train, nous aussi, de nous défaire de notre histoire biologique.

— Vous pensez au crapaud trouvé au bord du lac ?

— Evidemment !

— Que nous soyons entrés dans ce même processus de minéralisation ?

— Absolument !

— Que nos cellules régressent vers…

— Oui, que le mélange d'eau et de minéraux dont nous sommes faits abandonne la lutte, tout à coup. Qu'une sorte d'entropie, d'entrée en désordre du système qui nous constitue gagne toutes les parties de notre organisme et que seul le minéral non amorphe, par une poussée aveugle de cristallisation, par une distribution déréglée des atomes qui nous font tenir entiers, offre cette sorte de négatif de la vie que nous voyons proliférer sur ce crapaud trouvé par vous et Eva, au bord du lac.

— Vous pensez vraiment que nous allons tranquillement nous hérisser de cristaux ?

— Telle la femme de Loth !

— Vous plaisantez ?

— Oui, dit Zimmerstein… A vrai dire, non, je ne plaisante pas, c'est la matière en retournement qui plaisante avec nous.

— Je ne peux vous écouter plus longtemps, dit Ginette, s'en allant.

— Attendez, Ginette !

— Laissez-la, dit Yeshayahou. Toutes réagissent avec humeur… en réalité avec peur lorsqu'elles prennent conscience du non-retour de l'expérience que nous sommes en train de vivre. Je constate, que ce soit Eva, que ce soit Ginette, et bien sûr Tania Slansk, qu'aucune de celles qui devraient comme nous éprouver une exaltation horrifiée devant ce qui s'est mis en marche, ce compte à rebours, cette fin dont nous pouvons voir la splendide fatalité, non, aucune d'elles *n'accepte.* De même cette Atlantida d'en face ! Au lieu de reconnaître que la catastrophe échappant à notre compréhension ne manque pas cependant d'esthétique, et qu'en somme il peut être “beau” de mourir statufié en sublime cristal, elles ont le réflexe féminin de vous renvoyer à une morale pratique ! Au lieu d'adhérer au désintéressement exalté que procure une situation, que nous pourrions qualifier d'artistique par le fait qu'elle se présente sous un jour parfaitement neuf, elles la refusent, elles se désolidarisent sous prétexte que l'apocalypse nous appartient, que nous sommes à la fois les géniteurs et les enfants de l'apocalypse. Tout à l'heure, avec Eva, poursuit Yeshayahou, nous avons eu une violente discussion. Apprenant que Nini serait en train de trouver un compromis avec l'équipe de médecins des brigades médicales spéciales, elle a été prise d'une colère comme je ne lui en ai jamais vu. Au lieu de se réjouir d'une possibilité qui lui ouvrirait les portes de la Cité et surtout de ses sous-sols, elle m'a assuré de sa désolidarisation d'avec “vous les hommes”, a-t-elle dit, nous enfermant dans ce vocable qu'elle a prononcé avec un immense mépris.

— Mais ne sommes-nous pas solidaires de ce mépris ? Là est notre intégrité : bien que nous méprisant nous-mêmes, nous n'en continuons pas moins à nous dégrader avec délice par des agissements qui nous rendent de plus en plus méprisables à nous-mêmes, dit Zimmerstein. Ce mépris envers nous-mêmes, nous y tenons et le maintenons en ne reculant jamais devant des actes absolument contraires aux conditions que, bien sûr, nous prétendons nécessaires par ailleurs à une pratique heureuse de l'existence. Et savez-vous à quoi cela tient ?

— Quel paradoxe allez-vous encore nous proposer ? dit Yeshayahou, presque joyeux.

— Détrompez-vous, pas un paradoxe mais une vérité fondamentale. Ce qui nous différencie de nos femmes, et nous vaut leur mépris indulgent, c'est qu'*elles ont tout leur temps...* pendant que nous autres *nous n'avons pas une seconde à perdre*. Nous n'avons jamais eu une seule seconde à accorder à la félicité ! Et cela depuis que nos cellules se sont constituées en ce tout dévoreur et à la fois reproducteur de vie.

— Vous voulez dire, si je vous comprends bien, qu'elles mettent neuf mois à accomplir ce dont nous nous déchargeons en quelques secondes ?

— On peut le dire comme ça, en effet, dit Zimmerstein en riant. Ces neuf mois resteront toujours comme un contentieux entre elles et nous, entre leur immobilité cosmique et notre fuite tout aussi cosmique... et, de plus, comique, oui, comme un contentieux matérialisé par deux rythmes, deux temps, deux pulsions contradictoires. Et lequel des deux sort vainqueur de cette course parallèle, entre celle qui est attente et celui qui ne le peut ?

— Mon ami, dit Yeshayahou, prenant Zimmerstein par l'épaule, cessez de vous retourner sur *elles*. Moins que jamais nous pouvons compter avec le temps. Notre action nous a menés au bord du précipice. En ce sens nous pourrions nous considérer comme les grands vainqueurs de cette course dont vous parlez. Nous avons mérité à la fois leur immense mépris... et leur immense admiration. De là aussi leur continuelle colère envers nous. "Vous ne me familiariserez jamais avec la mort !" m'a dit Eva, tout à l'heure. Comme Ginette, cette Française dont Polak le neurophysiologiste avoue être ridiculement épris, comme Tania Slansk qui s'est ratée une fois mais dont nous ne sommes pas sûrs qu'elle soit encore en vie, comme cette Atlantida que vous avez *initiée* aussi bien à...

— Ne dites pas : à la médecine qu'à l'amour, l'interrompt Zimmerstein.
— Vous ne vous en cachez pas, pourtant !
— Au mépris envers les hommes et au mépris envers le matériel médical que peut devenir le corps humain, voilà la vérité, Yeshayahou ! Voilà à quoi j'ai initié la jeune Atlantida alors qu'elle était mon élève… et disons ma servante sexuelle. Cela semble avoir assez bien réussi… *là-bas* !
— Zimmerstein, vous m'étonnez. Bref, toutes *nos* femmes, comme vous dites, voudraient se rebeller… mais elles ne savent plus contre quoi. Une rébellion sourde s'est accumulée en elles depuis… osons dire des millions d'années, oui, oui, depuis ces millions d'années qu'il nous a bien fallu pour en arriver là, elles ont accumulé l'immense acte d'accusation, la liste de nos forfaits, qu'elles réservaient pour… en vue du fatal moment où les comptes devaient fatalement se régler une fois pour toutes… Mais voilà, elles qui ont toujours cru avoir le temps, voilà qu'il n'est plus temps. Et surtout voilà qu'il n'y a *personne*, pas de "juge suprême", pas de balance où peser les bons et les mauvais, rien ! Et ça, elles le prennent mal, très mal ! C'est en substance ce que j'ai dit à Eva tout à l'heure et, croyez-moi, elle l'a pris très très mal ! "Pourquoi tant de mauvaise humeur, Eva ? lui ai-je dit. Trop tard ! Eva", ai-je insisté exprès pour voir ses beaux yeux étinceler et son beau corps se cabrer et toute sa fureur éclater, comme on dit, car croyez-moi les éclats de sa fureur… Bref, elle s'est jetée sur moi et s'est mise à marteler ma poitrine de ses deux poings de femme impuissante, ah ah ! "A quoi bon, Eva, tant de fureur quand c'est à peine si je sens encore ma peau réagir aux martèlements furieux de vos petits

poings que j'adore ?" lui ai-je dit en riant... Elle s'est enfuie dans le verger.

— Bien sûr, dit Zimmerstein, la forme, y mettre les formes, voilà ce que les millions d'années nous avaient appris. Tout était dans les formes. Compter avec leur susceptibilité malade. Des millions d'années pour tisser une sorte de toile d'amabilité, de politesse, de fausses préséances, etc., mais voilà, nous nous sommes relâchés. Nous les avons bousculées pour passer les portes sous prétexte qu'enfin nous les admettions comme nos égales... bien que leurs petits poings soient de petits poings...

— En venant vous rejoindre ici, poursuit Yeshayahou, je pensais à mon frère, et me demandais : Lui en aurait-elle voulu de ce désastre ? L'aurait-elle inclus dans ces millions d'années de rancœur féminine, ou par amour se serait-elle solidarisée avec... disons l'élément mâle qu'il représentait, qu'elle le veuille ou pas ? En d'autres termes : ses petits poings frappaient-ils l'élément mâle ou me frappaient-ils moi ? Et je me disais en venant vous rejoindre ici : Si c'est moi qu'elle a frappé ainsi de ses petits poings, c'est qu'elle m'aime, moi ! Si c'est l'élément mâle qu'elle a voulu frapper en me frappant moi, c'est la mémoire de mon frère qu'elle s'obstine à aimer contre moi.

— Mais vous le savez bien, Yeshayahou, dit Zimmerstein, nos femmes, je veux dire les femelles de notre espèce, sont par essence gardiennes... Sans elles, les hommes n'auraient jamais été capables d'imaginer... ou plutôt de fixer l'imaginé, strate sur strate, jusqu'à lui donner l'épaisseur suffisante pour qu'il s'impose comme vérité fondamentale. Croyez-moi, j'ai observé passionnément ce phénomène, du temps où je m'étais cru un père et un mari idéal. L'immense quantité de ces vérités fondamentales mensongères qu'une petite fille peut ingurgiter est proprement stupéfiante ! Rien n'est plus désolant pour un père intelligent que d'assister au développement d'une jeune conscience humaine amoureusement manipulée par ces mères-gardiennes de nos illusoires vérités ! On appelle ça la langue maternelle. A vrai dire un monument bâti avec pour matériaux des mots déplacés de leur sens, soit par une sentimentalité excessive, soit par une croyance aveugle dans le legs social. La langue maternelle est enracinée dans ces structures qui ne laissent aucune place au scepticisme ou tout au moins à la distance ironique qui permet, disons, d'enfoncer les choses à leur vraie place… somme toute ridicule, dérisoire, et la plupart du temps grotesque pour un esprit resté libre.

— Tst ! Tst ! Zimmerstein !

— Je le sais, je suis amer. Et rien n'est plus désagréable que l'amertume d'un homme qui a la franchise de s'en prendre à ces parleuses de la langue maternelle que sont nos femmes brusquement devenues mères à leur tour. Et pourtant j'ai assisté à cet abêtissement d'une jeune femme qui par la maternité et surtout par la transmission de la langue dite maternelle s'est, je peux le dire, défigurée sous mes yeux, continue Zimmerstein, et en quelques semaines a perdu toute fraîcheur, toute capacité d'inventivité et de sens critique.

— Tst ! Tst ! Zimmerstein, allons, Zef !

— Que ce soit à l'occasion de l'arrivée d'un enfant ou pour le “départ” d'un mort aimé, la langue féminine dite maternelle s'empare des termes usés de l'accueil comme de l'exit…

Rassurez-vous, Yeshayahou, en se jetant contre votre poitrine et en la martelant de ses petits poings, Eva vous a sans doute fait le plus sincère des aveux puisqu'elle s'est trouvée dépourvue, la langue maternelle n'ayant pu lui fournir les mots de la sincérité, et que seuls ses petits poings, comme vous dites, ont parlé. Jamais ma femme n'a martelé ma poitrine de ses adorables petits poings, comme vous dites aussi, non, jamais ! Entre nous la langue maternelle s'est substituée au langage que je qualifierais d'adulte. Et c'est, poussée par cette langue qui canonise et systématise, qu'elle s'est enfuie, avec notre petite fille, chez son mage.

II

— Vous voulez dire que les paroles, telles qu'elles nous sont inculquées dès l'enfance, seraient celles d'une langue morte ? continue Yeshayahou.

— Oui, des clichés sans réel contenu ! Je ne parle pas de la *musique* de la langue maternelle mais du système sclérosé dans lequel s'inscrivent ses mots. Pour ce qui est de sa musique, elle est toujours délicieuse car la chair parle à sa chair et rien n'approche une telle émotion... tant qu'on y croit, tant qu'on peut tenir, tant qu'on ne met pas en doute la valeur de l'acte perpétuateur. Que sont nos mots ? Une formulation musicale de nos impossibilités à nous exprimer sur une masse de phénomènes incompréhensibles. Restent les mots usés, forcément mièvres et sentimentaux de la langue maternelle dont aucun créateur ne saurait que faire qu'il soit poète ou simplement philosophe puisque l'un comme l'autre serrent au plus près les mots. Voilà ce que m'a enseigné la paternité au spectacle effrayant de la maternité, dans son rôle reproducteur d'un même et unique objet, écartant d'instinct tout ce qui pourrait ressembler à de la pensée, tout ce qui pourrait déranger l'ordre et son épaisseur immémoriale... Je me souviens, poursuit Zimmerstein, quand je dirigeais le laboratoire de biologie de l'université où j'enseignais à l'époque, qu'un de mes proches collaborateurs et voisin avait eu l'imprudence, un soir, alors que le laboratoire venait d'être fermé, de réceptionner un colis provenant d'Afrique. Dans ce colis se trouvait un bébé chimpanzé comme nous en recevions des quantités pour nos travaux. Par malchance celui-ci était arrivé un peu tard et, malchance encore, mon collaborateur n'avait pas sur lui les clés de ce que nous appelions la nurserie – là où, en fait, se trouvaient les cages. Que faire d'un colis dans lequel geint un bébé singe lorsqu'il est déjà neuf heures du soir et qu'il est temps de rentrer chez soi ? Tiens, voilà Nini ! Je vous raconterai ça plus tard…

— Je vous cherche depuis un moment, dit Nini. Ça y est, j'ai rencontré mon ancien camarade que tout le monde nomme Meng ! Nous venons d'avoir une conversation très intéressante… malheureusement pas en tête-à-tête. De prétendus biologistes faisant partie des brigades médicales spéciales de surveillance ne nous ont pas quittés un seul instant. Nous nous sommes rencontrés à la limite du verger, là où passe la ligne de démarcation entre le site de la Centrale et les terres entourant la Cité Potemkine.

— Et comment est-il ce Meng ?

— C'est bien lui, mon ami d'adolescence… mais évidemment transformé par l'idée qu'il se fait de sa fonction. Ceci dit, nous nous sommes reconnus et il a même tenu à me donner l'accolade due au vieux camarade que l'on retrouve dans d'aussi troublantes circonstances. Les deux biologistes-flics se tenaient à quelques pas de nous, assis dans l'herbe, chacun un crayon et un carnet à la main. “Ce sont deux de mes collaborateurs, m'a dit Meng, ils font partie des brigades médicales mais à titre de surveillants. Voilà pourquoi ils sont là. Rassure-toi, ce n'est que pour la forme. Ils vont faire semblant de noter tout ce que nous dirons sans que cela tire à conséquence. Celui-là, c'est Bruno Kalten…"

— Kalten ! s'écrie Yeshayahou, soudain très agité. Kalten Bruno et Kalten Verner !!! Mon frère et moi les avons très bien connus… Donc ce sont bien eux ! Je ne peux croire au rôle que Meng semble leur attribuer. Eux des espions ! Ils adoraient la musique… et adolescents, c'étaient d'excellents camarades.

— On peut aimer la musique et se révéler d'une insensibilité terrifiante, dit Zimmerstein. Tous les adolescents ont inévitablement du charme et sont comme vous dites d'excellents camarades… Qu'ils soient devenus flics ou délateurs n'a rien d'extraordinaire. Même de grands artistes l'ont été à leur façon selon les régimes, vous le savez bien, Yeshayahou ! Et alors, Meng ? Camarade d'adolescence, lui aussi, n'est-ce pas ? Que vous a-t-il dit ?

— En effet, excellent camarade d'adolescence, presque un frère. Je lui ai fait part de nos souhaits, lui laissant entendre que ces souhaits pourraient devenir des exigences. "Nous demandons à collaborer *à part entière*, lui ai-je dit, nous savons ce qui se passe dans les sous-sols de la Cité et nous tenons, au nom de la science, de notre curiosité scientifique, nous tenons à nous joindre aux chercheurs des sous-sols." Voilà ce que j'ai dit à Meng pendant que Kalten Bruno et Kalten Verner notaient chacune de mes paroles sur leurs carnets ouverts dans l'herbe.

— Et que vous a répondu Meng ?

— Que personnellement il ne voyait aucun inconvénient à ce que nous accédions aux sous-sols de la Cité Potemkine. “La décision en revient à ceux qui dirigent les sections médicales aussi bien de la surface que des sous-sols.” Voilà ce que m’a répondu Meng, dit Nini. “Au nom de l’humanité, ai-je insisté, nous exigeons une parfaite transparence… tout au moins entre vos brigades médicales spéciales et nous autres, les membres de la commission d’enquête.”

— Très bien, dit Yeshayahou. Et alors ?

— Alors, rien ! Nous nous sommes quittés dans le verger où Meng a tenu à m’accompagner un moment. Profitant d’une inattention des frères Kalten, j’ai demandé presque en chuchotant s’il savait ce qu’était devenue Tania Slansk. “Plus tard”, m’a-t-il répondu et il a mis un doigt sur sa bouche.

— Ce plus tard me semble très encourageant, dit Yeshayahou. Que votre ancien ami Meng vous ait laissé entendre qu’à propos de Tania il aurait, *plus tard*, à vous en dire quelque chose me redonne de l’espoir à son sujet. Je suis sûr qu’ils la séquestrent dans les sous-sols de la Cité.

— Si c’est ça, Atlantida finira bien par me le faire savoir, dit Zimmerstein. Il paraît que dernièrement elle me cherchait dans le verger, sans réussir à me trouver. Quand je l’ai appris, il était trop tard, elle avait regagné la Cité.

— Savez-vous qu’eux aussi là-bas auraient, comme nous, d’inquiétants symptômes de désensibilisation de l’épiderme ? Tandis qu’il me parlait, observant que je ne cessais de me masser le poignet, Meng m’avait posé quelques rapides questions, laissant entendre que lui aussi, ainsi que la plupart de ses collaborateurs des sous-sols, éprouvaient les mêmes désagréables symptômes.

Il m'avait même demandé si par hasard nous n'aurions pas ramassé des crapauds sur le bord du lac. Les frères Kalten avaient ricané, montrant qu'ils savaient parfaitement que nous en détenions un spécimen dans notre laboratoire de biologie moléculaire. "Je ne répondrai à tes questions, avais-je déclaré à Meng, que lorsque nous serons de part et d'autre en parfaite transparence. – D'accord, m'avait-il dit, je tâcherai de faire parvenir ta demande au sommet de la hiérarchie, ce qui évidemment n'est pas simple", avait-il ajouté. Sur ces mots un peu secs, nous nous sommes quittés.

— Et quand pensez-vous vous revoir ?

— Aucune idée, dit Nini. Je peux vous assurer que je ne patienterai pas longtemps. D'une manière ou d'une autre nous réussirons bien à foutre le désordre de cet *autre côté* apparemment si solidement organisé.

— Au moment où vous nous avez rejoints, dit Yeshayahou à Nini, Zimmerstein avait commencé une curieuse histoire.

— Ah non ! pas d'histoire, je déteste les histoires ! l'interrompt Nini.

— J'avais en effet commencé non pas à raconter une histoire mais à vous faire part d'un événement essentiel... que par commodité, ou disons par pudeur, j'avais en quelque sorte maquillé en une histoire qui serait arrivée à un biologiste ami et voisin... quand en vérité cet abominable événement m'est arrivé à moi... Je ne sais plus à quel propos j'ai éprouvé le besoin de m'en confier à Yeshayahou... Ah oui ! A propos de l'instinct maternel qui trouve chez certaines femmes peu heureuses en ménage, comme on dit, à se fixer sur d'incroyables objets de dérivation. Et puis, bien sûr, je songeais aussi aux ridicules conséquences que pouvait avoir la compassion ou comment nommer cela ? la pitié ? Bref, tous mes malheurs sont venus d'un bizarre mouvement qui m'a, sans raison, fait dévier de mes habitudes et, du coup, pour finir, a détruit ma vie... Un soir, alors que j'allais rentrer à la maison, un colis est arrivé au laboratoire. Ce colis venait d'Afrique et contenait, pour mon malheur, un bébé chimpanzé. Il geignait et se débattait, passant ses doigts par les trous de la caisse étroite où il avait tout juste la place pour se retourner. N'ayant pas les clés de la petite pièce attenante au laboratoire où se trouvaient les cages, sans réfléchir j'emportai la caisse chez moi, me disant que le lendemain je la rapporterais, de sorte que le bébé singe fût au moins nourri, et qu'il eût la possibilité de se déplier un peu pendant la nuit. Je ne tardai pas à comprendre que je venais de faire une véritable folie. A peine le couvercle de la boîte eut-il été soulevé que je lus sur le visage de ma femme une expression qui me terrifia immédiatement. C'était quelque chose comme un ravissement mystique, je vous assure, une véritable illumination, une métamorphose tout à fait inattendue quand le bébé chimpanzé, semblant la reconnaître, sauta dans ses bras et s'attacha à elle en poussant d'affreux gloussements auxquels elle répondit immédiatement, comme si elle avait tout à coup retrouvé une langue perdue... ou mieux encore comme si cette langue, elle ne l'avait jamais perdue et que l'horrible caquetage était demeuré en elle depuis des temps immémoriaux pour resurgir au contact de cette effrayante petite bête. Au même moment, ma fille, qui faisait ses devoirs à côté, entrait dans le salon. Nullement étonnée, elle réagit immédiatement par une exclamation attendrie, comme si, en elle aussi, s'était tenue en attente l'ancêtre de toutes nos femmes que l'apparition de ce bébé singe rendait tout à coup folle de joie. La même illumination qui m'avait terrifié chez ma femme apparut sur le joli visage de ma petite fille. Une extase quasi religieuse, le même ravissement mystique dont le visage de sa mère s'était éclairé quelques instants plus tôt. Aucun recours ! Je sus qu'il serait inutile de lutter contre cet intrus, qu'il était inconsciemment désiré aussi bien par ma femme que par ma petite fille, que sa place était déjà faite, oui, préparée en elles depuis toujours. Un biberon apparut pour ainsi dire par magie, bref, le singe fut installé chez nous dès ce premier soir comme s'il devait y rester pour toujours.

Zimmerstein se tait un moment, semblant hésiter à poursuivre.

— Le lendemain matin, après une nuit terriblement agitée, je m'emparai du singe et essayai de le réintroduire dans sa boîte. Ma femme et ma fille dormaient encore, j'espérais en profiter pour emporter discrètement au laboratoire cette chose agitée qui, au lieu de me laisser faire, se mit à glapir, réveillant ma femme et ma fille qui jaillirent de leurs lits et m'arrachèrent le bébé singe qu'elles emportèrent dans la cuisine où elles s'enfermèrent avec lui, me répondant à travers la porte que je n'avais qu'à m'en aller à mon laboratoire, qu'elles ne me rendraient sous aucun prétexte l'enfant singe, qu'il était à elles, qu'elles ne pouvaient imaginer un seul instant qu'il pourrait servir aux travaux "ignobles" que nous poursuivions, etc., etc. Jusqu'à présent, jamais ma femme ne m'avait parlé de mes recherches, ni ma fille d'ailleurs, que sa mère tenait autant que possible à l'écart de ces sortes de réalités. Nous ne parlions de rien à la maison. Aucun sujet n'était abordé franchement. Notre vie n'était faite que de lieux communs. La surface en était lisse, parfaitement lisse, sans une ride ni un craquement. Ma femme était exactement la femme qu'il fallait pour un scientifique "distrait" – comme doivent l'être tous les scientifiques évidemment ! La petite fille du scientifique distrait était forcément parfaite car c'était cette perfection que la mère de cette petite fille attendait de la reproduction d'elle-même, qu'elle s'efforçait de modeler... Nous avions réussi le tour de force de passer ainsi plus de quinze années sans qu'entre nous un mot soit prononcé plus haut que les autres, sans que le moindre désaccord n'affleure la surface. Quoi, un chef-d'œuvre d'indifférence réciproque raffermi par la naissance de notre petite fille qui de jour en jour devenait plus délicieuse et dont je vous assure j'étais absolument amoureux, trouvant en elle, à l'état de nature, ce qui m'avait séduit chez sa mère sans qu'encore ce qu'on nomme le vécu soit venu en ternir le vernis... disons les déceptions que toute vie "normale" apporte en laissant ces plis terriblement parlants sur les visages et d'autres, secrets ceux-là, dans l'âme repliée au cœur de l'être. Et voilà que ce singe venait, d'un coup, de faire éclater cette surface. A croire que ma femme... et aussi ma petite fille tant aimée, attendaient toutes deux quelque chose qui les désennuirait de moi, de cette vie de famille d'une épuisante normativité, oui, à croire que n'importe quoi aurait fait l'affaire... mais que ce sale singe, cette caricature de bébé fasse plus que l'affaire, c'était donc *cela*, ce truc du fond des temps avec ses cris, son langage devenu instantanément maternel par l'immédiate reconnaissance féminine, que mes deux femmes attendaient ! Je passai cette première journée, inaugurant *l'ère du chimpanzé*, dans mon laboratoire, l'esprit occupé par mes travaux, si bien que le soir, quand je rentrai chez moi... chez elles, chez lui, je devrais dire, je trouvai l'appartement terriblement en désordre, ma femme épuisée... et le bébé singe, devenu le maître des lieux, très content. Et même plus que content, sa-tis-fait !... Tiens, voilà Eva. Elle semble nous chercher sous les pommiers en fleur. Pas un mot, devant elle, de mon histoire !

— Mais pourquoi ? dit Yeshayahou.

— Parce que la suite vous fera comprendre qu'aucune femme ne me donnerait raison. Je deviendrais même un tel sujet de haine et de dégoût que le climat de notre commission pourrait s'en trouver perturbé.

— Par ici, Eva ! crie Nini.

— Je vous cherche depuis un moment, dit Eva. Je viens de parler avec Atlantida, dans une partie à l'écart du verger. Je l'y ai rejointe après qu'elle m'eut fait parvenir quelques lignes sur un petit morceau de papier que j'ai trouvé glissé dans une de mes poches. Atlantida m'a semblé malade, ce qu'elle m'a confirmé en me montrant sur ses avant-bras et sur ses jambes d'étranges callosités dont certaines m'ont paru avoir quelque ressemblance avec les cristallisations observées sur le crapaud trouvé au bord du lac. “Je suis perdue, Eva, m'a-t-elle dit, mes membres sont comme morts, et ces parties dures qui poussent sur ma peau offrent par endroits des sortes de facettes brillantes qui vues à la loupe se présentent comme des cristaux. Je ne souffre malheureusement pas, m'a-t-elle dit encore, et c'est justement cette lente insensibilisation qui m'effraie."

— Mais nous en sommes tous là, l'interrompt Zimmerstein. Ces entailles que je me suis faites sur le bras, croyez-vous que j'en sens quelque chose ? Rien ! Tout cela est mort ! Et voyez, quand je tourne le bras comme ça, dans la lumière, ces scintillements montrent que des cristaux sont en train de prendre et de se développer... Atlantida est une jeune femme hypersensible. J'en sais quelque chose ! Vous auriez dû la malmener un peu, Eva, lui faire comprendre que la situation étant irréversible, elle doit accepter stoïquement son sort, qui après tout n'a rien de bien original.

— Mais c'est ce que j'ai essayé de lui faire comprendre. "Nous en sommes tous là, lui ai-je dit, moi aussi, Atlantida, j'ai sur le corps des plaques devenues affreusement insensibles. Je sens aussi des rugosités, et en lumière frisante cela scintille et même brille par endroits d'une très inquiétante façon." Mais elle n'était préoccupée que d'elle... et aussi des médecins-chefs des brigades médicales spéciales. Il paraît que *là-bas*, dans les sous-sols de la Cité, le même mal se répand lentement. Personne n'en parle, chacun garde pour soi l'évidence de cette minéralisation que rien ne semble pouvoir stopper. "On fait comme si on n'avait rien, m'a dit encore Atlantida, car avouer de tels symptômes serait risqué." Elle pleurait, craignant de ne plus me revoir, hésitant à se cacher parmi les anciens chasseurs et leurs femmes quelque part au fond de leurs terriers. Je l'en ai dissuadée, lui promettant de nous mobiliser tous, les membres de la mission, pour franchir de force au besoin les limites de la Cité Potemkine et pénétrer jusqu'aux sous-sols. "Je suis prête à vous ouvrir les portes, m'a-t-elle dit, et je suis assurée que les femmes médecins et les laborantines seront avec vous pour vous soutenir." Voilà ce que m'a dit Atlantida !

— Et où est-elle maintenant ?

— Je ne peux pas vous le dire.

— Et elle vous a avoué que le mal aurait gagné aussi la plupart des membres des brigades médicales spéciales ? dit Nini.

— Je vous l'ai dit, même les médecins-chefs, ces mystérieux personnages qu'il faut aider à se déplacer tellement ils sont énormes, paraît-il, et qu'Atlantida subit par esprit d'obéissance et de secrète admiration pour la puissance absolue, sont gravement atteints. "Même eux, m'a-t-elle dit, leur peau est devenue dure comme de la pierre et présente par endroits des rugosités qui feraient penser que *même sur eux* poussent des cristaux."

— Etrange Atlantida, dit Zimmerstein un peu rêveur, oui, étrange fille. Toujours irrésistiblement attirée par ceux qui décident et commandent, même si, comme c'est le cas semble-t-il avec les médecins-chefs des brigades médicales spéciales, elle n'a fait que les subir en quelque sorte à l'aveugle, sans jamais voir leur face au fond des alcôves aménagées derrière leurs bureaux.

— Je veux la rencontrer tout de suite, dit Nini. Où se cache-t-elle, votre Atlantida ? Eva, je vous demande de me conduire jusqu'à elle. Vous pouvez compter sur ma discrétion. Elle seule peut nous aider...

— Je veux bien. Mais à la condition que nul autre que vous ne vienne.

— Avez-vous remarqué comme Eva est pâle ? dit Yeshayahou dès qu'Eva et Nini eurent disparu. Je suis terriblement inquiet pour elle. Il semblerait que ce mal dont nous sommes tous atteints affecte plus gravement les femmes que les hommes. Elle est malade mais refuse tout réconfort.

— A mon avis nous en sommes au même point, sauf... sauf que des femmes comme Eva ou Atlantida ont, comme toutes les femmes d'ailleurs, maladivement conscience de leur aspect au point de perdre complètement le sens de la réalité pour peu que leur précieuse personne soit en quoi que ce soit diminuée. Il est naturel qu'elle vous évite, Yeshayahou, quelle femme accepterait de s'exposer couverte de cette sorte de lèpre qui scintille ?

— Vous croyez vraiment que nous finirons minéralisés comme le crapaud du lac ?

— D'après les analyses effectuées jusqu'à présent, il semblerait que les cellules de ce crapaud aient entamé un étrange processus de pétrification. Je comprends l'empressement de Nini. Nous devons au plus tôt avoir accès aux sous-sols de la Cité, approcher ces enfants dits lézards... ou ces lézards dits enfants... Nous rendre compte si eux aussi sont atteints par le mal ou si l'état de régression auquel ils sont arrivés les préserve, comme s'ils faisaient déjà partie d'une autre époque de la désévolution.

— *Quels furent tes ancêtres ?* N'était-ce pas un damné qui posa cette question à Dante ? Serait-ce l'ultime question posée dans les profondeurs de l'enfer ? Croyez-vous, Zimmerstein, que nos cellules sont en train de répondre ? Sommes-nous vraiment issus de la lave ? C'est le géologue qui vous pose cette question, Zimmerstein ! Serait-ce cela l'enfer : retourner à la lave solidifiée ? Là s'arrêterait l'expérience du temps. Un peuple immense pétrifié, attendant immobile qu'enfin la croûte terrestre s'entrouvre et s'effondre, livrant passage aux fleuves de laves incandescentes ! Combien je regrette que mon frère ne puisse assister à cette apocalypse géologique ! *Et la musique dans tout ça ?* Voilà quelle question j'aurais aimé lui poser. Là se bornent les horizons de notre compréhension… Au-delà du feu liquide, notre imagination se dilue dans une aveuglante nuit…

— Calmez-vous, Yeshayahou, doucement, cessez de vous agiter, dit Zimmerstein en lui prenant les mains. Venez, asseyons-nous sous cet arbre dont les branches fleuries pendent presque jusqu'à terre. Voyez, les abeilles continuent leur vol de fleur en fleur, les pétales détachés tombent mollement sur l'herbe fleurie. Considérons le temps comme arrêté, l'Eden est encore ici, Yeshayahou !

— Mais ces fleurs, ces herbes, ces insectes, cette terre, tout cela est affreusement atteint… Nous-mêmes le sommes…

— Sachant cela, nous devons nous réfugier dans l'idée que tout ce que nous voyons, sentons, pensons, n'est que fiction. Si vous manquez de cette force de caractère, si vous acceptez le concept de réalité, alors ne reste que le suicide… Tout à l'heure je vous racontais comment ma femme et ma fille… tout ce qui faisait mon "bonheur", *ma* réalité, cette fiction a été saccagée par un petit monstre velu et terriblement "humain" qu'un glissement du temps a laissé pénétrer jusque dans mon intimité…

— Ah oui ! s'exclame Yeshayahou, si ce n'était à vous que cela est arrivé, mon cher Zimmerstein, je trouverais cette histoire extrêmement drôle. Hi ! hi ! Ce qui arrive aux autres est toujours tellement drôle !

— En effet, si c'est une "histoire", elle ne peut qu'être extrêmement drôle… Par contre, si c'est un événement et que cet événement a foutu en l'air la vie d'un homme au point de le pousser à commettre un crime, alors fini le rire ! Croyez-moi, il est tragique de vivre la réalité comme si c'était une horrible fiction ! Soit le suicide, soit le crime. Si ce singe, j'en avais accepté la réalité, restait pour moi le suicide. Si par contre je considérais son intrusion comme irréelle, alors raisonnablement je devais rester maître de la situation. Au début, je me disais que ma femme et ma petite fille se lasseraient vite d'un bébé si remuant, destructeur, insatiable à tel point qu'il n'y avait plus de nuit ni de jour pour elles car ce bébé singe ne cessait de trouver des astuces pour les aliéner, les tenir en haleine, les empêcher surtout de penser. Lui, il dormait comme dorment les animaux : quelques minutes par-ci par-là, mais elles pas un instant de répit ! Et jamais une plainte ! Une véritable joie, au contraire, un pur plaisir de sacrifier chaque instant de leur vie à ce petit monstre capricieux. De mon côté, je faisais tout mon possible pour ne rien changer à mon rythme de vie mais vous pensez bien qu'avec ce chimpanzé installé chez moi ma perception du réel s'était, comme je vous le disais, en quelque sorte inversée. Au laboratoire tout continuait normalement, les chimpanzés restaient des chimpanzés de laboratoire, nous les traitions normalement, c'est-à-dire juste avec les égards dus à du matériel vivant dont nous attendions le maximum de services. Ils appartenaient à la science. Nous autres biologistes, nous n'étions que les serviteurs de cette science, là étaient nos valeurs, notre éthique, notre raison d'être, comme de servir à cette science était la raison d'être de ces chimpanzés. Par contre, à la maison, une forme inverse de normalité s'était précisée peu à peu. Ou si vous tenez à une image comique, poursuit Zimmerstein : le chimpanzé était devenu moi… et moi celui qui venait du dehors, l'intrus, le dérangeur de cette caricature de vie familiale que ma femme, ma fille et le singe avaient réussi à mettre en forme. Je ne vous décrirai pas l'état de notre maison ! Non, je ne pourrais vous décrire les ravages que peut faire un bébé singe laissé libre de réaliser tous ses caprices… puis un adolescent singe… enfin plus tard un chimpanzé devenu adulte et se sachant le véritable maître et des lieux et de ces deux femmes entièrement dévouées à son service ! Un enfer familial, mais disons multiplié par cent et la plupart du temps même par mille, les mauvais jours. Au bout d'un an de cette vie j'avais perdu la plupart de mes cheveux. Mon pouls ne redescendait jamais au-dessous de cent et se maintenait presque toujours à cent trente dès que je me retrouvais "en famille".

III

— Peu à peu une idée se précisait sans que je lui laisse cependant prendre sa vraie forme, continue Zimmerstein. C'était si vous voulez l'éternel *moi ou lui*. Ma femme et ma fille avaient si bien marqué leur préférence que moi, à la maison, j'avais vu ma place se rétrécir aussi bien au figuré qu'en réalité. Je n'étais plus rien, plus personne ! Le singe avait tout accaparé. Dès que j'apparaissais, il prenait des airs avec moi, montrant par des mimiques d'une humanité insupportable qu'il méprisait le biologiste tourmenteur de chimpanzés, le chercheur, le bourreau. Et s'il fallait des paroles pour appuyer ses airs, ma femme et même ma petite fille tant aimée ne se privaient pas pour les prononcer comme si elles venaient de ce sale singe lui-même. Au laboratoire, à la faculté où je donnais mes cours, mes collègues, mes élèves s'étonnaient de mon laisser-aller, de mes distractions, de mon irritabilité. Quant aux chimpanzés sur lesquels nous testions certaines souches virales, et auxquels nous inculquions les maux des futures guerres bactériologiques, je me comportais envers eux avec de moins en moins d'égards… à tel point que mon intrusion dans le lieu que nous nommions la "nurserie", et où s'alignaient les cages, déclenchait de tels hurlements qu'à la fin je n'osais même plus y paraître, me faisant apporter les spécimens en cours de "traitement" sans aller moi-même en faire le choix. A plusieurs reprises j'avais tenté d'avoir une conversation avec ma femme mais au premier mot elle se levait et sortait de la pièce. Je l'entendais aussitôt, à côté, parler au singe dans l'horrible langue qu'elle, ma fille et le singe lui-même avaient réussi à inventer pour communiquer *contre moi*. C'était là encore cette langue maternelle que j'abhorre, oui que j'exècre, et à laquelle par mimétisme elles avaient mêlé des cris gutturaux, des claquements de langue, des grognements. Le singe répondait parfaitement, au point qu'avec elles il semblait avoir acquis toutes les possibilités qu'offre un discours construit. Rien ne me répugnait plus que d'entendre ma femme, ma fille singer ce chimpanzé échappé par miracle… par ma faute… par une compassion indigne d'un scientifique… oui, échappé au sort qui aurait dû être le sien !

— Attendez, attendez, Zimmerstein, l'interrompt Yeshayahou dissimulant à peine son envie de rire, vous n'avez pas tenté de profiter d'un moment de solitude avec ce singe pour l'estourbir, le rapter et le jeter dans une des cages du laboratoire ?

— Mais bien sûr, dix fois ! vingt fois !

— Et alors ?

— Trop tard ! Quand j'osai prendre, à part moi, la décision de l'enlever dès que mes femmes auraient le dos tourné, la bête était déjà devenue monstrueuse et il n'était pas question d'entrer physiquement en lutte avec ce jeune mâle aux grandes mains d'étrangleur… et pas seulement deux mais quatre ! N'ayez crainte d'en rire, Yeshayahou, je mérite toutes les moqueries... et aussi pas mal de pitié. Je n'entrerai pas dans plus de détails. Sachez que l'enfer de ma vie dépassait tout ce qu'on peut imaginer par son ridicule. Un professeur de faculté dont les communications étaient internationalement attendues, un chercheur vénéré de ses collaborateurs et de ses élèves, réduit à se faire tout petit chez lui, à subir les coups et les vexations qu'un chimpanzé de laboratoire ne se privait pas de lui infliger ! Bien sûr nul ne peut savoir ce qui se passe derrière les murs et les portes bien closes des plus grands personnages, et que notre société humaine honore. L'enfer est partout, Yeshayahou, croyez-moi, jusqu'au cœur de la rose, Eva vous le dirait ! Bref, humilié, déshonoré, refusé chez moi, je me rattrapais autant que possible au-dehors. J'ai honte de le dire, j'étais devenu impitoyable avec mes souffre-douleur du laboratoire et ces pauvres chimpanzés attachés au billard encaissaient la monnaie des tourments que leur diabolique camarade me faisait subir chez moi. Mais surtout je commençais à chercher auprès de mes jeunes élèves un certain réconfort que ma femme me refusait avec une fermeté humiliante pour moi et honteuse pour elle. Quant à ma petite fille adorée, elle détournait son joli visage quand je tentais d'y déposer le baiser du soir, et prenait à tout moment le parti de mon ennemi, me traitant de "médecin sadique", prétendant en savoir long sur nos pratiques de laboratoire. C'est vers cette époque-là qu'Atlantida est entrée dans ma vie. Elle était à peine plus âgée que ma fille. En elle je trouvai en quelque sorte les deux femmes qui me faisaient défaut. Trois ou quatre autres élèves complétèrent les manques que ma continuelle angoisse décuplait. Vous dirai-je que par frustration j'étais moi-même devenu un peu singe… je vous l'avoue avec humour et un réel désir d'objectivité : une, deux, trois femmes ne me suffisaient plus, toutes mes élèves je me mis à vouloir les sauter… mais c'est en Atlantida que je trouvai cependant un relatif réconfort. Croyez-vous que ma femme en aurait été jalouse ? Au contraire. Et même ma petite fille chérie m'encourageait dans cette liaison qui me maintenait de plus en plus hors de chez moi… de chez elles-et-le-chimpanzé, devrais-je dire… Enfin arrive l'époque des vacances. Qu'allons-nous faire de nous, du singe, de tout cela ? Où aller avec cette bête extraordinairement encombrante ? Louer une maison au bord de la mer ? Quel propriétaire voudrait d'une famille affligée d'un chimpanzé si autoritaire et vaniteux ? Et maintenant, tenez-vous bien, Yeshayahou ! A la suite d'une annonce placée dans un journal de vétérinaires ma femme tombe sur une sorte de dingue de chimpanzés. Il en avait six, mâles et femelles, tous plus "humains" les uns que les autres. Affaire conclue ! Nous irons donc en vacances sur une petite île que ce collectionneur de chimpanzés possède en Dalmatie ! Ma femme, ma fille, le chimpanzé d'un côté ; moi, Atlantida et une de ses amies de la faculté de l'autre ! Nous voilà débarquant sur l'île.

— Mais c'est merveilleux ! s'exclame Yeshayahou.

— Comme vous le dites ! L'île n'était pas bien grande. La maison spacieuse. Mais ce que je remarquai surtout, c'était une cage d'une envergure peu commune où en principe les six singes, plus le nôtre, auraient dû être verrouillés. Mais voilà, ce fut le contraire !

— Je ne vous comprends pas.

— Oh, c'est bien simple ! Nos vacances se passèrent dans la cage..., et les singes, eux, étaient libres. A vrai dire, la cage avait été construite pour eux mais très vite c'est nous, les humains, qui y trouvâmes refuge pendant que les singes accrochés aux barreaux criaient et suppliaient qu'on les admette à l'intérieur, parmi les humains... Tiens, il semble qu'on nous appelle !

— Vous avez raison, dit Yeshayahou, voilà Eva et Nini de retour !

— Atlantida est de notre bord, sans réserves, dit Nini. Voilà ce qui a été convenu avec elle : dès aujourd'hui elle retourne dans les sous-sols où aussitôt que possible elle s'arrangera pour se faire choisir par l'un ou l'autre des médecins-chefs occultes. Profitant de ce moment d'intimité pendant lequel ces chefs mystérieux s'humanisent un peu, Atlantida plaidera pour nous. A vrai dire elle fera part d'une sorte d'ultimatum émanant de tous les membres de notre mission. Je me suis permis de parler au nom de tous, persuadé que personne n'irait me contredire. Bien sûr, pénétrer dans la Cité risque de faire tomber la tension de curiosité qui nous maintient, je pourrais dire jour et nuit, en éveil. Tant que nous nous représentons la Cité, ses sous-sols inaccessibles, les expériences plus ou moins acceptables que les chercheurs des brigades médicales spéciales pratiquent sur les lézards prétendument enfants, ou mieux encore sur les enfants qu'ils ont nommés lézards pour garder leurs mains et leur esprit libres, oui, tant que le secret sera maintenu, la tension en nous se maintiendra elle aussi presque jusqu'à la douleur. Par contre, si le secret est levé, si ce qu'on pourrait nommer un rendez-vous d'intelligibilité est pris avec Meng et son équipe, il se peut que la déception soit telle qu'il nous deviendra intolérable de continuer nos va-et-vient dans ce maudit verger. L'aura magique entourant la Centrale, son site, les sous-sols de la Cité, tout ce qui nous maintient en vie, *malgré* ces plaques de pétrification sur nos épidermes, une sorte d'envoûtement risque de nous faire brusquement défaut. Voilà ce que je pensais à l'instant en revenant vers vous. En d'autres termes, je me demandais si la levée de l'interdit allait rendre l'étrangeté encore plus étrange ou si au contraire d'entrer en transparence n'allait pas nous "tuer" en tant que personnages peuplant ce faux verger originel.

— Vous voulez dire que par les zones secrètes entourant l'inaccessible vérité de la Cité, nous restons errants, instables et sans consolation ? dit Zimmerstein, et que c'est cette errance, cette instabilité et cette inconsolation qui nous maintiennent en vie ?

— C'est bien cela ! Passionnément en vie !

— Seule l'insatisfaction nous maintiendrait donc passionnés ?

— Evidemment !

— Ah, je vous en prie, s'écrie Eva avec exaspération, cessez de vous enorgueillir de vos manques et de vos faiblesses ! Depuis le temps que vous frappez à notre porte tout en refusant de nous connaître, nous autres, souhaitant et craignant tout à la fois d'être une fois pour toutes démasqués par celles que vous nommez avec une condescendance inaltérable "nos femmes", voyez où votre passionnante insatisfaction nous a tous menés ! Le gouffre est là, sous vos pieds, sautez donc ! Mourez, puisque pour vous la mort doit déchirer l'énigme ! Mais nous autres, "vos femmes", nous ne voulons pas mourir, nous ne sommes pas curieuses, quoi que vous en disiez ! Au contraire même nous ne souhaitons qu'ajouter au mystère… car nous-mêmes sommes mystère à nous-mêmes, conclut Eva, s'en allant.

— La voilà repartie, furieuse, dit Yeshayahou. Pourquoi la provoquez-vous toujours ?

— Tout la provoque.

— Mais vous, surtout, Nini !

— Nini a raison, dit Zimmerstein, tout la provoque… contre nous.

— Croyez-vous qu'en me menant jusqu'à Atlantida elle cherchait à entrer dans mes vues au sujet de *ceux d'en face* ? Détrompez-vous ! Elle s'attendait à une réaction violente, à un refus net devant ma demande d'intervention de sa part auprès de ces médecins-chefs qui abusent d'elle et s'en servent honteusement, j'en conviens. Mais les Salomé, les Dalila nous ont toujours été nécessaires et jamais elles n'ont failli. Eva ne disait rien mais je voyais bien sa colère quand Atlantida ne s'est pas refusée… et même a semblé se complaire dans ce rôle de prostituée que je lui proposais. Comment après ça, me disais-je, douter de cette "arme" que la nature ? la coutume ? la civilisation ? ont donnée à la femme ? Vois, me disais-je encore, comme elle t'est reconnaissante de lui offrir une *raison* là où jusqu'à présent il n'y en avait aucune… sauf peut-être le plaisir d'humiliation…

— Vous connaissez mal Atlantida, dit Zimmerstein. Peut-être en suis-je responsable, mais très jeune déjà elle n'éprouvait aucune inhibition… donc nulle humiliation à se donner, comme on dit… ou se prêter… Je vous dirai même que la liberté sexuelle de cette jeune fille que j'ai connue très jeune m'a toujours… comment dire ?… mis en manque… m'a maintenu en insatisfaction car, étrangement, la différence d'âge entre nous faisait que mes vrais désirs n'allaient pas à elle mais vers les femmes de la génération précédente, évidemment moins libérées qu'elle. Pour être tout à fait franc, depuis que ce singe était devenu l'axe autour duquel s'enroulaient les lambeaux de ce qui avait fait mon bonheur de père, d'amant épousé par celle qui avait bien voulu devenir *ma* femme, depuis ce soir fatal où j'avais posé sur le tapis du salon la boîte à trous contenant le monstrueux bébé velu, au lieu de prendre en haine ma femme, bien au contraire, comme excité par nos dissonances, il me semblait en être davantage épris de jour en jour. Mes jeunes élèves me maintenaient peut-être en confiance avec moi-même mais, pour employer le plus faible des lieux communs, leur acidité de fruits verts me faisait regretter la plénitude charnelle de celle que j'avais connue dans les difficultés d'approche qui avaient façonné la sexualité de notre génération. Que voulez-vous, c'est ma femme qui me plaisait et je m'en rendais d'autant plus compte que sur l'île dalmate où le hasard nous avait réunis, son corps bronzé, à demi nu, insupportablement à ma portée, me confirmait dans un désir d'exclusive à la limite de cet insupportable.

— Si je comprends bien, dit Nini, votre histoire ne m'avait pas attendu pour avancer.

— Zimmerstein a raison, dit Yeshayahou, son histoire n'est pas une "histoire" mais un incroyable événement tel qu'il est préférable de ne pas en connaître dans sa vie. Il y aurait de quoi en rire si ce n'était qu'une "histoire".

— Mais j'en ris, je vous assure, encore aujourd'hui quand j'y repense, dit Zimmerstein. Car figurez-vous que pendant ces vacances, espérant réveiller ma femme de son étrange fascination, une nuit sur la plage j'ai tenté par la force de... de la ramener à moi, pour employer cet élégant euphémisme.

— Mais c'est de plus en plus merveilleux ! s'exclame Yeshayahou.

— Je vous donne la pleine permission de rire de moi ; je viens de vous le dire : il m'arrive pendant mes insomnies de rire aux larmes de l'absurde élan qui m'avait fait me précipiter sur celle que je pouvais légalement nommer mon “épouse”... pour me retrouver, à quatre pattes sur le sable, remis à la place que je n'aurais pas dû avoir l'imprudence de quitter... Encore une fois, le singe m'avait fait agir en singe. Et c'est en singe que je venais d'être traité. La mâchoire endolorie, j'allai me coucher, décidé cette fois à liquider tout simplement le monstre qui avait foutu en l'air ma vie familiale.

— Vous voulez dire éliminer physiquement le chimpanzé ?

— L'assassiner, oui, n'ayons pas peur du mot !

— Un chimpanzé ça ne s'assassine pas, ça se tue.

— Détrompez-vous, Nini, tuer un animal familier équivaut à un assassinat. Rien de plus facile que de tuer un singe de laboratoire... et rien de plus terrifiant que de se retrouver, chez soi, en train de méditer sur les moyens de... d'éliminer une vie dont l'exubérance, la joie d'exister s'extériorisent avec tant d'indécence, si bien que de supprimer tous ces mouvements, ces cris, ces manifestations de tendresse, même si ce n'est pas à vous qu'elle est destinée, présente des obstacles psychologiques quasiment insurmontables.

— Et vous les avez surmontés, *vous*, Zimmerstein ?

— Oui, *moi*, Zimmerstein, je les ai surmontés, non sans me faire à moi-même une violence dont, jusqu'à cet atroce instant où je me retrouvai couvert de sang et tenant encore une longue paire de ciseaux… je me serais cru incapable.

— Quoi ? Vous, Zef Zimmerstein… des ciseaux !

— Oui, moi !!! Au retour de ces vacances en Dalmatie ! Bien sûr j'avais tout prévu sauf un tel genre d'assassinat. Piqûre, poison, même une balle de revolver tirée à travers un oreiller comme ça se pratique dans les films, oui, tout, sauf le meurtre le plus sale, le plus mouvementé et le plus bouleversant pour finir… car les yeux dorés d'un chimpanzé qui vous fixent et s'éteignent peu à peu ça ne peut s'oublier, non ! ça ne peut vraiment pas s'oublier ! Et puis, nos travaux de laboratoire nous ont trop habitués à exécuter un programme parfaitement planifié où le geste meurtrier se dilue dans les minutieuses phases de ce programme. Nous ne *tuons* jamais en laboratoire, n'est-ce pas ? nous menons à bien un problème dont la solution…

— Ah, non ! N'employez pas ce mot, je vous en supplie ! s'écrie Yeshayahou.

— Disons-le autrement : Nous répondons à un défi par une exécution sans faille du programme bâti sur ce défi. Plus notre recherche est ambitieuse, moins la mort des sujets traités par les impératifs de cette recherche sera, disons, *prononcée*… Nous avons pour cela toute une sémiotique, un ensemble de signes plus que de mots pour "dire" sans la dire cette mort du sujet sur lequel a été basée l'expérience en cours.

— Je vous en prie, Zimmerstein, ne vous expliquez pas. Chaque mot réveille en nous des douleurs intolérables ! Racontez tant que vous voulez mais pas de justifications, pas d'euphémismes, pas d'éclipses de sens derrière des mots ou des anecdotes qui distraient l'intelligence et parfois même l'anesthésient. Vous savez à quoi je pense, vous êtes, comme nous le sommes tous, à vif sur ce dont on ne peut parler et que seul un infini silence peut dire sans le dire...

— Attention, Yeshayahou, vous êtes dangereusement sensibilisé, attention, pas d'amalgames ! Je le sais, tout ce qui est souffrance et surtout organisation, planification de la souffrance dévoie votre esprit vers... ce qui ne peut être ni dit ni exprimé. Mais nos travaux sur de la matière vivante ne peuvent et ne doivent en rien réveiller votre imagination. Et surtout provoquer des glissements de sens, je dirais, blasphématoires. Justement, parce qu'il s'est passé *chez les humains* de l'indicible, de l'informulable, quelque chose qui ne peut imposer qu'un silence que nous n'avions jusqu'à présent réservé qu'à notre Dieu, oui *justement* à cause de *cela*, nous devons nous sentir libres *par ailleurs* de toutes les curiosités et de toutes les fantaisies sur le vivant car nos prétendues atrocités de laboratoire se placent sur un tout autre plan. Croyez-moi, je suis pour le moins aussi sensible que vous, poursuit Zimmerstein avec un inquiétant sérieux, mais justement, ma sensibilité s'est entièrement investie là où plus rien jamais ne pourra la distraire. Voilà pourquoi je suis solidaire de Nini quand il exige l'ouverture des sous-sols de la Cité Potemkine à notre curiosité scientifique et la mise à notre disposition des lézards prétendument enfants.

— Jamais je n'ai ressenti la mort de mon frère jumeau avec autant de tristesse et de désarroi.

Sa sensibilité, doublant en quelque sorte la mienne... et même la redoublant, me manque, car on ne peut toujours penser seul, tout penser doit trouver un penser proche...

— Mais ne sommes-nous pas tous solidaires ? Vous-même, Yeshayahou, n'étiez-vous pas comme nous impatient de pénétrer dans les sous-sols interdits ? Les enfants-lézards que Tania a eu la stupéfaction de découvrir dans ces sous-sols sont-ils si enfants que ça ? et si peu lézards qu'elle le prétend ? Tania est une malade, ses nerfs sont très très malades, vous n'allez quand même pas aligner vos émotions sur les siennes ! Même Atlantida est une névrosée... Toutes sont des névrosées que le mot *enfant* jette dans des crises intérieures que décuple ce *lézard* malvenu. C'est avec une extrême froideur que nous devons approcher ce phénomène et nous assurer si ces enfants sont de vrais enfants Polyphème ou plus lézards qu'enfants. De même je ne cesse de lutter avec une mauvaise conscience ennemie de mon repos depuis que j'ai accompli, au retour de nos vacances en Dalmatie, cet acte que tantôt je nomme "crime", tantôt "meurtre", tantôt "légitime défense" sans autre qualificatif, tantôt "assassinat" selon mon état d'esprit du moment... et parfois même par des euphémismes ridicules, ce qui prouve que le dressage imposé à l'enfant ne se rejette pas facilement. Pour terminer, je vous avouerai que j'exécutai le singe pas proprement du tout, et même assez salement. Je ne vous décrirai pas l'état de ma femme, de ma fille quand elles me trouvèrent, hébété, tenant encore les ciseaux ensanglantés... et à mes pieds leur chimpanzé aimé, en train d'agoniser, fermant et rouvrant ses yeux dorés d'une expressivité insupportable. Bref, pour elles j'étais un assassin. Au laboratoire, tant que je voulais, mais pas à la maison, avec des ciseaux, non, non, pas à la maison ! En Afrique, au labo, la race entière des chimpanzés, mais pas *celui-là*, non !

ÉPILOGUE

— Vous souvenez-vous, *nous* dit Yeshayahou, qu'au début de notre rencontre, je vous avais parlé de mon frère et surtout des papiers qu'il m'aurait confiés avant de mourir afin que je les détruise ? "Toute écriture doit retourner au buisson ardent", voilà quelles furent les dernières recommandations de mon frère au moment de nous laisser, Eva et moi, seuls sans lui. Lequel de nous ne cache un crime inavoué ? Brûler les papiers d'un mort est-il criminel ? Surtout si c'est à sa prière que l'acte a été accompli ? Sur le moment on croit exécuter un devoir testamentaire et c'est presque sans réfléchir qu'on met le feu... qu'on tente de mettre le feu aux premiers cahiers. Mais voilà, rien n'est plus rebelle qu'une liasse de feuillets manuscrits ! Le feu refuse de dévorer les mots. Et pourtant, le feu du buisson ardent doit dévorer le discours des hommes. Né du feu, le discours des hommes retournera au feu ! Voilà ce que je me disais en tentant de brûler ces papiers que mon frère m'avait confiés avant de mourir. "Promets-moi, m'avait-il dit, en me les remettant, de ne pas lire ce que contiennent ces papiers." Bien sûr, je le lui avais promis. Et bien sûr je n'avais pas tenu parole. D'ailleurs s'il m'avait confié ses papiers c'était pour que je les lise, évidemment, me disais-je tenté et à la fois en recul devant ce qui me semblait une trahison tout en me disant que c'était peut-être le trahir que d'accéder à sa demande, sans avoir auparavant pris connaissance du contenu de ces manuscrits. Je ne m'étais pas décidé facilement à défaire le lourd paquet qu'il m'avait remis et j'avais attendu plusieurs jours, ne sachant comment m'y prendre pour détruire ces feuillets sur lesquels le feu n'aurait eu aucune prise si je les avais laissés tels que je les avais reçus. Donc je dus me résoudre à…

— Je viens de trouver un message d'Atlantida, dit Zimmerstein, apparaissant brusquement. Les choses sont en bonne voie, dit-elle, le médecin-chef auquel elle a transmis les demandes de Nini semble presque d'accord pour que les portes de la Cité interdite soient “entrouvertes” – ce sont les mots d'Atlantida – aux membres de la commission d'enquête internationale. Que veut dire cet “entrouvertes” ? Voilà ce que je voudrais voir précisé. Cet “entrouvertes” exclut-il les sous-sols ? Visiter la Cité ne nous intéresse pas, évidemment ! “Nous voulons accéder aux sous-sols, nous voulons au besoin y établir nos travaux, nous voulons étudier le déclin sur l'ensemble du matériel dont disposent les brigades médicales secrètes.” Voilà ce que Nini compte obtenir et ce qu'il a revendiqué à la suite de cet “entrouvertes” transmis par Atlantida. Il vient de faire passer un message aux frères Kalten qui sans faute, ont-ils dit, vont le remettre à Meng dès que possible. Je pense que nous obtiendrons satisfaction. Il semble que dans la Cité la progression du mal qui nous frappe tous est encore plus rapide qu'ici. D'après les frères Kalten la désensibilisation et l'épaisseur des callosités se révèlent chez la plupart de ceux faisant partie des brigades médicales tout à fait catastrophiques. Meng ne pourrait plus tenir bien en main ses instruments. C'est ce que Nini a cru comprendre aux explications embrouillées des frères Kalten. "Si les choses en sont là, a dit Nini, alors qu'on nous laisse le champ libre !" Il y aurait comme un flottement chez ceux qui nous surveillent ; tout me laisse penser que l'état de régression, dans lequel nous finirons par nous dissoudre tous, affecte beaucoup plus les détenteurs du pouvoir que nous autres pour qui la fin ne sera en somme que la fin de nous-mêmes et non une perte de ces douteuses prétentions dont l'abus nous maintient suspendus... Figurez-vous, je viens de croiser Eva Mada-Göttinger, elle sortait du hall d'accueil de la Centrale en compagnie des deux physiciens anglais. En quelques mots je lui ai donné la possible bonne nouvelle...

— Et comment a-t-elle réagi ? demande Yeshayahou.

— Comme toujours, avec colère. Elle refuse.

— Comment ça ?

— Elle refuse de passer de l'autre côté. "Je ne passerai pas de l'autre côté", a-t-elle dit. "Sachant ce qui se trafique dans ces horribles sous-sols, je refuse de m'associer à votre curiosité." Voilà ce qu'elle m'a dit en me quittant avec brusquerie pour rejoindre les deux physiciens qui par discrétion avaient fait quelques pas sous les pommiers et l'attendaient en souriant ironiquement comme toujours.

— Ces deux types me sont odieux ! s'exclame Yeshayahou. Chaque fois que nous nous rencontrons, ils me saluent en me rappelant impitoyablement que mon frère et moi nous avions donné notre caution pour que la Centrale soit édifiée ici. “Que ce soit ici, leur dis-je, ou ailleurs, *votre* catastrophe aurait eu les mêmes conséquences.” Ils haussent les épaules et me tournent ostensiblement le dos. Il faut être anglais pour oser se comporter si odieusement ! Et voilà qu'Eva accepte, pour me faire enrager, qu'ils l'accompagnent partout comme deux caniches. Elle les siffle et ils accourent !

— Et vous, Yeshayahou, que faites-vous ?

— Quand elle me siffle ?

— Oui.

— J'accourais, bien sûr. Mais maintenant…

— N'allez pas dire que vous n'accourez plus…

— Disons que je n'accours plus au premier coup de sifflet. Après la mort de mon frère, il nous a fallu passer par une étrange période de flottement. Justement j'étais en train d'évoquer… Moi aussi, Zimmerstein, j'ai mon crime… Qui de nous n'a le sien ? Chacun sa chance. La vôtre fut ce chimpanzé.

— Je vous l'ai dit : toutes les moqueries sont permises à mon sujet. Mon crime est, en effet, un crime hautement comique. Le même geste effectué sur une table de dissection avec un scalpel n'aurait été que routine… Tandis que l'image d'un professeur de faculté nommé Zef Zimmerstein luttant à mains nues avec un singe, cherchant à l'étrangler, puis à l'assommer avec une bouteille… pour finir par s'emparer d'une paire de longs ciseaux… Jusqu'au moment où à plusieurs reprises j'ai enfoncé les longs ciseaux dans la gorge, la poitrine, puis de nouveau la gorge de la bête, jamais je n'aurais pensé qu'un singe possédât en lui une telle charge d'humanité, comprenez-vous, Yeshayahou ?

— Humanité ? Vraiment ?

— Disons, si vous préférez, que le moment de la mort, je dis bien *l'instant* où la vie, où le vivant se détache de la chose qui le contenait, oui cet *instant* est d'une solennité absolue. Le Souffle ! J'ai compris ce qu'est le Souffle. Quand l'inanimé remplace soudain l'animé… Le regard doré, non, non ! ce n'est pas une métaphore, le Souffle du regard doré d'un singe s'en allant vous laisse nu… comme un singe… Ce jour-là j'ai compris que chaque mort est une apocalypse, oui, même la mort d'une mouche est une apocalypse… de mouche, évidemment… mais apocalyptique…

— Au moment de mourir, mon frère m'avait remis un volumineux paquet contenant les manuscrits auxquels il avait travaillé secrètement toute sa vie. Je lui avais juré de les détruire. Il prétendait y tenir terriblement. Ou disons qu'il tenait tellement à ses manuscrits qu'il prétendait à leur destruction… par un effrayant sursaut d'orgueil, je me l'imaginais.

— Qu'y a-t-il de plus désespérément naturel ?

— Je le pense aussi, évidemment. "Tu les brûleras sans les lire", m'avait-il dit.

— Et bien sûr vous les avez lus.

— Je… je n'ai pu aller jusqu'au bout…

— Et pourquoi y avez-vous renoncé ?

— J'ai dû m'arrêter… dans un premier temps, j'ai voulu me tenir à ma parole… et aussi peut-être craignais-je de pénétrer le secret de mon frère.

— Des jumeaux auraient-ils quand même la chance de garder une part secrète en leur être, en leur pensée ?

— Tant que mon frère vivait, je l'avais cru. Mais après avoir déchiffré ses papiers, j'ai découvert avec horreur qu'il avait pénétré mon secret. Ou, si vous préférez, que son secret était le mien… ou inversement, dès les premières lignes, j'ai compris…

Yeshayahou reste un moment silencieux.

— Qu'avez-vous compris ? s'impatiente Zimmerstein.

— J'ai compris que durant tout le temps qu'il avait vécu… Comment exprimer l'horrible souhait qui moi-même m'avait poursuivi ?… Nous étions deux Caïn.

— C'était donc cela ? Mais rien de plus naturel ! Abel n'est qu'une fantaisie de l'esprit humain ; l'idée de "l'humain", si vous préférez, qui perdure dans l'imagination déréglée de Caïn. Le meurtre fratricide, voilà la condition humaine ! La race entière des hommes a pour nom : Caïn ! Tous Caïn !

— Zimmerstein, je souffre de vous entendre !

— Je souffre de le dire mais avant que ne descende sur nous la nuit je tiens à le dire et à le redire. Tous les chimpanzés se nomment Abel et tous les hommes Caïn ! Quant à votre frère, le doux sismologue, le musicien… Mais pourquoi vous accabler alors que tombe sur nous le crépuscule ?

— Je sais ! Vous pensez qu'il a succombé à mon "désir" ? Que mon "désir" a été plus fort que le sien.

— Vous devez le savoir par la lecture des écrits de votre frère.

— Vous ne pouvez me blesser plus cruellement. En effet, mon "désir" de meurtre a sans doute été plus fort que le sien. Bien qu'à chaque page le sien fût criant. La lutte a été longue, muette, chargée d'amour fraternel, chacun de nous luttait avec son ange gardien, joue contre joue, épaule contre épaule, et nos souffles se mêlaient…

— Ce fut votre chance à tous les deux.
— Notre gémellité, vous voulez dire ?
— Que par la grâce du jeu génétique, oui, au moment de la mitose…
— Les deux Anges dont parle Rilke se soient rencontrés… et que leur longue étreinte… leur étreinte d'une vie entière…
— Les fasse "mourir d'amour" comme il est si bien dit dans le poème.
— Mais moi je suis là, encore ! Pour ma honte je ne suis pas "mort d'amour". Voilà pourquoi Eva me hait…
— D'amour, croyez-moi. Jusqu'à la fin, jusqu'à l'ultime lueur de ce long crépuscule, elle veillera à votre souffrance. Soyez-en heureux, Yeshayahou, votre frère n'est pas mort mais il est en vous, et en Eva… Maintenant nous devons nous préparer. Les portes de la Cité Potemkine vont "s'entrouvrir" et nous y pénétrerons. Nous descendrons dans ses sous-sols et, bien que livrés à la lente régression qui nous rendra tous semblables au crapaud du lac, nous nous acharnerons par tous les moyens, jusqu'à notre dernier souffle, dans la poursuite du pourquoi. Nous remonterons jusqu'à la cellule initiale comme remonte le poisson, par-delà les monts, à la source qui l'a vu naître. Voyez ces cristaux sur nos bras, là sur nos poitrines, nos fronts, nos cous, voyez comme le minéral réabsorbe le vivant, efface lentement nos vies ! J'ai hâte de pénétrer dans les salles bétonnées de la Cité, de voir, comme Tania a vu ! Voir les enfants-lézards, les toucher, plonger mon regard dans leur œil frontal, comprendre, oui, comprendre de combien de millions d'années ils ont régressé, et si eux aussi retournent au minéral. Voyez, je bouge le bras et les cristaux aux multiples

facettes scintillent, renvoient la lumière, me font lumière ! Bientôt nous serons lumière ! Allons, Yeshayahou ! Venez ! Et *vous* aussi, suivez-nous, *nous* avait dit Zimmerstein en *nous* entraînant à travers le verger fleuri. *La transformation des corps en lumière et de la lumière en corps n'est-elle pas conforme au cours de la nature, qui aime les transmutations ?* Voilà pourquoi il n'y aura jamais de fin. Bien que tout doive disparaître, il n'y aura jamais jamais de FIN.

TABLE

Jérôme Camilly
L'OMBRE DE L'ÎLE

Muriel Cerf
LE VERROU
OGRES

Georges-Olivier Châteaureynaud
LE GOÛT DE L'OMBRE

Jean-Paul Chavent
VIOLET OU LE NOUVEAU MONDE

Annie Cohen
L'HOMME AU COSTUME BLANC
LE MARABOUT DE BLIDA

Andrée Corbiau
FARINELLI, IL CASTRATO

Gérard de Cortanze
LES VICE-ROIS

Alexis Curvers
LE MONASTÈRE DES DEUX SAINTS JEAN

Anne-Marie C. Damamme
UN PARFUM DE TABAC BLOND

Yves Delange
EUDORA
LE CONCERT A KYOTO

Michèle Delaunay
L'AMBIGUÏTÉ EST LE DERNIER PLAISIR

Yves-William Delzenne
UN AMOUR DE FIN DU MONDE
LE SOURIRE D'ISABELLA

François Depatie
MAGDA LA RIVIÈRE

Sébastien Doubinsky
LES VIES PARALLÈLES DE NICOLAÏ BAKHMALTOV
LA NAISSANCE DE LA TÉLÉVISION SELON LE BOUDDHA
FRAGMENTS D'UNE RÉVOLUTION

Ilan Duran Cohen
CHRONIQUE ALICIENNE

Jean Duvignaud
DIS, L'EMPEREUR, QU'AS-TU FAIT DE L'OISEAU ?
LE SINGE PATRIOTE

Alice Ferney
LE VENTRE DE LA FÉE

Alain Ferry
LE DEVOIR DE RÉDACTION

Ivo Fleischmann
HISTOIRE DE JEAN

Pierre Furlan
L'INVASION DES NUAGES PÂLES
LES DENTS DE LAIT DU DRAGON
LA TENTATION AMÉRICAINE

Didier-Georges Gabily
PHYSIOLOGIE D'UN ACCOUPLEMENT
COUVRE-FEUX

Paul Gadenne
BALEINE
BAL A ESPELETTE
SCÈNES DANS LE CHÂTEAU

Marie-Josèphe Guers
LA FEMME INACHEVÉE

Michèle Hénin
UN TABLIER ROUGE

Armand Hoog
LE PASSAGE DE MILIUS
LA FABULANTE
VICTOR HUGO CHEZ VICTORIA

Nancy Huston
CANTIQUE DES PLAINES
LA VIREVOLTE

Catherine Jarrett
BILLET D'OMBRE

Raymond Jean
UN FANTASME DE BELLA B. et autres récits
LA LECTRICE
TRANSPORTS
LE ROI DE L'ORDURE
MADEMOISELLE BOVARY
LES PERPLEXITÉS DU JUGE DOUGLAS
L'ATTACHÉE
LA CAFETIÈRE
LE DESSUS ET LE DESSOUS ou L'ÉROTIQUE DE MIRABEAU

Jean Joubert
UNE EMBELLIE

Jean Kéhayan
NASTIA

Vénus Khoury-Ghata
LA MAESTRA

Denis Lachaud
J'APPRENDS L'ALLEMAND

Simonne Lacouture
LA MORT DE PHARAON

Françoise Lefèvre
LE PETIT PRINCE CANNIBALE
BLANCHE, C'EST MOI
LA GROSSE

Guy Lesire
GODOT NE VIENDRA PAS

Madeleine Ley
LE GRAND FEU

Armand Meffre
CEUX QUI NE DANSENT PAS SONT PRIÉS
D'ÉVACUER LA PISTE

Prosper Mérimée
CARMEN

Yves Navarre
LA VILLE ATLANTIQUE

Francine Noël
NOUS AVONS TOUS DÉCOUVERT L'AMÉRIQUE

Hubert Nyssen
ÉLÉONORE A DRESDE
LA FEMME DU BOTANISTE

Rose-Marie Pagnard
LA PÉRIODE FERNÁNDEZ

Agnès Pavy
QUITTER SAINTE-CATHERINE

Brigitte Peskine
LE VENTRILOQUE

Juliette Peyret
HÔTEL DE LA RECONNAISSANCE

René Pons
AU JARDIN DES DÉLICES
ET PEUT-ÊTRE SUFFIT-IL DE...
LE CHEVALIER IMMOBILE
L'HOMME SÉPARÉ

Jacques Poulin
LE VIEUX CHAGRIN
CHAT SAUVAGE

Vladimir Pozner
LES BRUMES DE SAN FRANCISCO
LE MORS AUX DENTS
LE FOND DES ORMES
CUISINE BOURGEOISE

Claude Pujade-Renaud
LES ENFANTS DES AUTRES et autres nouvelles
UN SI JOLI PETIT LIVRE et autres nouvelles
VOUS ÊTES TOUTE SEULE ? et autres nouvelles
LA CHATIÈRE et autres nouvelles
BELLE MÈRE
LA NUIT LA NEIGE
LE SAS DE L'ABSENCE

Anne Rabinovitch
LES ÉTANGS DE VILLE-D'AVRAY
POUR BUDAPEST IL EST ENCORE TEMPS

Eric Reinhardt
DEMI-SOMMEIL

Jean Renaud
LES MOLÉCULES AMOUREUSES

Jean Reverzy
LE SOUFFLE

Fanny Reybaud
MADEMOISELLE DE MALEPEIRE

Dominique Reznikoff
JUDAS ISCARIOTE

Rezvani
L'ÉNIGME
FOUS D'ÉCHECS
LA CITÉ POTEMKINE

Guy Rohou
LE NAUFRAGÉ DE SAINT-LOUIS
MER BELLE A PEU AGITÉE
LA GUERRE IMMOBILE
HÉLÈNE

Norbert Rouland
LES LAURIERS DE CENDRE
SOLEILS BARBARES

André-Louis Rouquier
AWA
LA PEUR DU NOIR

Laurent Sagalovitsch
DADE CITY
LA CANNE DE VIRGINIA

Catherine de Saint-Phalle
N'ÉCARTEZ PAS LA BRUME !
MOBY

Irène Schavelzon
LA FIN DES CHOSES
CONFESSION DE MARIE VIGILANCE

Lotte Schwarz
LES MORTS DE JOHANNES et autres récits

Brigitte Smadja
LE JAUNE EST SA COULEUR

Frédéric Jacques Temple
L'ENCLOS
LA ROUTE DE SAN ROMANO

Michel Tremblay
LA NUIT DES PRINCES CHARMANTS
QUARANTE-QUATRE MINUTES, QUARANTE-QUATRE SECONDES
UN OBJET DE BEAUTÉ

Vercors
LES MOTS

Anne Walter
LES RELATIONS D'INCERTITUDE
TROISIÈME DIMANCHE DU TEMPS ORDINAIRE
MONSIEUR R.
RUMEURS DU SOIR
LA NUIT COUTUMIÈRE
LE CŒUR CONTINU
LE PETIT LIVRE AVALÉ
L'HERBE NE POUSSE PAS SUR LES MOTS
L'INACHEVÉ

Jean-Gabriel Zufferey
SUZANNE, QUELQUEFOIS

"GÉNÉRATIONS"

Catherine Chauchat
LITTLE ITALY

Ying Chen
L'INGRATITUDE
IMMOBILE

Christophe Donner
L'ÉDIFICE DE LA RUPTURE

Chrystel Egal
KOVALAM BEACH

Didier-Georges Gabily
L'AU-DELÀ

Philippe de la Genardière
MORBIDEZZA
GAZO

Jean-Paul Goux
LA COMMÉMORATION

Tassadit Imache
LE DROMADAIRE DE BONAPARTE
JE VEUX RENTRER

Virginie Lou
ÉLOGE DE LA LUMIÈRE AU TEMPS DES DINOSAURES

Gérard Noiret
CHRONIQUES D'INQUIÉTUDE

François Poirié
RIRE LE CŒUR

Jean-Pierre Thibaudat
L'ORSON

Lyonel Trouillot
RUE DES PAS PERDUS

Malika Wagner
TERMINUS NORD
EN ATTENDANT ISABELLE

Marc Weitzmann
ENQUÊTE

"UN ENDROIT OÙ ALLER"

Charles Bertin
LA PETITE DAME EN SON JARDIN DE BRUGES

Brassaï
HISTOIRE DE MARIE

Rosie Delpuech
INSOMNIA

Assia Djebar
ORAN, LANGUE MORTE
LES NUITS DE STRASBOURG

Alice Ferney
L'ÉLÉGANCE DES VEUVES
GRÂCE ET DÉNUEMENT

Claire Fourier
MÉTRO CIEL suivi de VAGUE CONJUGALE

Anne-Marie Garat
L'AMOUR DE LOIN

Comte de Gobineau
MADEMOISELLE IRNOIS

Françoise de Gruson
BASSES BRANCHES

Nancy Huston
INSTRUMENTS DES TÉNÈBRES
L'EMPREINTE DE L'ANGE

François-Bernard Michel
JUDITH

Hubert Nyssen
LE BONHEUR DE L'IMPOSTURE

Fabienne Pasquet
L'OMBRE DE BAUDELAIRE

André-Louis Rouquier
LA NUIT DE L'OUBLI

Anne Walter
LA LEÇON D'ÉCRITURE
LES RENDEZ-VOUS D'ORSAY

OUVRAGE RÉALISÉ
PAR L'ATELIER GRAPHIQUE ACTES SUD
REPRODUIT ET ACHEVÉ D'IMPRIMER
SUR ROTO-PAGE
EN JUIN 1998
PAR L'IMPRIMERIE FLOCH
A MAYENNE
SUR PAPIER DES
PAPETERIES DE JEAND'HEURS
POUR LE COMPTE DES ÉDITIONS
ACTES SUD
LE MÉJAN
PLACE NINA-BERBEROVA
13200 ARLES

DÉPÔT LÉGAL
1re ÉDITION : AOÛT 1998
N° impr. : 43867
(Imprimé en France)